호모 씨피엔스

■ **일러두기** 영어 및 한자 병기는 본문보다 작은 글씨로 처리했습니다. 인명 및 지명은 국립국어원의 외래어 표기법에 따라 표기했으며, 규정에 없는 경우는 현지음에 가깝게 표기했습니다.

호모 씨피엔스

윤학배 지음

HOMO SEA PIENS

신인류의 바다 인문학

일상 속 바다 이야기

지구에서 생물체가 처음 나타난 곳은 바다다. 그리고 바다는 지구 면적의 71퍼센트를 차지한다. 그래서 우리가 사는 이 행성을 지구地球가 아니라 수구水球라고 이야기하는 사람도 있다. 그리스·로마 시대부터 현재까지의 세계사를 보면, 바다를 지배한 국가나 세력이 결국 세계를 지배했다. 물론 몽골 같은 예외가 있기는 했지만 말이다.

그리스와 로마는 지중해를 매개로 한 세계를 지배했으며, 신대륙이 발견된 이후 16~17세기에는 스페인과 포르투갈이, 뒤를 이어 17세기에는 네덜란드가, 18~19세기에는 영국이, 20세기에 들어서는 미국이 바다를 지배하면서 세계의 패권 국가가 되었다.

그런데 이렇게 중요한 바다를 우리는 얼마나 알고 있을까? 기껏해야 여름 해수욕장 정도를 바다의 전부로 알고 있지는 않을까. 아니면 횟집에서 생선회를 즐길 때만 떠올리는 게 바다 아닐까. 우리에겐 이처럼 평상시 우리의 삶과 아무 상관없는 게 바다이고, 그저 다른 누군가의 힘든 일터가 바다일 뿐이다. 삼면이 바다로 둘러싸인 반도 국가에 살면서도 바다의 소중함이나 진정한 가치를 잘 모르고 살고 있다는 이야기다.

하지만 조금만 들여다보면 우리의 삶과 떼려야 뗄 수 없는 게 바다라는 걸 금방 알게 된다. 다운로드와 로그인을 포함해 우리가 매일 들여다보는 인터넷의 용어는 대부분 바다와 선박의 항해에서 나왔다. 그뿐이 아니다. 해외여행을 할 때 꼭 필요한 여권도 바다에서 나왔고, 뉴스를 진행하는 앵커라는 용어도 선박의 닻에서 파생되었다. 바다가 바로 우리 곁에서 숨을 쉬고 있는 것이다. 바다가 한 뼘도 없는 내륙국인 몽골과 스위스가 바다에 대하여 가지고 있는 열망과 의지를 보면, 삼면이 바다인 우리에게 시사하는 바가 크다. 그렇다. 바다는 곧 우리의 일상이다.

나는 운이 좋게도 공직 생활을 하며 스위스 제네바와 영국 런던에서 6년여를 근무했다. 영국은 바다를 지배하며 전 세계를 경영해본 적 있는, 그야말로 글로벌 리더였던 나라다. 현재 우리 사회의 근간이 되고 있는 민주주의와 시장경제, 그리고 영어라는 세계 공용어를 뿌리내리게 한 것도 영국이다.

이 책에서는 먼저, 바다가 우리 생활과 얼마나 밀접한지 살펴본다. 인터넷과 커피, 여권, 소방차 사이렌 등 우리의 일상생활을 지배하고 있는 용어들이 바다에서 왔음을 알아보며, 바다가 곧 우리 일상임을 말하고 싶었다. 두 번째, 바다를 통해서 해가 지지 않는 대영제국을 형성한 영국의 바다 사랑과 바닷사람들의 모습을 소개한다. 흥미진진한 그들의 이야기를 통해 우리의 모습을 돌아보고 싶었다. 세 번째, 멍텅구리나 굴비처럼 우리가 잘 알지 못하는 사이에 우리 생활의 일부가 되어버린 바닷물고기와 그 이름에 얽힌 이야기를 소개한다. 재미있기도 하지만, 알아두면 쓸 데 있는 바다에서 나온 이야기를 공유하고 싶었다. 이 글을 읽는 독자들이 "어? 이것도 바다에서 나온 거였네!"라고 알게 되면 그것으로 충분하고 행복할 것이다.

이 책을 쓰며 아쉬웠던 게 있다. 우리가 살고 있는 동양 사회의 바다를 많이 소개하지 못한 점이다. 다음에 기회가 주어진다면 우리나라를 비롯한 동양의 여러 바다 이야기를 해보고 싶다.

마음대로 되지 않는 게 세상일이라 했던가. 공직 생활이 끝나면 여유 있는 시간을 보내며, 그동안의 경험을 사회에 환원하고 싶었다. 하지만 그런 소박한 꿈이 산산조각으로 부서져 없어지는 데는 얼마의 시간이 걸리지 않았다. 30여 년의 공직을 마무리하기 무섭게 시련과 역경이 성난 파도처럼 밀려왔으니 말이다. 물론 되돌아보면 세상에 나 혼자가 아니라는 안도감이 들게 하는 기회이기도 했고, 시간이 없다는 핑계로 손도 대지 못했던 꿈 같은 '글쓰기'를 할 수 있어서 기쁘고 흥분되는 시간이기도 했다.

이러한 거친 파도 속에서 써 내려간 나의 글들이 활자로 남는다고 생각하니, 그 자체로 가슴이 벅차다. 청년 시절 처음 공직을 시작하던 때와 같다고나 할까. 무언가를 창조한다는 건, 그것이 크든 작든, 매우 가치 있고 보람 있는 일임을 이 글을 쓰며 다시 깨달았다.

생각하는 것을 말로 하는 것이 얼마나 어려운 것인지, 말을 하는 것과 글로 옮기는 것의 차이는 또 얼마나 큰지… 지난한 '글쓰기'를 통해 실감할 수 있었다. 이 지난한 작업을 묵묵히 지원하고 격려해준 가족들에게 이 자리를 빌려 감사를 전한다. 특히 30여 년의 공직 생활을 한결같이 곁에서 지켜주고, 힘들 때 용기를 준 것도 모자라, 또 이 글을 쓰도록 '재촉'과 '독촉'을 아끼지 않은 아내에게 특별히 고맙다는 말을 꼭 글로 남기고 싶다.

"참으로 고맙소!"

세상 모든 것이 변해도 바다는 변하지 않는다. 자기의 것을 고집하지도 않는다. 의연하게 자기 자리를 지키며 모든 것을 받아들일 뿐이다.

오늘도 바다는 비에 젖지 않는다.

제3부
우리는 수산민국이다

H O M O

S E A P I E N S

제1부

바다는 결코
비에 젖지 않는다

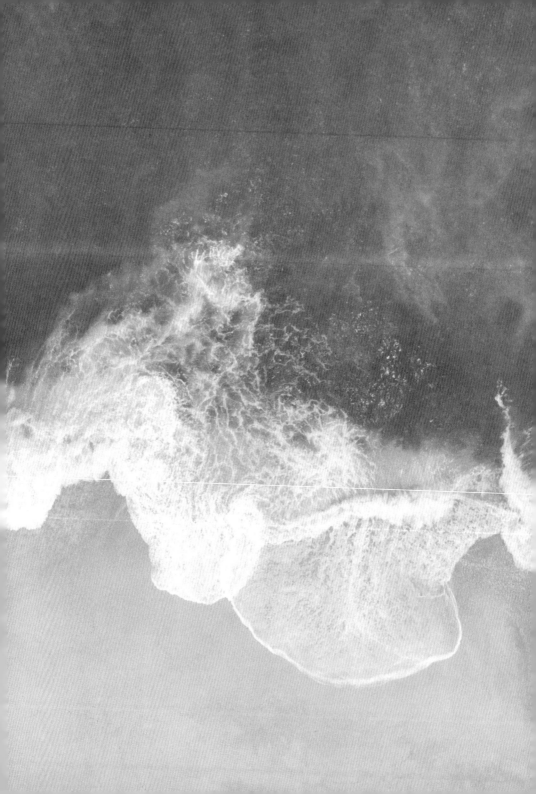

바다는
비에 젖지 않는다

낮잠 자는 소를 닮은 우면산

서울 서초동에는 우리나라 선비들이 머리에 쓰던 갓 모양을 형상화한 예술의 전당이 있고 그 뒤편으로 300미터 남짓한 우면산牛眠山이 있다. 우면산은 이름 그대로 소가 잠을 자는 모습의 편안한 산세다. 하지만 2011년 백 년 만의 집중호우로 큰 산사태가 나는 우여곡절을 겪기도 했다. 이름과는 달리, 자는 소가 벌떡 일어나는 혹독한 시련을 겪었던 것이다.

우면산은 낮은 산이지만 여러 코스로 이루어져 있다. 슬리퍼 신고 산책하듯이 여유 있게 걷는 코스도 있고, 제법 땀도 나고 다리 근육과 힘줄에 힘이 들어가는 구간도 있다. 어쨌든 한나절 등산하기에 딱 좋은 산이다. 이 우면산 입구에는 여느 산과 마찬가지로 약수터가 있다. 그리고 그 약수터 건너편에 제법 오래되어 보이는 '○○ VIP 실내포차'가 있다. 포차인데 VIP라니, 어딘가 어울리지 않는 이름이지만 그 포장마차는 우면산을 등산하고 나면 반드시 들러야 하는 집으로 유명하다. 그 집을 가기 위해 우면산 등산을 한다는 말이 있을 정도다.

포장마차와 해불양수

10여 년 전 그날도 여느 날과 마찬가지로 친한 후배와 함께 우면산 등산을 마친 후에 그 포장마차에 들렀다. 으레 막걸리 한잔에 닭똥집 볶음과 감자전을 먹을 생각이었다. 그런데 그날따라 벽에 걸린 한 액자가 눈에 보였다. 전에는 못 보던 액자라 생각하고 나이가 지긋한 주인장에게 물었다.

"저 액자 언제 거셨습니까?"

"저 자리에 오래전부터 걸려 있었는데요. 한 오륙 년 됩니다."

참으로 신기했다. 벌써 몇 년을 그 포장마차에 다녔는데 그동안 보지 못하다가 이제야 처음 그 액자를 봤으니 말이다.

"아는 지인이 몇 년 전에 줬는데 글 내용이 뭔지를 모릅니다. 알 만한 손님들한테 물어봐도 정확하게 해석해주는 분이 없네요."

우리가 액자에 관심을 보이자 이때다 싶어 주인장이 하는 말이었다. 그런데 그 글자를 찬찬히 보니 초서로 멋지게 한 번에 쓴 '해불양수海不讓水'라는 글자였다. 사실 쉬운 한자도 정자가 아닌 초서로 쓰면 알기가 쉽지 않은 법이다. 황소가 뒷걸음치다가 쥐 한 마리 잡은 것처럼 운 좋게 얻어 걸린 것이었다. 물론 해불양수가 바다와 관련된 글이라 그 글귀와 내용을 알고 있기는 했었다.

"바다는 낮은 곳에 있어서 어떠한 물도 사양하지 않는다는 뜻으로, 모든 사람을 차별하지 않고 포용해야 함을 이르는 말입니다. 사람의 됨됨이가 폭넓어야 하고, 그런 사람이 큰 인물이라는 뜻이기도 하죠. 중국 춘추전국시대의 관포지교管鮑之交로 유명한 관중管仲에게서 유래되었다고 합니다."

주인장에게 자세히 설명하자, 그동안 몇 년간의 궁금증이 풀렸다며 반색했다. 그리고 고마움의 표시로 막걸리 2통을 가져 왔다.

그런데 참으로 이상했다. 포장마차 벽면에 그동안 다녀가면서 메모와 이름을 남긴 수많은 유명인이 있었으니 말이다. 그 사람들이 그 액자의 내용을 왜 해석해주지 않았을까. 잠깐의 생각으로는, 아마도 관심을 보이지 않으니 주인장이 물어볼 기회가 없었던 것 같았다.

여하튼 포장마차에 걸려 있는 해불양수의 의미는 참으로 깊은 것이다. 지금 시대에 너무나 필요한 정신이 아닌가 한다. 안타까운 것은 이 해불양수라는 글귀가 정치인들이 가장 좋아하는 글귀 중 하나라는 사실이다. 그것도 본래의 뜻보다는 자기 자신의 폭넓음과 아량과 포용력을 자랑하는 의도로 말이다. 자신이 바다처럼 큰 그릇이라는 것을 내세우고 싶은 생각이겠지만, 바다는 자신을 과시하거나 자랑하지 않는다. 바다는 면적이 넓거나 너그러워서 모든 물을 가리지 않고 받아들이는 것이 아니다. 변별력이 없어서 썩은 물이든 깨끗한 물이든, 찬물이든 더운물이든, 도랑물이든 강물이든 그냥 다 받아들이는 것도 아니다. 바다는 낮은 곳에 있기 때문에 모든 물을 타박하지 않고 받아들이는 것뿐이다. 자신을 낮추고 상대방을 받쳐 주기에 빛나는 것이다.

어머니를 닮았다

그런데 서양에도 이 해불양수와 아주 기가 막히게 맞아떨어지는 말이 있다. 바로 헤밍웨이Hemingway의 명작 《노인과 바다》(1952년)에서 나오는 말이다. 헤밍웨이는 아마도 소설가 이전에 철학자였지 않나 싶다. 바다를 보며 사색을 매우 즐겼을 것도 같다. 그런 사색의 결과가 아니면 단지 글 솜씨만 좋다고 이런 글귀가 나올 수는 없기 때문이다. 하긴 그렇기에 그는 《무기여 잘 있거라》(1929년), 《누구를 위하여 종은 울리나》(1940년) 등의 걸작들을 쓸 수 있었을 것이다. 《노인과 바다》에 나오는 말 중 바다를 가장 잘 표현한 것이 바로 이 문장이다.

'바다는 비에 젖지 않는다. The ocean does not get wet by rain.'

그렇다. 바다는 아무리 비가 많이 와도 미동하지 않는다. 비가 오지 않는 다고 티를 내지도 않는다. 바다는 작은 변화에 민감해하지 않고, 묵묵히 불평과 탄식을 받아줄 뿐이다. 비 한 방울 더 떨어진다고 바다가 변하겠는가. 비가 오지 않는다고 바다가 마르겠는가. 바다는 그 자리에 항상 그렇게 자기 자리를 지키며, 있는 듯 없는 듯 자기 역할을 하고 있을 뿐이다.

헤밍웨이의 표현은 서양식 버전의 해불양수가 아닐 수 없다. 그러고 보면 바다는 여성이고 그중에서도 어머니를 닮았다. 바다는 모든 것을 내어주는 모성애 가득한 어머니다.

바다를 닮았다는 건

바다는 포용하고 용서한다. 세상의 가장 낮은 곳이기에 오히려 가장 높은 것도 포용할 수 있는 것이다. 육지에서 가장 높다고 자랑하는 에베레스트산도 바다에 가면 3,000미터 바닷속으로 가라앉아서 흔적도 없이 사라지고 만다.

생각이 다름을, 얼굴색이 다름을, 언어가 다름을, 정치관이 다름을, 문화와 종교가 다름을 자연스럽게 생각해야 한다. 다르다는 것은 적이 아니고, 타도의 대상이 아니고, 배움의 대상이다. 신대륙 발견 이후 인류에게 가장 크게 기여한 것은 바로 이종교배의 결과였다. 신대륙에서 들어온 감자는 유럽에서 뿌리를 내려 유럽 사람들을 기근으로부터 살렸고, 유럽에서 신대륙으로 넘어간 아프리카산 커피는 지금 중남미를 대표하는 주요 산업이 되었다.

우리는 서로 다름을 껴안아야 한다. 한때 길거리에서 허그hug 캠페인이 유행하던 때가 있었다. 그러나 허그는 두 팔로만, 그러니까 몸으로만 하는 것이 아니다. 마음으로 하는 허그가 최고의 허그다. 바다는 우리에게 말한다.

"해불양수! 바다는 비에 젖지 않는다!"

일상 속의 바다

바다와 커피

우리는 보통 '바다'라고 하면 멀리 떨어져 있어 여행이나 특별한 계기가 있어야만 가는 곳으로 여긴다. 또 가고 싶기는 하지만 별로 관계가 없고 기회가 없어 가지 못할 때도 많다. 그래서 보통은 바다를 별 상관이 없는 곳으로 여기고 관심을 갖지 않는다.

그리고 우리는 어릴 때부터 어른들에게서 바다에 대해서 좋지 않은 이야기를 듣고 자랐다. 그래서 집단적 무의식 속에 선입견이 들어 있다. '물가에 가면 안 된다.' '물에 빠질 신수면 접시 물에도 빠져 죽는다.' 이런 물이나 바다에 대한 부정적인 속담이나 말에 자신도 모르는 사이에 민감하게 반응한다는 이야기다. 실제로 조선 시대, 한반도 주변의 섬들에 주민들이 살지 못하도록 소개疏開하는 정책, 즉 섬을 비우는 공도空島 정책을 시행했다. 이런 것들도 그 요인의 하나 아닐까 싶다.

여하튼 바다는 우리의 일상생활과는 무관하게 저 멀리에 있는 어민들이나 선원들의 세계쯤으로만 생각한다. 여름휴가 때나 기분 전환이 필요한 때에만 어쩌다 가게 되는 대상으로 생각한다는 이야기다.

그런데 요즘은 밥보다 먼저 찾는다는 커피 한잔은 어떻게 얻어질까? 우리가 즐겨 마시는 커피 한잔이 우리 테이블 앞까지 오는 데 선박과 바다의 도움 없이 가능할까?

커피가 신대륙과 동남아시아에서 플랜테이션 형태로 생산될 수 있었던 것은 바로 선박과 바다가 있어서였다.

여권은 항구 통행증

지금은 코로나 시대인 만큼 모든 사람이 어려움을 겪고 있지만, 아마 가장 큰 어려움을 겪고 있는 건 여행업계와 호텔 등의 숙박업계가 아닐까 싶다. 물론 코로나는 조만간 인류의 집단지성에 의해 제압당할 것이고, 우리의 소중한 일상생활은 곧 회복될 것이다. 일상으로 돌아가면 가장 먼저 하고 싶은 것이 뭐냐고 물어보면, 아마 여행이라고 대답하는 사람이 가장 많을 것이다. 그것도 자유로운 해외여행 말이다.

최근의 결혼식 풍경을 보면, 이 시기에 결혼하는 젊은이들이 안쓰럽기 그지없다. 그중 가장 크게 안쓰러운 것은 결혼 후 해외로 신혼여행을 가지 못한다는 사실이다. 물론 국내에도 해외와 비교해서 뒤지지 않는 좋은 곳이 많지만, 그래도 신혼여행이라면 해외의 유명한 여행지를 가고 싶은 게 인지상정 아닐까. 그리고 신혼여행은 평생 한 번뿐일 터이니 해외여행을 간다고 무슨 큰 사치를 부리는 것도 아니다. 그런데 코로나가 이것을 불가능하게 만들었으니… 새로운 삶을 시작하는 신혼부부들에겐 참 아쉽고 안타까운 일이 아닐 수 없다. 평생 잊지 못할 추억과 소중한 이야깃거리가 없어진 것이나 마찬가지니 말이다. 이런 점에서 코로나 세대, 특히 신혼부부들에게 심심한 위로의 말을 전하고 싶다. 마스크를 쓴 결혼사진이라니!

그런데 우리가 해외여행을 가려면 누구나 예외 없이 필수로 챙겨야 할 것이 있다. 이것저것 따지자면 많이 있겠지만, 그중 가장 중요하고 꼭 있어야 하는 것이 바로 여권이다. 이 여권을 보면 겉표지 아래에 영어로 passport라고 쓰여 있다. 글자 그대로 번역하면 '항만을 통과하는 허가증'이다.

비행기는 1903년 미국의 라이트Wright 형제가 미국 키티호크Kitty Hawk에

그림 1-1 여권

서 처음으로 하늘을 나는 비행에 성공했고, 이후 제1차 세계대전을 거치면서 군용으로 발전하기 시작했다. 상업적인 항공은 1926년이 되어서야 여행에 활용되기 시작했다. 그리고 제2차 세계대전을 거치며 비약적인 항공 산업 발전이 이루어졌다. 그러니까 실제로 대량 항공수송과 여행이 상업적으로 가능하게 된 것은 제2차 세계대전 이후인 것이다. 즉, 항공 여행 이전의 해외여행은 육로

아니면 선박으로 할 수밖에 없었고, 결국 항만이 해외여행의 가장 중요한 관문portal이었던 것이다.

당시 해외여행을 위해서는 정부가 발행하거나 인정한 신분 증명 서류가 필요했다. 항만 통과에 필요한 것이었는데 이것이 바로 여권의 시초다. 이 통행증이 있어야 선박에 승선할 수 있었다. 영국의 헨리 5세가 15세기 초 현재의 여권에 해당하는 증명서를 발행했는데, 서양에서는 이것을 최초의 여권 발급으로 보고 있다. 우리나라에서는 1887년 고종 때 일본으로 가는 정부 대신 '민영준'에게 발급한 것이 최초의 여권으로 기록되어 있다. 즉, 우리나라 여권 1호는 조선 말기 민영준의 여권인 것이다.

초기의 여권은 지금과 같이 국제적으로 통일된 양식이나 규격이 있을 수 없어서, 국가에 따라 다양한 형태와 내용으로 되어 있었다. 대부분 1페이지 정도의 정부가 발행한 문서에 인적 사항과 방문 국가나 도착하게 되는 항구가 기재되어 있었다. 1900년대 초 우리나라에서 하와이나 멕시코 등으로 이민 간 1세대 이민노동자들의 여권을 보면 한 장으로 되어 있는 것을 볼 수 있다. 아무리 가고 싶어 하는 해외여행이라도 여권이 없으면 무용지물인데, 이 여권이 바로 항만과 바다에서 나온 것이다,

잘 아는 것처럼 현재 우리가 사용하는 비행기나 공항 관련 용어는 다 항만과 선박에서 나왔다. 항만은 원조이기 때문에 그냥 port인데, 이에 비해 공항airport은 원조 port에 하늘을 의미하는 air를 붙인 것이다. 그리고 항공기 조종사pilot도 도선사導船士, pilot 명칭을 그대로 따서 하늘로 가져간 것이다. 도선사는 선박의 선장을 다 마친 후에 엄격한 시험을 통과해야만 자격을 주는 최고 전문 항해사를 말한다. 그러니 해외여행을 갈 때 비행기를

타고 공항에 내리더라도, 여권을 보면 그 원조인 바다의 선박과 항만을 생각하는 센스를 발휘하는 건 어떨까.

이처럼 바다는 알게 모르게 우리의 일상생활 속에 깊이, 그것도 아주 가까이 자리 잡고 있다.

뉴스의 앵커는 닻이다

방송에서 해설과 논평을 곁들여 종합 뉴스를 진행하는 사람을 앵커라고 한다. 다시 말해, 단순히 뉴스 원고를 읽는 아나운서가 아닌 자기의 의견이나 방송사의 시각을 뉴스에 불어 넣는 역할을 하는 게 앵커다.

그런데 이 앵커라는 말은 배에서 사용하는 닻anchor과 같은 의미이고 같은 단어다. 닻이 바다에서 배의 중심을 잡아주고 표류하지 않게 해주는 것처럼, 방송의 앵커도 뉴스나 방송 프로그램이 제자리를 찾게 해주고 진행이 잘되도록 하는 역할을 한다. 그래서 앵커에 따라 뉴스의 질이나 격이 달라지는 것이다.

같은 의미로, 해외나 새로운 지역에 진출하기 위해서 상품을 전시하거나 판매하기 위해 처음 개점하는 상점 등을 앵커 숍anchor shop이라 한다. 이러한 앵커 숍도 배의 닻과 마찬가지로, 새로운 지역이나 국가라는 망망대해에서 흔들리지 않게 중심을 잡아주는 전진기지로서 작용한다. 튼튼한 닻을 달고 있는 배가 파도나 조류에 휩쓸리지 않듯이, 건실한 앵커 숍을 가지고 있는 회사가 낯선 환경에서도 잘 정착하고 성장할 수 있는 것은 당연한 것이다.

최고급 향수는 어디에서 왔을까

여성들이 좋아하는 화장품 이야기를 좀 해보자. 목걸이나 반지로 사용되는 인공진주의 주성분이 제주산 갈치의 찬란한 은색 비늘이다. 이것뿐이 아니다. 여성의 손톱이나 발톱에 바르는 매니큐어 등 화장품의 핵심 원료가 되기도 한다. 여러분이 오늘 아침 목에 두른 진주 목걸이나 손톱에 바른 매니큐어가 갈치에게서 나온 것일지도 모르는 일이다.

우리가 가끔 해외 토픽에서 보는 향유고래는 먹은 먹이를 다 소화시키지 못하고 속에 남기게 된다. 이런 먹이들이 고래의 장에 모였다가 한꺼번에 밖으로 배출되는데 이것이 바다의 로또라는 용연향龍涎香이다. 향유고래의 배설물인 이 용연향이 바로 최고급 향수의 원료가 된다. 이 귀한 용연향은 큰 것은 100킬로그램이 넘기도 하고, 고급품은 킬로그램당 5천만원에 달하는 고가에 팔린다고 한다. 2020년 태국의 한 어부가 100킬로그램에 달하는 대형 용연향을 바닷가에서 우연히 발견했는데, 그 가격이 자그마치 35억 원에 달했다. 오늘부터 바닷가에 가면 해변을 잘 살펴볼 일이다. 혹시 바다가 주는 용연향의 행운이 첫사랑처럼 불현듯 찾아올지도 모르니.

동해안 바닷속 햇빛이 도달하지 못하는 200미터 아래에는 북극에서 내려온 차갑고 거대한 물의 흐름이 존재한다. 이 바닷물 덩어리들은 천천히 흐르면서 기존의 물과 섞이지 않고 그 특성을 보존하기 때문에, 북극에서 생성된 각종 미네랄과 깨끗함을 유지하고 있다. 이 물을 이용한 것이 바로 해양 심층수다. 최근에는 이러한 해양 심층수를 이용한 화장품도 개발되었는데, 피부 미용에 큰 효과가 있다고 한다.

미래에는 바다의 해양 생물에서 추출한 물질로 화장품이 만들어져, 한 번만 바르면 10년 이상 젊어지는 날이 오기를 희망해본다.

3.5 대 96.5

소금은 금이었다

바닷물은 소금물이다. 바닷물에는 3.5퍼센트의 소금이 함유되어 있다. 그래서 염전에서 바닷물을 끌어들여 햇빛으로 증발시켜 소금을 얻을 수 있는 것이다. 우리처럼 장마철이 비교적 짧은 나라에서는 태양에 의해 바닷물을 증발시켜 소금을 얻지만, 동남아처럼 우기가 길거나 습도가 높은 나라에서는 바닷물을 끓여서 소금을 얻는다.

바닷물에서 얻은 소금을 그대로 사용하면 천일염이고, 이를 정제하여 불순물을 제거하고 가공하면 더 희고 깨끗한 정제염이 된다. 여하튼 이 3.5퍼센트의 소금은 민물과 바닷물의 차이를 만드는 결정적인 요인이다. 이 작은 부분이 나머지 대부분의 성격을 결정하고 차이를 만드는 것이다.

다 아는 것처럼 그 옛날 화폐가 없던 시절에는 일한 대가를 소금으로 지급했다. 월급 등 급여를 샐러리salary라고 부르는데, 이것은 소금으로 지급한다는 의미의 라틴어 살라룸salarum에서 유래된 말이다. 지금도 물론 그렇지만 예전에 소금은 귀한 대접을 받았다. 그래서 소금 채취나 판매는 아무나 하는 것이 아니라 국가의 허락을 받아야 하는 사업이었다. 소금이 차지하는 재정 수입이 막대했기 때문에 중국이나 우리나라 모두 소금을 생산하는 염전, 보관하는 창고, 유통 등을 담당하는 관청을 따로 두기도 했다. 소금을 국가가 전매하는 제도를 도입했던 것이다. 이름 그대로 소금은 금이었다.

소금의 위력

이 소금의 위력은 대단하다. 몸에 반드시 필요한 것은 말할 것도 없고 방부제 역할도 톡톡히 한다. 나는 강원도 두메산골에서 자랐다. 정확히 말하면, 화전 밭을 일구는 두 집이 전부인 붓당골이라는 골짜기 마을에서 초등학교 3학년을 마칠 때까지 지냈다. 소양강 댐을 건설하면서 살던 고향이 물속으로 들어가버리는 바람에 강제로 이주를 해야 했다. 말 그대로 고향을 잃어버린 실향민失鄕民인 셈이다. 북한에 고향을 두고 남으로 피난 온 사람들만이 실향민이 아니라 우리 같은 사람도 실향민인 것이다.

그런데 어릴 적 그 시골에도 바다 생선이 들어오곤 했다. 1960년대 후반이니 당시에는 전기도 들어오지 않았고 냉장고라는 것이 있는 줄도 모르던 시절이었다. 그리고 빠가사리(동자개의 사투리), 쏘가리, 퉁가리 등 민물고기만이 생선인 줄 알고 있었다. 지게에 물건을 지고 다니면서 파는 아저씨가 어쩌다 바다 생선을 팔러 왔는데, 그게 바로 자반 임연수어(당시 시골에서는 '이멘수'라 불렸다)와 고등어였다.

그런데 얼마나 짠지 조금만 먹어도 밥반찬으로 충분할 정도였다. 아마도 그 시골까지 운반하는 동안 상하지 않도록 왕소금을 왕창 뿌려 놓아서 그런 맛이 나올 수밖에 없었을 것이다. 소금의 효과를 제대로 써먹은 생선 장수 아저씨였다.

지금은 더 싱싱하고 더 좋은 소금으로 간을 했을 텐데도 그 '이멘수' 맛이 나지 않는다. 어디를 가서 먹어도 그렇다. 참 이상한 일이다. 짜디짠 그 맛을 생각만 해도 군침이 돈다.

소금이 만든 수산물의 도시, 안동

양반의 도시라는 경북 안동이 자신 있게 내세우는 베스트셀러는 아마도 도산서원이나 하회마을이 아닌 간고등어가 아닐까 생각한다. 그런데 그 옛날에 동해안에 있는 영덕의 강구항 등에서 잡힌 생선을 내륙 도시인 안동까지 어떻게 운반해왔을까?

'선질꾼'이라 불리던 남자 행상들이 몇십 킬로그램에 달하는 고등어를 지게에 짊어지고 왔다고 하는데, 그 험한 태백산 줄기를 타고 고개를 넘으면 3일 정도가 걸렸다고 한다. 그러므로 고등어가 상하지 않도록 내장을 제거하고 소금을 뿌려둘 수밖에 없었고, 이런 과정에서 자연스럽게 숙성되고 간이 되어서 오늘날의 간고등어 맛을 내게 된 것이다. 실제로 생선은 상하기 바로 직전, 즉 숙성이 최고조에 달할 때 감칠맛이 극대화된다고 알려져 있다. 안동의 간고등어가 바로 그 맛인 것이다.

현재 관광 트레킹 코스로 각광 받는 동해안 울진에서 내륙 봉화까지 이어지는 '12령 고갯길'도 같은 이유로 선질꾼들이 이용하던 길이었다. 그래서 과거 안동 간고등어는 지금보다 더 짰다고 한다. 지금도 저 험한 12령 고갯길을 따라 걷다 보면 선질꾼들의 몰아쉬는 숨소리가 들리는 듯하다. 그나저나 참으로 위대한 소금이다.

소금의 도시, 그리니치

영국의 그리니치Greenwich는 다 아는 것처럼 세계의 자오선, 즉 경도의 기준이다. 그런데 이 지명에 붙은 'wich'는 소금 생산지를 의미한다. 과거 영국에서 소금 생산과 관련 있던 곳의 지명에는 영어식 표현인 '-wich'가 붙어 현재에 이르고 있다. Norwich, Greenwich 등이 대표적이다. 그리고 보면 그리니치는 자오선의 기준인 만큼 세상의 중심이라 할 수 있다. 세상의 소금 역할을 제대로 하고 있는 셈이다.

세상의 소금이 된다는 것은 아무나 할 수 있는 일이 아니며, 그만큼 어려운 일이기도 하다. 세상의 소금까지는 아니더라도 자신이 몸담고 있는 회사나 조직에서 작지만 의미 있는 역할을 한다면, 그래서 꼭 필요한 존재가 된다면 바로 그것이 소금이 아니고 무엇이랴. 96.5퍼센트의 맹물과 3.5퍼센트의 소금은 서로 상충되는 것이 아니다. 큰 것은 작은 것을 위해, 작은 것은 큰 것을 위해 자기를 내어줄 때 두 가지가 절묘하게 어우러져 완벽한 케미chemi를 이룰 수 있다. 96.5는 3.5가 없으면 민물과 다를 바 없게 되고, 3.5는 96.5가 없으면 존재 이유와 그 가치가 없어진다.

우리가 96.5퍼센트에 속하든, 3.5퍼센트에 속하든 중요한 것은 이 둘 모두 자기 자신을 버리고 포용이 되어야 하나가 될 수 있다는 것이다. 그래야만 바닷물과 같은 새로운 모습으로 탄생할 수 있는 것이다. 마찬가지로 작든 크든, 같든 다르든, 싫든 좋든 더불어 사는 사회에서는 서로가 서로에게 필요한 존재들이다.

그림 1-2 우리나라의 전통 염전 모습

에베레스트를
바다에 넣으면?

지구 면적의 71퍼센트

바다는 얼마나 깊을까? 그리고 얼마나 크고 넓을까? '우리의 상상을 뛰어넘는다'가 답일 것이다. 바다는 지구의 71퍼센트를 차지한다. 그래서 우리가 사는 이곳 행성을 지구地球라고 부르기보다는 수구水球라 불러야 타당하다고 말하는 이들도 있다.

우주에서 지구를 보면 푸른색으로 보인다. 그래서 지구를 푸른 행성이라고 하기도 한다. 이렇게 보이는 것은 바다 때문이다. 따라서 수구라는 말은 매우 일리 있고 타당한 주장이기도 하다. 지구에는 극지가 4개 있다고 한다. 남극과 북극, 지구에서 가장 높은 곳인 에베레스트, 그리고 바다에서 가장 깊은 곳인 마리아나해구를 말한다.

육지와 바다를 합하면?

우리 모두가 다 아는 것처럼 육지의 가장 높은 곳은 에베레스트산으로 해발 8,848미터다. 그곳은 1953년 영국의 산악인 힐러리 경이 등정한 이후 엄청나게 많은 사람이 두 발로 정복을 해서 자기 나라의 국기를 남겼다. 물론 태극기도 그중 하나다.

그런데 사실 바다는 아직 가장 깊은 곳이 어디인지 명확히 밝혀지지 않고 있다. 현재까지는 필리핀 남쪽 태평양에 위치한 마리아나해구Mariana Trench에 있는 비티아즈해연Vityaz deep이 11,034미터로 가장 깊은 것으로 알려져 있다. 하지만 또 다른 곳에 더 깊은 곳이 있을지 아무도 모른다. 마리아나해구는 필리핀 남쪽에서 태평양 남쪽으로 약 2,600킬로미터나 이어져 있는 깊은 바다의 골짜기다. 이 바다 밑의 평균수심이 8,000미터다. 즉, 에베레스트산을 그대로 집어넣을 만한 깊이의 바다가 2,600킬로미터나 이어져 있다는 의미다.

바다에도 육지와 마찬가지로 바다 산맥이 있고 골짜기가 있다. 육지에서 가장 높은 에베레스트산도 바다 깊이와 비교하면 한참을 못 미친다. 그래서 육지와 바다를 섞어서 평평하게 만들면 지구에 육지는 하나도 남아 있지 않고 3,000미터 깊이의 바다만 남게 되는 것이다. 바다가 얼마나 넓고 깊은지 실감이 나는 대목이다.

미국이나 러시아, 중국 같은 강대국들이 우주에 대한 정보나 데이터는 공유하면서 지구에 있는 바다 정보나 데이터는 공유하지 않는다고 한다. 그만큼 더 민감하고 중요하기 때문일 것이다.

우리 인류는 달에도 가고 화성에도 가는 우주선을 경쟁적으로 만들고 있다. 그런데 이 지구에 있는 바다 밑 해저는 아직 가보지 않은 곳이 많다. 미지의 세계라는 것이다.

바다 밑을 탐험한다는 것은 우리의 상상을 뛰어넘는 악조건이다. 특히 가장 어려운 것이 수압이다. 통상 바다 깊이가 10미터 깊어지면 1기압, 즉 1킬로그램의 수압이 증가된다고 한다. 그래서 맨몸으로는 고작 수십 미터 잠수하기도 벅찬 것이다. 바닷속 10,000킬로미터 깊이면 1,000킬로그램의 수압이 가해진다는 이야기이고 보면 얼마나 엄청난 장비가 필요한지 상상이 될 것이다. 이런저런 이유로 바다를 지구상 마지막 남은 신대륙이자 프런티어frontier라고 한다. 이 마지막 남은 신대륙이 궁금한 건 비단 나 혼자뿐일까.

바다가 important한 이유

important와 항만

바다의 중요성을 이야기하자면 아마 끝이 없을 것이다. 지구과학적으로도 중요하고, 생물학적으로도 중요하다. 그리고 요즘은 특히 환경적으로 매우 중요하다. 다시 말해, 모든 분야에서 중요한 것이 바다다.

그래서 그런지 '중요하다'라는 영어 단어 important가 항만에서 파생되어 나왔다. important는 im+port+ant로 구성되어 있다. 여기서 im은 '안으로'라는 의미이고 port는 '항만'이라는 의미다. ant는 형용사를 나타내는 접미사다. 우리가 국제무역에서 사용하는 수입과 수출의 영어 단어 import와 export도 바로 항만에서 나왔다. 즉, 항만 안으로 물건이 들어오는 것이 수입이고, 항만 밖으로 물건이 나가는 것이 수출인 것이다. 같은 맥락에서 나온 사례들은 이것 말고도 많이 있다. 교통을 의미하는 영어

transport는 항만 간의 이동을 의미한다. 이 항만에서 저 항만으로 가는 것이 바로 교통인 것이다.

'중요하다'라는 영어 단어 important는 '항만 내에 있는 것들'이라는 의미로, 항만 안에 있는 것이 중요하다는 것이다. 바꿔 말하면, 항만 밖에 있는 것은 별로 중요하지 않다는 의미이기도 하다. 과거에는 값이 나가고 귀한 것들은 항만을 통해 들어와 항만 내에서 보관했다. 이 때문에 중요하다는 의미의 영어 단어가 '항만 내에 있는 것들'에서 파생되어 나온 것이다. 이처럼 중요하다는 영어 단어가 항만에서 나온 것을 보면 항만이 얼마나 중요한지 알 수 있다. 그리고 항만은 바다로 가는 관문이니 바다가 또 얼마나 중요한지 새삼 설명할 필요가 없을 것이다.

바다가 중요한 이유는 수없이 많겠지만, 몇 가지만 소개하고자 한다.

지구 전체 생물의 80퍼센트가 있는 곳

지구상에 있는 생물의 수가 정확히 얼마인지는 아직 밝혀지지 않았다. 350만 종이라는 학자도 있고, 700~800만 종 또는 1,000만 종 이상이 된다는 학자도 있다. 어떤 학자는 1,400만 종에 달한다고 주장하기도 한다.

여하튼 지구 전체 생물의 80퍼센트가 바다에 서식하고 있고, 육지 생물을 포함한 모든 생물의 기원이 바다라는 것이 정설로 받아들여지고 있다. 이러한 생물 중 인류에게 알려진 것은 150만 종 정도다. 이 밖에 알려지지 않은 종의 대부분은 바다에 있을 것으로 추정하고 있다.

미래에 그야말로 바닷속 깊은 곳에서 우리가 알지 못하는 새로운 생물이나 신물질이 나타나 지구의 운명을 획기적으로 변화시킬지도 모를 일이다. 그 반대로 코로나바이러스처럼 치명적인 바이러스가 바닷속 어디에선가 잠복하고 있는지도 모를 일이지만.

지구온난화의 해결사

이산화탄소의 배출에 따른 지구온난화는 지구의 미래를 위해 인류가 해결해야 할 과제다. 바다는 이산화탄소를 흡수하고 지구 산소의 75퍼센트를 공급하고 있다. 남미의 아마존 숲이 산소를 공급하는 지구의 허파라고 불리고 있으나, 지구 생명의 근원인 바다야말로 지구의 허파이자 심장인 것이다. 바다는 또 우리가 내뿜는 이산화탄소의 50퍼센트를 흡수한다. 지구온난화에 있어서 바다는 문제 해결의 시작이고 종착역인 셈이다. 바다는 그야말로 티내지 않는 조용한 해결사다.

바다가 좌우하는 지구의 기후

바다는 지구 기후를 결정하는 요인의 80퍼센트를 갖고 있다. 지구에 도달하는 태양열의 80퍼센트를 바다가 흡수하여 밤에 서서히 방출하기 때문에 현재와 같은 지구의 기후가 유지되는 것이다. 더욱이 우리나라와 같은 반도국의 경우는 거의 절대적이라 할 수 있다. 즉, 바다에서 불어오는 바람과 습도, 구름과 바닷물의 온도 등이 육지의 온도와 바람과 강우량을 결정하는 것이다. 바다에서 에너지의 불균형으로 인해 생성되는 작은 태풍 하나가 모든 기상에 결정적인 영향을 주는 것이 이를 잘 말해준다.

그리고 이것은 우리나라나 일본과 같이 작은 크기의 국가는 물론이고 미국이나 인도와 같은 대륙형 국가에서도 동일하다. 이러한 이유로 미국은 해양 정책과 대기, 즉 기상을 다루는 행정기관을 통합하여 운영하고 있다. 이것이 바로 미국의 해양대기청NOAA, National Oceanic and Atmospheric Administration이다. 우리 식으로 보면 해양수산부와 기상청을 한 부처로 통합하여 운영한다는 의미다. 해양을 알아야만 미국이라는 거대한 대륙의 기상을 파악할 수 있다는 것으로, 아주 과학적이며 단순한 논리에 기초한다. 그야말로 효율성에 초점을 맞춘 정부 부처 조직이라 할 수 있다. 다시 말해 전형적으로 미국다운 합리성에 기반을 둔 행정 부처다.

우리의 기상청이 과거 과학기술부나 현재의 환경부에 소속된 것을 보면 다소 이해하기 어려운 것이 사실이다. 더욱이 우리는 바다의 영향을 절대적으로 받는 삼면이 바다인 반도국 아닌가. 중앙정부 부처와 조직이라는 것이 정치와는 별개로 생각될 수 없다는 것을 잘 알고 있다. 하지만 먼저 합리성과 효율성, 그리고 미래의 국가가 해야 할 기능과 역할에 기초했으면 하는 바람이다.

무역과 경제가 숨을 쉬는 곳

다 아는 바와 같이 우리나라는 국토 면적이 좁고 자원이 빈약한 반도국이다. 게다가 북으로는 통항이나 소통이 되지 않는 북한이라는 존재가 있어, 실제로는 물류 측면에서 섬나라나 마찬가지다. 즉, 우리가 외국과 교역하는 길이 바다밖에 없다는 뜻이다.

그런 환경으로 인해 우리나라의 무역량의 99.7퍼센트가 바다를 통해서 이루어진다. 물론 항공기를 통한 것이 있으나 매우 소규모의 고가 상품인 경우에 한정된다. 한마디로 해운과 선박이 없으면 우리나라 경제는 그 숨을 쉴 수가 없게 되는 것이다. 이렇기 때문에 모두 해운을 우리나라 경제의 동맥이라 일컫는 데 주저하지 않는다. 해운이 없으면 우리 경제도 없는 것과 마찬가지다.

그런데 평소에는 그 중요성을 알지 못하다가 해운 산업에 무슨 문제가 생기거나 사고가 터져야만 깨닫게 된다. 우리는 그런 경우를 이미 2016년 한진해운 사태에서 명확하게 실감했다. 그리고 최근의 수에즈운하 사고에서도 볼 수 있었다.

해운과 항만은 우리에게 산소와 소금 같은 산업이다. 평소에는 그 중요성이나 존재의 이유를 실감하지 못하지만, 조금이라도 부족하게 되면 경제에 심각한 상황을 초래하는 그런 산업인 것이다. 우리 산업구조가 내수보다는 무역에 의존하는 대외 의존형 산업구조라 더욱 그러하다. 우리나라 경제의 대외 의존도는 80퍼센트가 넘을 정도여서 세계 어느 나라보다도 높은 편이다.

내가 해양수산부 차관으로 현직에 있을 당시인 2016년, 한진해운이라는 우리나라 해운 산업의 적통을 잇는 기업을 역사 속에 묻는 파국적인 상황을 맞이했다. 한진해운은 정부 수립 다음 해인 1949년 우리나라 제1호 공기업으로 설립된 대한해운공사의 맥을 이은 우리나라 해운의 적장자 기업이었다. 당시 세계 7위의 선대 규모와 위상을 갖춘 기업이었음을 감안하면 안타까울 따름이다. 또 당시 정책을 담당한 차관으로서 정책적이고 도의적인 책임감에서 자유로울 수 없음을 느낀다. 여러 어려움이 있겠지만 우리나라 대표 국적 선사로 발돋움하고 있는 현대상선의 후신인 HMM이나, 한진해운의 북미 노선을 인수한 SM상선 등이 한진해운의 몫까지 다해주기를 바랄 뿐이다. 나아가 해운입국海運立國의 기세를 높이 세워 준다면 더할 나위가 없겠다.

바다는 기회다

청춘의 가치

'청춘'의 가치는 어디에 있을까? 젊고 건강한 육체에 있을까, 아니면 보다 자유로운 영혼에 있을까? 모르긴 몰라도 기성세대보다 더 많은 기회를 갖고 있다는 것에 그 가치가 있지 않을까. 그리고 그 기회는 단지 물리적으로 남아 있는 시간만을 말하는 게 아니라, 도전해볼 만한 대상이나 영역이 많다는 것을 의미하지 않을까. 아마도 그 가치를 가장 확실하고 용기 있게 실현한 청춘이 바로 청년 콜럼버스일 것이다.

콜럼버스는 서른세 살의 젊은 나이에 인생의 기회를 바다에서 잡기 위해(실제로는 향료의 고장 인도로 가는 새로운 항로를 개척하기 위해) 통상의 동쪽 항로가 아닌 서쪽 항로로 인도에 가고자 했다. 그리고 미지의 항해를 후원해달라고 포르투갈 왕 후앙 2세에게 요청했다. 하지만 보기 좋게 거절당하고 우여곡절을 겪은 끝에 에스파냐의 여왕 이사벨에게서 후원을 받게 된다. 그러니까 실제로 콜럼버스가 그의 꿈을 실현시켜 신대륙 탐험에 나선 것은 마흔 살이 넘은 1492년이었다.

항해와 opportunity

그런데 이 '기회'라는 영어 단어 'opportunity'를 살펴보면 매우 흥미로운 점을 발견할 수 있다. 'opportunity'가 바로 바다, 즉 항만에서 나왔다는 사실이다. '기회'라는 의미이자 '시의적절하다'는 의미인 'opportune'이라는 단어는 라틴어 ob(방향)와 portum(항구)의 합성어에서 그 어원을 찾을 수 있다. op(ob)는 방향을 의미하기 때문에, 결국 이 단어는 선박이 바다에서 항해하면서 항로를 항구 방향으로 향하는 것, 또는 항구 방향으로 바람이 부는 것을 의미한다.

지금의 현대화된 선박도 바람의 영향을 많이 받는데 그 옛날에 돛으로 항해하는 선박은 오죽했을까. 그 시대에는 바람이 그야말로 모든 것을 결정했다. 애초의 목적지인 항구 방향으로 항해하는 것 자체가 생명을 유지하는 기회이고, 배에 실은 물건을 팔아 부자가 될 수 있는 기회였다. 바다에서 갖은 고생을 다 하고 저 멀리 보일 듯 말 듯한 항구를 향해서 가는 것은 죽음에서 삶으로 가는 기회의 길이라고 해도 과언이 아니었을 것이다. 그것은 가족과의 상봉의 기회이기도 하고, 한몫 잡아서 부자가 될 수 있는 인생 역전의 기회이기도 했다. 그러기에 기나긴 항해 끝에 보이는 등대의 희미한 불빛은 희망과 삶의 불빛이었음이 당연하다. 항구를 향해서 부는 바람을 만난 선원 입장에서 그 바람은 시의적절opportune하게 귀한 것이고,

성공의 기회opportunity였을 것이다.

바다는 넓고 기회는 많다

바다에서 낭만과 여유를 즐기거나 지친 몸과 마음을 힐링하는 치유의 시간을 갖는 것도 중요하다. 그러나 이런 일상의 감성과 낭만의 대상을 넘어 직업이나 자기 발전의 기회로 바다를 보는 건 어떨까. 과거처럼 바다에서의 직업이 단지 배를 타는 항해사나 어민만을 말하지는 않는다.

바다 관련 직업은 실로 다양하다. 세계 해양과 해운의 중심지인 런던에는 해상 전문 법률가, 회계사, 금융인은 물론 선박을 검사하고 감독하는 전문가들이 활동하고 있다. 이뿐만이 아니다. 국제 해운 거래에서 분쟁이 일어나면 이를 중재하는 중재인들도 전 세계 시장을 대상으로 활동하고 있다. 아프리카 소말리아나 플라카Melaka해협(옛 이름: 말라카Malacca해협)에서 가끔 발생하는 선박 납치 사건을 뉴스를 통해 들어봤을 것이다. 이처럼 해적에 납치된 선박이 생기면 납치범들과의 커넥션을 활용해 구출 협상을 대행해주는 '해적 구출 협상 중개회사'가 있을 정도다. 이 정도면 무한한 가능성이 있다고 봐야 하지 않을까. 그런데 이 해적과의 협상 비용은 우리가 상상하는 것 이상으로 엄청나게 비싸다고 한다.

동북아시아의 한·중·일 세 나라를 합하면 해운·조선 산업 분야에서 부동의 세계 1위다. 그러나 법적인 분쟁이나 다툼이 생기면 제일 먼저 영국 런던으로 달려가야 한다. 런던에 전문가가 있고 해결을 위한 수단과 절차를 위한 시스템이 있기 때문이다. 국제 해사 분야에서는 우리나라와 중국 기업이 계약을 하는 경우에도 계약이 런던에서 이루어지는 게 다반사다.

그렇다 보니 적용되는 기본 법률이 영국법이 되는 경우가 많다.

우리나라 조선소에서 한여름에 얼음 조끼를 입고 땀을 뻘뻘 흘리며 용접 작업을 해 배를 만들어도, 이러한 배가 국제 기준에 잘 맞춰서 건조되었는지를 검사하고 확인하는 전문가들은 유럽 등지에서 온 외국인이다. 그들은 찌는 듯한 여름에 시원한 에어컨이 나오는 사무실에 앉아 하얀 셔츠를 입고 근무하다가 공정과 필요에 따라 현장에 나가 검사를 하고 확인을 하면 된다. 당연히 부가가치는 그들이 높다. 우리의 젊은이들은 후자가 되어야 하지 않을까. 한·중·일 3국의 해운, 조선, 국제 물류 등 바다 관련 시장이 개척되지 않은 채 우리의 젊은 청춘들을 기다리고 있다는 것을 알았으면 좋겠다.

바다 자체가 세계를 연결하는 것인 만큼 당연히 거기에서 이루어지는 모든 일은 국제적일 수밖에 없다. 따라서 바다에서 일하는 사람들은 국제적인 감각과 언어가 필수다. 당연히 국제기구라는 매력적인 일자리가 기다리고 있다. 우리나라가 해운·조선 산업 분야에서 강국이다 보니 우리의 경험이나 지식을 공유하고자 하는 국가들이 많다. 그리고 국제사회에서 우리가 일정한 정도의 기부 국가가 되다 보니 우리 젊은이들이 국제기구나 단체에서 활동할 여지가 매우 많은 것도 사실이다. 영국에만도 국제해사기구IMO, 국제오염보상펀드IOPC Fund, 국제포경위원회IWC 등 국제기구와 수많은 NGO가 활동하고 있다. 실제로 현재도 우리나라 유수한 해양 전문가들이 IMO 사무총장은 물론 국장급이나 과장급 직원으로 일하고 있다. 바다에서의 기회는 바다가 늘 그렇듯이 항상 열려 있다. 바다가 주는 기회 opportunity를 이번 기회에 잡아보자.

크루즈와 바다의 호텔리어

크루즈 여행은 제일 나중에 선택해야 하는 여행이라고 한다. 그야말로 여행의 꽃이기 때문이다. 크루즈 여행을 먼저 하면 다른 여행은 좀 시시해 보여서 그런 말이 나온 것 같다. 사실 크루즈는 배이기는 하나 실제로는 고급 호텔을 배에 옮겨 놓은 것으로 생각하면 된다. 예를 들어 'Marina of the Seas'라는 호화 유람선은 무게 14만 톤에 길이가 311미터, 높이가 48미터이고, 승객 3,800여 명과 승무원 1,200명 등 5,000명이 탈 수 있다. 수십 층 높이의 호텔이 옆으로 300미터 정도 누워서 바다 위에 떠 있는 엄청난 규모인 것이다. 다시 말해 높이 솟아 있는 고층 빌딩의 호텔이 '배'라는 공간에 들어와 누워 있다고 생각하면 된다.

이 크루즈 한 척에만 일자리가 1,200개나 있다. 그것도 상당히 괜찮은

그림 1-3 크루즈 선박

일자리가 말이다. 육상의 호텔에서 근무하는 사람을 일컫는 호텔리어가 크루즈에서도 당연히 기본적으로 필요하고, 요리사와 피트니스 강사 등 백여 가지의 다양한 직업군이 존재한다. 물론 당연히 선박이고 해상이기에 그와 관련된 전문가가 필요한 것은 말할 필요도 없다. 요즘의 우리 젊은이들은 영어 등 외국어 구사 능력 면에 있어서 우리 기성세대와는 다르다. 얼마든지 이러한 직업에 도전할 수 있는 능력을 갖추고 있다는 말이다.

도전하고 새로운 경험을 해야 더욱 새로운 영역과 더 넓은 세계에 대한 기회가 열리는 법이다. "세계는 넓고 할 일은 많다"는 말이 있지만 나는 "바다는 넓고 기회는 너무 많다"고 말하고 싶다.

배를 타고 퍼진 커피 향

모카항에서 탄생한 모카커피

우리가 즐겨 마시는 커피의 원산지는 아프리카의 에티오피아 고원지대라는 것이 정설이다. 에티오피아의 카파Kappa라는 지역에 사는 목동들이 양들이 특정한 곳에 가서 열매를 먹고 난 다음에는 움직임도 활발해지고 양젖도 많이 생산하는 것을 신기하게 여겨 가보니, 커피나무와 열매가 있어 그것을 따서 먹은 것이 커피를 즐기게 된 기원이라는 설이 있다. 또 에티오피아 말로 Caffa라는 단어가 '힘'이라는 뜻인데 여기에서 커피 어원이 나왔다는 설도 있다. 여하튼 커피를 마시면 기분이 좋아지고 활력이 생기는 각성 효과가 있는 것은 사실이다.

신대륙이나 동남아 등지에서 플랜테이션을 통해 대량으로 재배되기 이전인 17세기까지는 워낙 귀하고 값이 비싼 것이 커피였다. 이 커피가 아프리카 대륙인 에티오피아에서 당시 세계 교역로의 축을 담당하던 홍해 건너편 중동의 예멘으로 바다를 건너갔다. 그리고 예멘으로부터 전 중동 지역으로 전파되어 이슬람 세계에서 음용되었다. 예멘의 커피 수출입 항구가 바로 모카Mocha항이었고 여기에서 모카커피가 탄생한 것이다.

무슬림 사이에서는 이슬람교의 창시자 마호메트가 졸음을 이기려고 애를 쓰고 있을 때 하늘의 대천사 가브리엘이 나타나 음료를 하나 주었고 이것이 바로 커피였다는 설이 있다. 이런 것을 보면 당시 이슬람 세계에서 커피가 얼마나 유행하고 있었는지, 또 어떠한 역할을 했는지 미루어 짐작할 수 있다. 중동에서 유럽으로 커피가 전해지는 과정에서는 보통 치료 약으로 사용되었다고 한다. 지금과 마찬가지로 커피를 마시면 소화가 촉진되는 등의 약학적인 효과가 있었던 것이다.

중세 시대에는 인쇄기가 없어서 모든 책을 손으로 직접 쓸 수밖에 없었다. 당시 수도원에서 성경을 필경하는 가톨릭 수도사들은 필사 작업을 위해 귀한 커피를 마시며 잠을 쫓았다고 한다. 희미한 촛불 밑에서 눈을 비비는 수도자의 모습이 눈에 보이는 것 같다.

커피는 이슬람, 와인은 가톨릭

커피는 그 색깔이 죽음이나 불길함을 의미하는 검은색이어서 초기에는 유럽인들에게 심리적으로 불편함을 주었다. 또 이슬람 세계에서 인기를 끌게 됨에 따라 무슬림의 음료로 알려지기도 했다. 이것은 와인이 가톨릭의 미사에 사용되는 등 가톨릭 음료로 간주되는 바람에 이슬람 세계에서는 음주를 금하고 있는 것과 비교했을 때 충분히 이해될 수 있는 상황이다. 해조류인 우리나라의 김이 최근에는 서양에서도 인기가 있지만, 초기에는 검은 종이인 black paper라 부르며 즐겨 먹기를 꺼려 했던 것과 같은 맥락이다.

이러한 커피가 유럽 사람들에게 본격적으로 소개되고 일상으로 들어오게 된 것은 바로 11세기에서 13세기에 걸친 십자군 전쟁이었다. 이후 베네치아 상인들을 통해 이탈리아에 소개된 커피는 당시 교황 클레멘스 8세(1592년 즉위)가 커피의 맛에 매료되어 커피에 세례를 주기까지 했다. 이것이 커피가 유럽에서 인기를 얻으며 유럽 전역으로 퍼지는 하나의 계기가되었다. 여하튼 17세기 중반부터 유럽인들에게 커피는 귀족 음료가 아닌대중 음료로 인식이 되었고, 각지에 커피 하우스가 생겼다.

아라비카와 로부스타

커피는 보통 아라비카(1,000미터 이상 고지대에서 크는 품종)와 로부스타(400~600미터 중저지대에서 크는 품종)라는 두 종류가 대표적인 품종으로 알려져 있다. 우리가 고급 커피로 알고 있는 아프리카나 중남미의 커피는 높은 고지대에서 재배되는 아라비카 품종으로 보면 되고, 믹스커피 같은 인스턴트커피는 주로 로부스타 품종으로 보면 된다. 아라비카라는 이름에서아라비아 지역에서 유행되었음을 알 수 있다. 로부스타커피는 전 세계 생산량의 60~70퍼센트를 차지하는 아라비카커피에 비해 병충해에 강하고카페인은 두세 배 많은 품종이다. 전 세계 생산량의 약 30~40퍼센트를 차지하는데 주로 인도네시아나 베트남 등 동남아에서 많이 재배된다. 우리나라 커피 수입의 절반 이상이(이중 베트남이 40퍼센트 차지) 이 로부스타 품종이다.

전 세계 커피 생산국 1위는 브라질인데 아라비카 품종을, 2위가 베트남인데 주로 로부스타 품종을 재배하고 있다. 우리나라의 믹스커피는 외국에서도 큰 인기를 얻고 있는데, 남미에서 우리나라의 믹스커피가 큰 인기를 끌고 있다니 재미있는 K-coffee 현상이랄 수 있겠다. 우리나라의 커피 수입량은 2020년 기준으로 약 17만 6천 톤이다. 1인당 3.4킬로그램, 즉 연간 1인당 350잔이니 매일 하루 한 잔을 마시는 양이다. 이는 세계 평균보다 3배 이상 마시는 꼴로 우리나라 사람의 커피 사랑은 남다르다.

그런데 참으로 이상한 것이 아프리카가 원산지인 이 커피가 왜 오늘날에는 1위 생산국이 브라질이고 2위가 베트남이 된 것일까? 애초 커피를 귀하게 여긴 에티오피아나 중동에서는 커피 열매를 살아 있는 그대로는 절대로 수출하지 않았다고 한다. 즉, 커피 열매가 발아하지 못하도록 껍질을 벗겨서 커피콩 알맹이만 유럽에 판매했던 것이다. 그리고 무엇보다 커피나무는 유럽 기후에서는 제대로 자라지 못했다. 처음으로 해외에서 커피 생산에 성공한 곳은 당시 네덜란드가 지배하고 있던 인도네시아 자바섬이었다. 네덜란드가 17세기 말인 1696년 커피의 씨앗을 자바섬으로 가져가 재배에 성공했던 것이다. 이것이 동남아 커피 플랜테이션의 시작이었다.

신대륙 남미 커피의 원조

중남미의 경우는 1720년 프랑스의 클리외Clieu라는 한 해군 장교의 헌신적인 노력의 결과로 커피가 재배되기 시작했다. 프랑스 왕립식물원에서 커피 묘목을 몇 그루 얻은 이 장교는 서인도제도에 있는 프랑스 식민지 마르티니크Martinique섬으로 근무하러 가면서 커피나무를 가지고 갔다. 항해 도중 폭풍우로 죽을 뻔하기도 하고 물이 떨어져서 식수도 부족한 상태가 되었지만, 이 장교는 커피 묘목을 자기 목숨처럼 소중하게 여기고 자기가 마실 물을 아껴서 커피 묘목에 줬다고 한다. 이러한 고난의 항로를 거쳐 간신히 마르티니크에 도착한 커피 묘목은 단 두 그루였다. 이 두 그루의 묘목이 중남미 커피나무의 시조인 셈이다.

이후 1727년에 가이아나에서 가져간 커피 묘목을 브라질에 심으면서 처음 신대륙 브라질에 커피가 소개되었다. 브라질이 포르투갈로부터 독립하면서 경제적인 이유로 본격적인 커피 생산을 장려하기 시작한 이래 지금에 이르고 있다. 18세기에 들어서 남미에 커피 농장이 본격화된 것이다.

그런데 이 18세기는 미국이 독립전쟁을 통해 독립을 하게 되는 시대였다. 미국은 당시 즐겨 마시던 식민지배국 영국산 차tea 대신 같은 아메리카 신대륙에서 생산된 커피를 장려했다. 신생 독립국 미국인들도 애국한다는 마음으로 이를 즐겨 마셨다. 그리고 그 수요를 충족하기 위한 생산지로 브라질이 떠올랐던 것이다. 참으로 절묘하게 맞아떨어진 커피의 최대 생산국 브라질과 최대 소비국 미국의 등장이었다. 역사는 이렇게 의외의 계기로 발전하고 변화하는 것인가.

우리는 커피 한잔을 마시며 희생정신이 강했던 프랑스의 젊은 해군 장교에게 감사해야 할 일이다.

스타벅스와 소방차 사이렌

스타벅스는 항해사

아마 우리에게 가장 유명한 세계적인 커피 전문 브랜드는 스타벅스일 것이다. 그런데 이 스타벅스라는 상호가 우리에게는 흰고래, 즉 '백경白鯨'이란 제목으로 알려진 1851년 멜빌Melville의 소설《모비 딕Moby Dick》에 나오는 고래를 잡는 포경 선박 피쿼드호의 일등항해사의 이름이라는 것을 아는 사람은 많지 않다.

커피 애호가들 사이에서 반드시 가 봐야 할 곳으로 꼽히는 전 세계 스타벅스 1호점이 바다와 항구의 도시인 미국 서부 태평양 연안의 시애틀 바닷가에 있다. 1971년 이곳에 스타벅스 1호점이 처음 문을 연 것은 우연이 아니다.

지금의 스타벅스 로고는 그동안 많은 변화를 거친 것이다. 초기의 스타벅스 상표는 시애틀에 있는 1호 점에 가야만 볼 수 있다. 이 로고 는 그리스 인근 에게해에서 아름 다운 목소리로 노래를 불러 항해 하는 선원들을 유혹하던 사악한 바다의 요정 사이렌Siren을 형상 화한 것이다. 여전히 초기의 그 모습이 남아 있기는 하지만 지금 의 상표는 그래도 많이 부드러워 졌다.

그림 1-4 스타벅스의 초창기 로고

이 시애틀의 1호점 스타벅스 매장은 그동안 몇 차례 스타벅스의 상징인 로고가 바뀌었음에도 1971년 문을 열 당시의 상표인 좀 험악한 모습의 오리지널 상표를 그대로 부착하고 있다. 1호점의 위상을 뽐내고 있는 것이다.

사이렌과 로렐라이, 그리고 심청이

사이렌과 유사한 전설은 독일 라인강의 로렐라이 언덕에도 있다. 로렐라이Lorelei라는 말 자체가 요정의 언덕이라는 뜻인데, 이 로렐라이 언덕은 라인강 중류의 강기슭에 있는 큰 바위를 말한다. 라인강을 항해하는 뱃사람들이 로렐라이 언덕 위 바위에서 부르는 물의 요정의 아름다운 노랫소리에 취해 있는 동안 배가 바위에 부딪혀 물속에 잠긴다는 전설이다. 배경이 바다와 강으로 다를 뿐 사이렌의 이야기와 매우 유사한 내용이다. 아마도 강이든 바다든 과거에 배를 운항하는 것이 매우 위험한 일이었으므로 이런 유형의 전설이나 신화가 발생한 것으로 보인다. 또 위험한 항해를 하는 선원들에게 위안거리가 필요했을 수도 있었을 것이다. 어쨌든 과거에 선박의 항해가 잦았던 지역에는 이러한 유의 전설이나 이야기가 꼭 있다.

그런데 우리나라는 인당수에 몸을 던진 심청이 이야기에서 보는 바와 같이, 선박의 안전 문제를 외부의 힘이나 불가사의한 존재로 돌리지 않았다. 스스로를 희생하거나 제물을 바침으로써 안전을 도모하고자 했다는 말이다. 참으로 고귀한 희생정신이 아닐 수 없다. 이런 것이 바로 서양과 우리의 가치관 차이가 아닐까 싶다.

소방차 사이렌과 바다의 요정

불이 나서 소방차가 출동하거나 경찰차가 긴급 출동할 때 울리는 시끄러운 소리가 바로 사이렌이다. 1819년 프랑스의 한 발명가가 '사이렌'이라는 것을 만들었는데 무엇이라 부를까 고민하다가 이 바다의 요정 사이렌에서 이름을 따온 것이라 한다. 창의적으로 만들 수 없으니 역사 속의 전설에서 모방을 한 것인데, 모방도 이 정도면 창조와 동일하다고 할 수 있겠다.

사실 바다의 요정 사이렌이 부르는 노래는 선원들에게 바다를 두려워하고 조심하라는 경보였던 셈이다. 지중해의 동쪽 바다 그리스 에게해에서 요정 사이렌이 아름다운 노랫소리로 울렸던 경보가, 이제는 육지에서 소방차가 울리는 사이렌이 되어 많은 생명과 재산을 구하고 있다. 참으로 절묘한 변신이 아닐 수 없다.

우리나라에서 커피의 신주류를 형성하는 도시가 강릉이다. 이런 것을 보면 우연인지는 모르겠으나 바다와 커피가 잘 어울리는 것은 확실하다. 요즘 해안가를 운전하다 보면 경치 좋고 전망 좋은 곳에는 이국적인 멋이 넘치는 그럴듯한 이름의 카페들이 자리 잡고 있는 것을 볼 수 있다. 이렇게 외진 곳까지 누가 찾아올까 싶기도 하지만 들어가 보면 제법 손님도 있고 또 커피 맛도 좋다. 커피의 새로운 성지라는 우리나라다운 모습이다.

　커피와 바다는 궁합이 잘 맞는 것 같다. 수많은 해변의 카페를 보면 더욱 그렇게 느껴진다. 이런 카페에 앉아 커피를 마시다 보면, 에게해에서 들리던 요정 사이렌의 노랫소리가 진한 커피 향을 타고 귓가에 들리는 듯하다.

인터넷의 어머니

인터넷과 대항해 시대

컴퓨터 하면 인터넷이다. 인터넷 없는 세상은 이제 상상하기도 어렵다. 도시에 살든 시골에 살든, 아니면 육지에 있든 바다에 있든, 인터넷은 우리 생활의 일부분이 되었다. 우리는 남녀노소 가릴 것 없이 하루 한시도 컴퓨터와 떨어져서는 살 수 없는 사회에 살고 있다. 노트북이나 PC와 같은 컴퓨터도 있지만, 휴대용 컴퓨터랄 수 있는 휴대폰과 한 몸처럼 지내고 있으니 말이다. 사실 휴대폰은 이제 전화기의 기능보다 인터넷 기능이 사용 빈도나 그 활용도 면에서 훨씬 많은 게 사실이다. 그런데 이 인터넷이 바다에서 나왔다면 어떨까?

미국에서 최초로 인터넷을 만들어 대중화하면서 가장 고민했던 것이 바로 그 용어들이라고 한다. 고민에 고민을 거듭한 끝에 떠올린 것이 미지의 신대륙을 탐험하기 위해 통나무로 만든 선박으로 항해를 시작한 초기의 용감한 바다 사나이들이었다. 그러고 보면 바다의 항해는 지식의 항해와 아주 흡사하기는 하다.

초기 인터넷 개발자들에게 바다는 그야말로 어둠 속에서 빛나는 등대 불빛 같은 것이었다. 그들이 인터넷과 바다를 연결했을 때 미지의 대양을 항해하던 바다 사나이들은 바로 그들 자신이었다. 자연스럽게 바다의 용어에서 자신들의 작업에 필요한 용어를 차용했고, 결과적으로 이는 새롭게 만들어 사용하는 것보다 훨씬 쉽고 수용성이 높았다. 그야말로 탁월한 선택이었다.

빌 게이츠의 마이크로소프트사의 인터넷 익스플로러Internet Explorer가 나오기 전인 1990년대 중반까지 가장 인기 있고 많이 사용하는 웹 브라우저는 넷스케이프Netscape였다. 이 넷스케이프의 로고는 선박을 항해할 때 사용하는 조타기의 모습을 그대로 형상화한 것이었다. 정보의 바다를 넷스케이프를 통해 항해한다는 의미를 담은 로고였다. 물론 인터넷 익스플로러 자체도 그 어원은 바다 탐험에서 나온 것이다. 그래서 감히 주장한다. 컴퓨터는 바다고, 바다는 인터넷의 어머니다.

로그인과 로그아웃

컴퓨터 전원을 켠 후에 뉴스를 보거나 원하는 정보를 얻기 위해서는 인터넷 사이트에 들어가 인터넷이라는 바다를 서핑surfing해야 한다. 그리고 미지의 바다인 인터넷에서 서핑하기 위해서는 네이버나 다음, 구글 등의 포털 사이트가 필요다. 이 포털portal이 바로 항만이란 의미다. 우리가 해외를 가거나 다른 지역을 갈 때 처음으로 도착해서 여행을 시작하는 곳이 항구나 공항이듯이, 포털 사이트는 우리가 인터넷이란 바다를 항해하기 위해 반드시 거쳐야 하는 관문인 것이다.

우리가 인터넷상에서 어떤 서비스를 얻거나 게임 등을 하기 위해서는 반드시 해당 사이트에 들어가 회원 가입을 해야만 한다. 즉, 로그인login이 필수다. 이 로그인의 반대, 그러니까 해당 사이트에서 나오는 것이 잘 알다시피 로그아웃logout이다. 로그log의 사전적 의미는 통나무란 뜻이다. 갑자기 인터넷에 웬 통나무 하겠지만 그 비밀은 과거에 배를 만들던 통나무에 있다. 과거에는 통나무를 적당하게 엮거나 다듬고 묶어서 아주 원시적인 배를 만들었다. 그러고는 강이나 호수, 더 나아가 바다로까지 진출했다. 기본적으로 배는 통나무로 만들었던 것이다. 그런 이유로 항해하는 동안 선박의 선장이나 항해사가 기록하는 항해일지를 로그 북log book이라고 한다. 로그인은 로그 북을 열어서 로그 북에 항해와 관련한 내용을 기재하는 것이고, 반대로 로그아웃은 로그 북을 닫고 기록을 마무리하는 것이다. 선박의 항해일지인 로그 북의 로그인과 로그아웃을 인터넷 개발 초기에 그대로 따온 것이다. 왜냐하면 인터넷은 바다였기 때문이다.

블로거는 항해일지를 쓰는 사람

요즘은 파워 블로거power blogger가 대세이고 이를 직업화하여 미래의 유망 직업으로 보기도 한다. 블로그blog란 말은 web log를 줄인 말로 인터넷에 로그한다는 말이다. web의 마지막 단어 b와 log가 결합되어 blog라는 하나의 용어가 된 것이다. 블로그를 하는 이들이 블로거이고, 인터넷상의 다양한 분야에서 컴퓨터와 인터넷 항해일지인 로그 북을 기록하는 사람을 의미한다. 이들 블로거 중에서 영향력이 큰 블로거가 파워 블로거다.

과거 대항해 시대 선장 중에는 해적선의 선장도 있었고 노예 무역선의 선장도 있었다. 어느 시대나 나쁜 선장도 있고 좋은 선장도 있는 것이다. 요즘 시대의 파워 블로거는 과거 대항해 시대의 선장과는 비교할 수 없을 정도의 영향력을 행사하고 있다. 파워 블로거는 작게는 몇백 명, 많게는 수십만 명의 선원과 승객을 배에 태우고 '정보의 바다'를 항해하는 선박의 선장이다. 그만큼 선장에 대한 신뢰와 역할이 중요하다. 목적지인 항구를 향해 순항할 수 있도록 승객들인 팔로워들에게 좋은 항로fair way를 인도하는 훌륭한 파워 블로거 선장을 기대한다. 여기에 바다를 기억해주는 블로거라면 더 고맙겠다.

다운로드와 업로드

요즘 인터넷은 상호 소통의 공간이고 또 그것이 가장 중요하다. 많은 사람이 기록이나 소통을 위해 다양한 글이나 사진, 그리고 동영상을 인터넷 상에 올리기도 하고 내리기도 한다. 이렇게 자료나 동영상을 내려받는 것을 다운로드down load라 하고, 올리는 것을 업로드up load라 하는 것은 누구나 알고 있다. 그런데 이 말은 또 어디에서 나왔을까? 혹시 이것도 배나 바다에서 나온 것일까? 그렇다.

다운로드는 배에서 물건을 내리는 것을 말하고, 업로드는 반대로 물건을 항구에서 배에 올려 싣는 것을 말한다. 글자 그대로 하면 동영상을 다운로드하거나 업로드하는 것은 항만이라는 인터넷에서 하역 작업을 하는 것이다.

　우리는 보통 필요한 자료나 동영상을 얻기 위해서 인터넷상의 여러 사이트에 들어가 찾아보는 과정을 거친다. 이 과정을 웹 서핑이라 한다. 바닷가에서 바람이 좋을 때 파도를 즐기는 젊은이의 스포츠가 서핑인데, 바로 이것이 우리가 인터넷에서 사용하는 서핑과 같은 의미다. 그리고 이 사이트 저 사이트 인터넷을 돌아다니는 것이 선박의 항해, 즉 내비게이션 navigation이다. 요즘은 길을 안내해주는 내비게이션 없이는 어디를 가지 못할 정도로 내비게이션은 생활의 필수품이자 삶의 동반자가 되었다. 이처럼 바다와 선박은 우리의 일상생활 깊숙이 들어와 우리와 같이 호흡하고 생활하고 있다.

바다 밑 해저케이블 전쟁

전 세계를 이어주는 해저케이블

우리가 매일 사용하는 인터넷의 그 많은 데이터는 어떻게, 그리고 어떤 경로를 통해 이동할까? 공중의 주파수나 무선으로 이동할까? 아니다. 바로 바다 바닥에 부설되어 있는 거미줄 같은 해저케이블을 통해 이동한다. 그래서 전 세계 인터넷망의 통로인 해저케이블을 두고 벌이는 물밑 전쟁은 지금도 현재 진행형이다. 물론 지금은 과거의 전신망이 아니라 전화 통신이나 전력망을 위한 해저케이블로 변경되었고, 구리로 만든 동銅 케이블에서 최첨단의 광섬유 케이블로 발전되었다. 우리가 매일 사용하는 인터넷이나 해외 직구도 해저케이블이 없으면 무용지물이다. 우리가 보낸 정보와 찾는 정보가 해저에 부설된 광섬유 케이블을 통해 오고가는 것이며, 그 결과가 우리 책상의 모니터와 휴대폰에 나타나는 것이다.

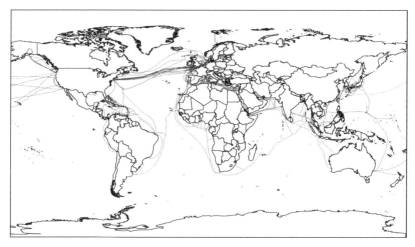

그림 1-5 해저케이블 지도

전 세계에는 380개의 해저케이블망이 있고 그 총연장은 무려 지구를 30바퀴 이상 돌 수 있는 정도인 130만 킬로미터에 달하고 있다. 그야말로 통신 트래픽의 99퍼센트가 해저케이블을 통해 이루어지고 있다. 이에 비해 무선 위성통신은 1퍼센트 정도에 불과한 실정이다. 그리고 향후 해저케이블 통신 수요는 더욱 증가할 것이 명확하다. 한마디로 바다가 없으면 인터넷도 없다.

강국들의 각축장

세계 각국은 다양한 이유로 해저케이블을 부설하고 있다. 여기서 다양한 이유라고 한 건 그 이유가 자국의 이익을 위한 것일 때도 있고, 해저케이블을 갖지 못한 다른 나라에게 사용료를 받고 빌려주는 상업적인 목적일 때도 있어서다.

현재의 세계 해저케이블 점유율은 미국의 서브콤이 23퍼센트, 유럽의 알카텔이 20퍼센트, 일본의 NEC가 18퍼센트, 중국의 화훼이가 15퍼센트다. 그야말로 선진국들의 각축장이다. 특히 중국은 현재 4위에 불과하나 공세적으로 해저케이블 사업을 추진하고 있고 빠른 속도로 약진하고 있다. 따라서 다른 분야와 마찬가지로, 전 세계 해저케이블의 주도권을 놓고 미국을 주도로 한 반反중국 진영과 중국 간의 치열한 물밑 전쟁이 보이지 않게 진행되고 있다. 반도체나 통신 장비에서 벌어지고 있는 중국과 미국 중심의 반중국 진영의 경쟁이 바다 밑에서도 동일하게 벌어지고 있는 것이다. 다시 말해 바다 위에서는 일대일로 전략이라는 형태로, 바다 밑에서는 해저케이블 형태로 강대국 간 소리 없는 전쟁이 벌어지고 있다. 이를 군사적으로 보면 쿼드QUAD 체계와 아주 흡사하다. 최근의 예로, 남태평양 지역 마이크로네시아 등 도서 국가들을 연결하는 새로운 해저케이블을 부설하는 사업을 둘러싸고 중국이 주도적으로 참여하려는 의지를 보이자, 미국과 일본, 호주 등 3개국이 연합하여 중국을 배제하는 공동전선을 구축하는 전략을 마련한 것을 들 수 있다.

더욱이 미국 등 주요 해군 전력을 갖추고 있는 국가에서는 가상 적국의 해저케이블 매설 현황을 상세히 파악하고 있다가, 유사시에 이를 절단하여 통신체계를 마비시키는 별도의 전담 군사 조직까지 운영하고 있다. 이런 것을 보면 해저케이블의 중요성은 우리가 상상하는 것 이상이다.

우리나라는 제주도나 울릉도 등을 연결하는 자체의 해저케이블을 운영하고는 있으나, 국제적으로는 일본과 협력하여 우리나라, 일본, 홍콩을 연결하는 해저케이블망을 우리 주도로 부설하는 것에 그치고 있다. 말 그대로 이제 걸음마 단계인 것이다. 다시 말하면, 우리가 사용하는 인터넷망이나 국제전화를 미국이나 일본, 유럽 등이 매설한 해저케이블망을 통해 수수료를 주면서 빌려 쓰고 있는 것이다. 현재의 해저케이블 시장 질서가 요동치게 되면 멀지 않은 장래에 결국 우리는 불가피한 선택을 할 수밖에 없을 것이다. '미국과 일본 주도의 해저케이블망을 이용할 것인가, 아니면 중국 주도의 해저케이블망을 이용할 것인가?'의 선택을 해야 한다는 말이다. 선택은 자유이지만 그 선택에 따른 대가는 반드시 치러야 한다. 잘못된 선택은 그 값이 매우 비쌀 것이고 다시 되돌리기는 더욱 어렵기 때문이다.

100여 년 전 영국이 독주하던 세계 해저케이블 시장은, 이제 주도하는 미국 진영과 이에 대응하는 중국의 도전으로 바뀌었다. 다시 한번 뜨거운 물밑 전쟁이 벌어지는 각축장이 되고 있는 것이다. 100여 년 전이나 지금이나 우리나라가 이러한 경쟁에서 주도적인 역할을 하지 못하는 것이 안타까울 뿐이다. 그리고 예나 지금이나 현명한 선택은 나라의 미래를 위해 반드시 필요한 것이다.

극지 이야기

북극에는 땅이 없다

우리가 지구를 오대양 육대주라고 이야기할 때 오대양은 태평양, 대서양, 인도양, 그리고 남극해와 북극해를 말한다. 육대주는 아시아, 유럽, 아프리카, 남미, 북미 그리고 오세아니아를 말하는데 여기에 남극대륙을 추가하여 칠대주라 하기도 한다. 그러나 이는 학문적인 분류는 아니다. 그저 편의상 분류한 거라고 보면 된다.

실제로 북극에는 육지로 되어 있는 땅이 한 뼘도 없고 온통 바다인 북극해밖에 없지만, 바다가 얼어 있어서 북극에도 대륙이 있는 것처럼 지도나 사진에 보이기도 한다. 북극의 육지처럼 보이는 얼음은 바다에 떠 있는 것이고, 북극해는 지중해의 6배 크기 정도 되는 바다다. 반면에 남극에는 엄연히 빙하 속이지만 커다란 대륙이 있고, 그 대륙과 얼음이 뒤덮인 바다가 연결되어 대륙을 형성하고 있다. 여름과 겨울의 남극은 온도가 변화함에 따라 생물이나 기후 등에서 그 차이가 엄청나다. 겨울이 되어 남극 주변 바다에 얼음이 뒤덮이기 시작하면 남극의 크기가 여름의 가장 작을 때에 비해 2배 이상으로 커진다. 이렇듯 북극과 남극은 그 거리만큼이나 서로 다르고 차이가 있다.

극지의 얼음이 사라지면 서울도 사라진다

극지에 있는 얼음은 얼마나 되며, 그 빙하가 녹으면 무슨 일이 일어날까? 남극대륙은 육지 면적의 9.3퍼센트를 차지할 정도로 거대한데, 이 규모는 중국과 인도를 합친 정도의 면적이다. 이 남극대륙은 평균 2~3킬로미터 두께의 얼음으로 뒤덮여 있다. 지구상에 있는 물의 97퍼센트가 바다

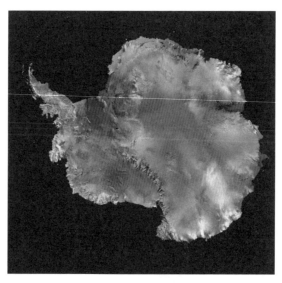

그림 1-6 남극대륙

에 있고 나머지 3퍼센트가 민물이다. 그리고 이 민물의 90퍼센트가 남극 대륙에 몰려 있다. 나머지가 북극과 그린란드의 얼음, 그리고 육지의 강과 호수의 물이다. 남극대륙에 있는 얼음의 양은 그야말로 상상을 초월하는 규모인 것이다.

지금 지구가 당면한 최대의 과제는 지구온난화이고, 온난화에 가장 큰 영향을 받는 것은 얼음으로 이루어진 빙하다. 전문가들의 연구에 따르면, 그린란드에 있는 빙하만 녹아도 지구의 해수면이 7미터 상승한다고 한다. 7센티미터가 아니고 7미터가 상승하는 것이니, 만약 남극대륙의 빙하가 다 녹는다고 하면 지구 해수면은 그 10배 정도가 되는 60미터 이상 상승하게 된다. 그리고 지구상 빙하가 다 녹으면 70미터 정도의 해수면이 올라간다. 지구상 인구 중 1억 명이 해수면에서 1미터 이내의 육지에 살고 있다. 해수면이 1미터만 올라가도 이들 1억 명의 거주지가 없어지는 건데 70미터는 상상이 되지 않는 수치다. 대부분의 도시는 사라지고 육지는 산악 지대만 남아서 수많은 섬으로 나뉜다고 보면 될 것 같다. 더욱이 태평양이나 대서양, 인도양의 섬나라들은 흔적도 없이 사라질 것이다. 우리나라의 경우, 해안 도시인 부산이나 인천, 울산, 목포 등은 당연히 고지대만 남고 바닷속으로 사라진다. 서울에 있는 경복궁과 남대문이 해발 40미터 정도에 위치하고 있다는 것을 고려할 때, 그 찬란한 서울이라는 도시도 몇몇 산이나 고지대를 제외하고는 몽땅 물속에 잠기는 수중도시가 되는 것이다. 지구온난화를 멈추는 데 지혜를 모아야 하는 당위성이 이런 사실에 있다.

극지의 얼음이 녹아 없어지는 것은 그 무게에 의해서도 지구에 큰 영향을 주게 된다. 남극대륙이나 그린란드를 덮고 있는 빙하의 무게는 실로 엄청나서 이 빙하가 다 녹아 없어지면, 그 부분의 지각을 누르는 압력이 없어지게 돼 지각 변동에도 매우 민감한 영향을 미치는 것이다. 따라서 지진이나 해일 등이 발생할 가능성이 매우 커지게 된다.

극지를 향한 뜨거운 열기

북극은 북극을 둘러싸고 있는 러시아, 캐나다, 미국, 노르웨이, 덴마크 등 북극 연안국의 영해와 EEZ가 인정되고 있는 데 반해, 남극은 1959년 체결된 남극조약에 따라 어느 국가에도 속하지 않는 인류 전체를 위한 대륙이다. 그 인근 남극 바다도 마찬가지로 영해가 없는 공해다. 따라서 남극에서는 어떠한 상업적인 개발이나 자원 탐사 행위도 금지되어 있다. 과학 조사나 기후변화 등 연구 목적의 건물과 행위만이 엄격한 조건하에서 가능하다.

북극은 1909년 미국의 피어리Peary에 의해, 남극은 1911년 노르웨이의 아문센Amundsen에 의해 각각 인류 최초로 발자국이 남게 되었다. 지금의 초현대식 장비로도 목숨까지 걸어야 하는 험난한 일이라는 걸 생각할 때, 당시 초보적인 망원경을 포함해 나침반과 경도를 측정하는 원시적인 장비만으로 남극과 북극을 탐험했다는 것은 참으로 놀라운 인간 의지의 승리다.

과거에는 남·북극이 미지의 땅이었고, 그저 탐험의 대상이었다. 하지만 최근에는 지구온난화로 인해 새로운 기회의 땅으로 부상하고 있다. 특히 북극해의 경우, 얼음이 녹는 여름철에는 북극 항로가 열려서 그 항로를 이용할 수 있게 된다.

우리나라에서 유럽으로 갈 때 수에즈운하를 이용하는 것보다 북극 항로를 이용하면 거리와 시간이 30퍼센트 정도 단축되는 효과가 있다. 물류의 측면에서 보면 비용이나 시간 면에서 엄청난 효과인 것이다. 특히 2021년 물류의 길목인 수에즈운하의 통항을 완전히 마비시킨 컨테이너 선박 사고와 같은 사례를 보면서 대체 항로로서 북극 항로의 중요성은 더욱 부각되고 있다. 그러나 여름철에만 이용 가능하고 주로 러시아의 영해를 지나야 하기 때문에 선박 항해와 관련한 통신 등 인프라가 부족하다. 또 러시아의 안정적이지 않은 정치 상황 등 해결해야 할 난제들이 남아 있다.

육상에서 현재도 일부 물류에만 이용되는 시베리아 횡단 철도TSR 등과 더불어 해상에서 북극 항로가 새로운 물류의 대안으로 부상할 것에 주목해야 한다.

쇄빙선 아라온호

우리나라도 남·북극의 과학 조사나 기후 연구를 위해 과학 기지를 건설하여 운영하고 있다. 북극에는 노르웨이 북극권의 스발바르제도에 위치한 다산 기지를 운영하고 있으며, 남극대륙에는 세종 기지와 장보고 기지, 두 곳을 운영하고 있다. 극지 기지의 명칭은 잘 알다시피 과거 우리나라를 크게 융성시키거나 창의적인 사고와 활동을 했던 위대한 선조들의 이름을 따왔다. 극지 연구를 향한 우리의 염원을 엿볼 수 있는 대목이다.

특히 우리나라는 1년 내내 얼음으로 뒤덮여 있는 극지 연구를 위해 반드시 필요한 특수 선박인 쇄빙선icebreaker을 가지고 있다. 쇄빙선은 말 그대로 얼음을 깨면서 항해할 수 있는 선박을 말하는데, 우리나라의 쇄빙선 이름은 아라온호다. 전 세계에는 러시아, 캐나다 등 북극권 국가를 중심으로 10여 개국에서 50여 척의 쇄빙선을 가지고 있다. 이 중 러시아가 40척 정도로 대부분을 차지하고 있으며 핵 추진 쇄빙선도 보유하고 있다. 극지 연구 역량은 쇄빙선이 있는 국가와 없는 국가로 분류될 만큼 극지 연구에서 쇄빙선의 역할은 지대하다.

우리나라 쇄빙선 아라온호는 2009년 우리나라 조선소에서 건조되었는데 두께 1미터의 얼음을 깨면서 시속 3노트, 즉 약 5.5킬로미터로 이동할 수 있는 능력을 가지고 있다. 항해 선원 이외에도 60명 정도의 연구원이 승선하여 연구 활동을 할 수 있다. 한 번 연료를 보급받으면 2만 해리, 즉 3만 7천 킬로미터를 항해할 수 있다. 지구 한 바퀴 거리가 39,960킬로미터라는 것을 생각할 때 한 번 연료를 보급받으면 추가 보급 없이 지구를 한 바퀴 돌 수 있는 것이다. 쇄빙선의 능력은 깰 수 있는 얼음 두께에 달려 있는데 아라온호처럼 얼음 1미터를 깨는 쇄빙선은 사실 가장 기본적인 쇄빙 능력을 갖춘 선박인 셈이다.

남극 지역이나 북극해는 얼음 두께가 몇 미터 이상씩 되기도 하기 때문에, 본격적인 탐사를 위해서는 2~3미터를 쇄빙하는 본격적인 쇄빙선이 필요한 것이 사실이다. 그런데 얼음이 일정한 두께로 얼어 있는 상태에서는 배가 항해하듯이 얼음을 옆으로 밀어서 깨려고 하면 절대 깨지지 않는다. 뒤의 얼음 전체가 앞의 얼음을 지지하기 때문이다. 그래서 쇄빙선은 얼음 위로 올라타서는 배의 무게로 얼음을 위에서 아래로 눌러 깨는 것이다. 당연히 쇄빙선의 뱃머리는 엄청 튼튼하게 만들어져 있다.

극지 연구는 미래 투자

그동안 다소 극지 분야의 투자에 소극적이던 미국은 최근 추가로 대형 쇄빙선을 건조하는 등 적극적인 모습을 보이고 있다. 일본이나 중국 역시 쇄빙선 건조나 극지 연구에 인력과 예산을 증가시키고 있는 모습이다. 그 이유는 간단하다. 극지가 미래의 영역이기 때문이다. 미래를 위한 투자는 아끼지 말아야 한다. 우리도 그동안 발 빠르게 남극이나 북극에 투자해서 세계 10위권 이내의 극지 연구 국가로 대접받고 있다.

사진이나 영상으로 보면 우리는 흰색의 북극곰이 눈처럼 하얀 털을 가졌다고 생각한다. 그런데 그렇지 않다. 북극곰의 털은 투명하다. 이 투명한 털이 얼음과 눈에 반사되어 흰색으로 보이는 것이다. 이처럼 우리가 상식으로 알고 있는 것도 직접 보고 확인하면 달라지는 것이 많다. 극지도 마찬가지다. 남의 연구나 자료를 보고 아는 것과 직접 참여하여 이를 축적하는 것은 다르다. 미래에 받는 대우가 달라진다는 이야기다. 이것이 극지의 악조건 속에서도 세종, 장보고, 다산 등 우리의 위대한 선조들이 상주하고 있는 이유다. 극지는 우리의 미래다.

마도로스와 파이프 담배

선망의 대상

"저 선원을 뭐라고 부르나요?"

"마트루스요."

이 문답은 17세기 일본의 개항장이었던 나가사키항에서 있었던 일본인과 네덜란드 선원 간의 대화. 마도로스 하면 낭만적인 분위기의 선원과 그가 물고 있는 멋진 파이프 담배가 떠오른다. 구릿빛으로 그을린 얼굴의 마도로스와 파이프 담배는 떼려야 뗄 수가 없을 정도로 이미지가 동일하다.

미지의 먼바다를 항해하는 외항선의 선원은 지금이야 인기가 좀 시들하지만, 우리나라만 해도 1988년 서울올림픽을 계기로 해외여행이 자유화되기 이전에는 상당히 인기 있는 직업 중의 하나였다. 육상 임금에 비해서 몇 곱절의 좋은 보수도 보수였지만, 해외를 자유롭게 다닐 수 있는 매력이 있었던 것이다. 그리고 돈 쓸 일이 별로 없는 선상 생활을 해야 하는 까닭에 자연스럽게 저축이 되었는데, 결과적으로 이것이 육상에서는 가질 수 없는 좋은 조건이 되었다. 20세기 후반에도 그러했으니 20세기 이전에는 선원이라는 직업이 얼마나 선망의 대상이었겠는가. 그래서 그런지 마도로스를 소재로 한 영화도 많고 노래와 소설도 많다.

마도로스의 꿈

1960~1970년대 우리나라는 제대로 된 직업이 별로 없었다. 그 시절 우리나라가 가진 단 하나의 자산은 우수한 인력이었다. 즉, 인력을 해외에 파견하는 것이 큰 외화벌이의 수단이었다. 그래서 독일에 광부와 간호사를 파견했고, 해외에 있는 외국 선박에 선원을 송출했다. 당시 우리나라 외화 수입의 상당 부분을 이들이 벌어들이는 외화가 차지했다.

1964년 우리나라 전체 수출액은 1억 달러에 불과했고, 국민소득은 100달러로 최빈국의 하나였다. 그런데 그마저도 얼마나 기뻤으면 수출 1억 달러를 달성한 1964년 11월 30일을 기념했을까. 지금도 11월 30일이 무역의 날이다. 이러한 와중에도 독일에 파견된 광부와 간호사가 1964~1975년 기간에 벌어들인 외화가 1억 달러를 넘었다. 이것은 우리나라 수출액의 10퍼센트 정도를 차지하는 엄청난 외화벌이였다. 그런데 해외 송출 선원은 그보다도 훨씬 많은 외화를 벌어들였다. 그들이 1967~1975년 기간에 벌어들인 외화는 1억 6천만 달러에 달했다. 당시의 우리나라 국가 전체 GDP의 0.16퍼센트를 해외 송출 선원이 벌어들였으니 대단한 외화 획득이었다.

독일에 파견된 광부와 간호사의 헌신과 기여가 늦게나마 평가를 받는 것은 환영할 만한 일이다. 당연히 해외 송출 선원에 대한 기억과 평가도 더 늦기 전에 제대로 이루어져야 할 것이다. 지금도 대서양의 스페인령 라스팔마스나 태평양의 사모아, 피지 등 많은 어업 기지에 우리나라 선원이나 그 가족이 살고 있다. 여러 가지 사유로 귀국하지 못하고 유명을 달리한 분들의 묘지도 많이 볼 수 있다. 당시 우리의 마도로스들은 낭만적이지는 않았지만, 국가와 가족을 위한 사명감과 열정과 패기만은 영화 속에 나오는 어느 마도로스보다 넘쳐났다. 이렇듯 지금 우리가 누리는 풍요와 여유는 과거 누군가의 희생과 헌신과 기여가 있어서 가능한 것이다. 세상에 공짜는 없다.

마도로스의 유래

지금도 커다란 원양 선박을 타는 선원을 마도로스라고 부른다. 마도로스라니! 우리말은 아닌 것 같은데 일본말인가? 마도로스에 대해서는 두 가지 설이 있다. 하나는 네덜란드어로 선원을 의미하는 matroos가 일본식으로 표현되어 마도로스가 되었다는 설인데 정설에 가깝다. 또 하나의 유래는 선원들이 피던 담배에서 나왔다는 설이다.

지금은 담배를 피우는 것 자체가 환영받지 못해서 애연가들의 설 자리가 점점 좁아지고 있지만, 아주 옛날에는 그렇지 않았다. 담배는 원산지가 남미다. 신대륙 발견 이후 남미에서 들어온 담배가 임진왜란을 거치면서 일본에서 우리나라로 전해진 것으로 보인다. 이렇게 우리에게 전해진 담배는 우리나라에서 큰 인기를 끌었다. 양반이 긴 곰방대로 담배를 피우는 것에서 알 수 있듯이 신분 과시의 일종이기도 했다. 하긴 초기에는 담배가 비싸고 귀했으니 양반이 아니고는 피울 수도 없었을 것이다.

장죽長竹으로 대표되는 우리나라의 곰방대는 주로 대나무처럼 속이 비어 있는 나무로 만들었다. 서양에서의 파이프 담배와 유사한 것이다. 우리나라에서는 '빨뿌리'라는 속칭으로 불리기도 하는 이 서양 파이프는 주로 나무로 만들었는데 재질이 단단하고 향이 좋은 장미나무, 진달랫과 나무, 단풍나무 등이 여기에 이용되었다. 물론 입이 닿는 부위 등을 상아나 물소뿔 등으로 장식하여 화려하게 만들기도 했다. 그러나 이러한 양질의 파이프는 유럽에서도 귀족들이나 부유한 상인들의 차지였다. 즉, 비싸서 일반 서민들에게는 그림의 떡이었던 것이다. 그런데 신대륙 발견 이후 세계에서 가장 첨단을 달리는 이들이 있었다. 당시 일반 사람들은 꿈도 꾸지 못하는 외국을 마음대로 다닐 수 있는 선원들이 바로 그들이었다. 당시에 선원이라는 직업은 지금의 비행기 조종사보다 훨씬 더 첨단을 달리는 전문직이자 보수가 좋은 직업이었다. 유행의 첨단을 달리는 일류 멋쟁이답게 이들의 입에는 항상 파이프가 물려 있었다.

일본 나가사키 앞에 있는 데지마는 작은 인공섬이다. 신대륙 발견 이후 갈등을 빚던 양대 가톨릭 국가 스페인과 포르투갈은 1494년 교황 알렉산더 6세의 중재에 따라 토르데시야스 조약Treaty of Tordesillas을 맺어 스페인은 지금의 브라질 상파울루 서쪽 지역에 대한 권리를, 포르투갈은 동쪽의 권리를 각각 인정(지금으로 보면 자기들 마음대로 정한 말도 안 되는 조약이다)했다. 당시 이 조약에 따라서 세계 해양을 양분한 포르투갈이 일본에 처음으로 도착하여 일본과 통상의 문을 연 곳이 바로 나가사키였다. 이후 17세기에 포르투갈에 이어 해양 패권을 장악한 네덜란드의 동인도회사 소속의 선박들이 일본 무역을 독점하며 이 나가사키에 기항하게 되었다. 이들 네덜란드 선원들과 상인들은 하나같이 최일류 멋쟁이답게 파이프 담배를 물고 있었다.

일본인들은 처음 본 네덜란드 선원들을 가리키며 저 사람들을 뭐라고 부르는지 물어봤는데, 선원들이 물고 있던 담배 파이프가 무엇이냐고 물어본 것으로 착각한 네덜란드인이 마트루스라고 대답을 했다고 한다. 이 마트루스는 당시 인기가 있었던 담배 파이프를 만드는 야생장미mat roos를 의미하는 네덜란드 말이었다. 순식간에 선원이 마트루스, 즉 야생장미로 만든 담배 파이프가 되어버렸던 것이다. 웃자고 하는 이야기일 수도 있겠지만 나름 그럴 가능성이 충분히 있는 이야기이기도 하다.

지금도 일본인의 영어 발음은 이해하기 어려울 정도다. 아마도 영어가 가장 고생하는 곳이 일본이라는 데에 많은 사람이 동의할 것이다. 일본인들은 커피를 '고히'라고 발음한다. 일본의 시골에서는 커피라 하면 알아듣지 못하는 경우가 제법 있다. 마찬가지로 발음하기 어려운 '마트루스'를 일본인들은 '마도로스'라고 발음했고, 졸지에 마도로스가 선원을 의미하는 말이 되었다. 이 말이 우리나라에도 그대로 들어와 선원을 마도로스라고 호칭하게 된 것이다.

카스텔라와 빵, 그리고 식구

요즘 우리의 젊은이들이 거의 주식처럼 많이 먹는 빵이나 카스텔라도 포르투갈 상인들이 일본 나가사키에 전래한 것이다. 포르투갈어로 빵pão 은 발음 그대로 우리나라에서도 빵이다. 카스텔라는 16~17세기 당시 포르투갈을 다스리던 카스티야 공국의 빵 이름에서 나온 것으로, 요즘 포르투갈에는 실제로 카스텔라와 같은 빵이 없다고 한다. 일본인들이 특유의 모방과 창조 정신을 결합하여 현재의 카스텔라를 만든 것이다. 지금도 일본에서 카스텔라는 나가사키가 그 본고장으로 통한다. 물론 가장 맛있기도 하다.

이 빵이라는 포르투갈어는 프랑스어나 영어에서도 많이 보이는데 영어에서 동반자나 동료를 의미하는 단어가 companion, compania이고 이러한 사람들의 모임이 회사나 공동체라는 의미인 company다. 즉, 이 말은 빵(pan)을 같이(co) 먹는 사람들이라는 의미에서 나온 것이다. 우리식으로 하면 먹는 것을 나누는 한 식구食口라는 의미다. 그러고 보면 우리나 서양이나 의식주를 같이 나누는 사람들을 가장 소중한 동반자로 보는 것은 같은 듯하다.

여하튼 서양 문물과의 접촉을 우리보다 먼저 시작한 일본은 우리가 무의식적으로 사용하는 많은 서양식 용어와 지명들에 영향을 주었다. 그러나 우리가 그것을 알고 사용하느냐, 아니면 모르고 사용하느냐는 중요하다. 극일克日은 맹목적인 반일反日에서 나오지 않는다. 그들을 잘 알고 뛰어넘을 수 있는 실력을 우리가 가지고 있을 때 극일이 되는 것이다. 거창한 구호가 아닌 단단한 내실이 필요한 때다.

바다에서 유래된
비슷한 국가명

서구 열강이 지은 국가의 이름

나라 이름에서 동남아시아에 있는 인도네시아나 말레이시아처럼 '○○sia'라는 이름을 많이 보게 된다. 국가뿐 아니라 우리가 속해 있는 아시아 대륙에도 그러고 보면 '시아'가 들어가 있다. 원래 이 말은 그리스어에서 그 어원을 찾을 수 있다. sia는 그리스어로 '땅'이라는 의미다. 이것은 우즈베키스탄처럼 '~스탄stan' 국가들의 명칭에 붙어 있는 '스탄'이 과거 페르시아어로 땅을 의미하는 것과 같은 맥락이다.

오늘날 우리가 사용하는 많은 국가의 명칭은 현재 그 지역에 거주하는 민족들이 지은 것이 아니고, 식민지 시대를 거치면서 서구 열강들이 자국의 이해관계에 따라 국가를 분할하기도 하고 독립시키기도 하면서 자기들의 관점에서 붙인 것이다. 그런 면에서 고려 시대가 어원인 'Korea'가 우

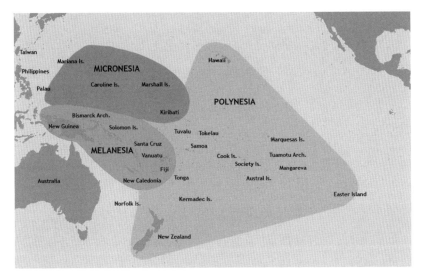

그림 1-7 태평양의 주요 문화 지역

리 국가의 영어 명칭인 것은 그 자체로도 대단한 것이다.

인도네시아는 서양인들 입장에서 인도를 지나서 보니 많은 섬들이 있는 지역이라 해서 붙여진 이름이다. 그리고 말레이족이 사는 섬 지역이라 하여 말레이시아, 태평양에 섬이 많은 곳이라 하여 폴리네시아, 작은 섬들이 아주 많다고 하여 미크로네시아다. 여기에다 뉴기니, 솔로몬제도 등 검은 피부의 주민들이 사는 섬 지역을 피부색을 따서 검은 섬이란 뜻으로 멜라네시아라고 불렀다. 서구의 관점에서 작명이 된, 그야말로 무책임하고 어이없는 이름이 아닐 수 없다. 인도네시아가 인종이나 언어, 그리고 문화적으로 인도와 무슨 관계가 있겠는가.

이런 것을 볼 때 우리나라가 '코리아'라는 게 자랑스럽고, 한편으론 다행스럽기까지 하다.

아시아와 시베리아

아시아 대륙이라는 이름도 그리스어의 동쪽을 의미하는 어원에서 나온 말이다. 그리스 입장에서 보면 지금은 터키 영토인 보스포루스해협의 오른쪽에 있는 아시아 지역은 당연히 그리스의 동쪽이었다. 그래서 '동쪽 지역의 땅'이라는 의미로 아시아라고 불렀다. (지금은 소아시아라고 불리기도 한다.) 이것이 점차 지역이 확대되어 지금의 아시아 대륙을 의미하게 되었던 것이다. 지금도 중근동에 있는 많은 지역을 여행하다 보면 이 '~시아'로 끝나는 지명이 많은 것을 볼 수 있는데 여기에서 기원한다.

러시아의 동쪽 대륙은 한반도까지 이어져 있는 시베리아 땅이다. 이 시베리아라는 지명은 러시아어로 '잠자다 또는 가혹하다'는 의미의 'sibir'에서 나온 말이다. 즉, 날씨가 사람 살 만한 곳이 못 되는 가혹한 땅이라는 뜻이다. 당초에 시베리아는 러시아인들에게 모피를 공급하는 기회의 땅으로 여겨졌다. 그러나 가혹한 땅이어서 유배지로 더 많이 활용되었다. 육지 속의 가혹한 추위의 섬인 시베리아에 유배를 많이 보냈던 것이다. 그 시베리아의 동쪽 끝에 블라디보스토크가 있다. 인구 60만 명이 넘는 동부 시베리아의 최대 도시로 군사적인 요충지다. 원래 중국 영토였으나 불평등 조약인 1860년 베이징 조약으로 러시아가 차지한 이후 시베리아 개발의 상징이 되었다. 지금은 9,288킬로미터에 달하는 시베리아 횡단 철도의 시발점이자 종착역이다. '동방을 지배한다'는 블라디보스토크의 의미대로 동부 시베리아 전략의 중심지다.

러시아는 시련의 땅 시베리아 개발에 적극적이다. 그러기에 '동방 포럼'이라는 러시아 주도의 지역 협력 방안을 2년마다 블라디보스토크에서 개최한다. 러시아 대통령이 직접 참여하고 우리나라와 중국, 일본, 몽골 등의 정상들을 초청하고 있다. 시베리아가 시련의 땅에서 희망의 땅으로 변화할지 지켜볼 일이다. 우리의 미래와도 긴밀하게 연관이 있으니 말이다.

바다와 골프

가장 인기 있는 스포츠

우리나라에서 가장 인기 있는 스포츠를 꼽으라고 하면 그중 하나가 골프 아닐까 싶다. 골프가 스포츠냐고 비아냥대는 사람도 있지만, 올림픽에도 정식 종목으로 채택되었고 실제로 라운딩을 해보면 체력도 상당히 요구되는 스포츠다.

우리나라에서 1년에 한 번이라도 필드에 나가는 실천형 골프 인구가 줄잡아 500만 명에 달하고, 이들이 평균 잡아서 연간 9회 남짓 라운드를 한다고 하니 연간 4,500만 명이 골프를 즐기는 셈이다. 이는 우리나라에서 가장 인기 있는 스포츠의 하나인 야구장을 찾는 관중이 연간 800만 명에 미치지 못하고 있는 것을 보면 대단한 것이다. 더욱이 야구 인구는 야구 선수들이 하는 것을 보는 관중들인 데 비해 골프 인구는 스스로 운동을 하는 것이니 그 정도에서 큰 차이가 있다고 보는 것이 맞다. 특히 최근에는 코로나19를 겪으며 이삼십 대인 MZ세대와 여성들이 골프에 급속도로 관심을 가지게 되었다고 하니, 앞으로 이러한 추세는 당분간 지속될 것이 틀림없어 보인다.

우리나라의 골프장은 전국에 540여 개가 있어서 세계에서 10번째로 골프장이 많은 국가다. 이는 미국 15,000여 개, 영국 3,300여 개, 일본 2,300여 개와는 큰 차이를 보이고 있으나, 산악 지형이 대부분인 우리나라 현실에서 보면 대단히 많은 수임에는 틀림이 없다. 전 세계 골프장은 35,000여 개로 집계되고 있다.

우리나라 최초의 골프장

우리나라 최초의 골프는 바닷가에서 시작되었다. 1900년 원산항의 세관 업무 때문에 임시로 정부에 고용되어 있던 영국인들이 원산항 인근에 6홀짜리 골프장을 조성한 것이 우리나라 최초의 골프장으로 알려져 있다. 당시 개항장으로 외국과의 통상이 가능했던 원산항이라 영국인들이 고용되어 있었던 것이다. 원산항에 골프장을 조성한 것을 보면 영국인들의 골프 사랑은 참으로 대단했던 것 같다. 골프공이며 필요한 용품들은 청나라에 거주하던 영국인들에게 구했을 것으로 추정된다. 하지만 이보다 더 궁금한 것은 당시 영국인들이 골프를 치는 것을 본 조선 사람들의 반응이다.

우리나라에서 골프 시합이 가능한 제대로 된 18홀 정규 골프장은 지금의 서울 능동에 있는 어린이 대공원 부지에 1929년 개장한 서울 컨트리클럽이 최초다. 원래 이곳은 조선왕조 최후의 군주인 순종의 왕비 순명황후의 능이었다가 이장 후에 골프장으로 조성되었다. 그러나 이후 정치적인 소용돌이에 휘말려 1973년 5월 5일 어린이날에 이 골프장은 폐쇄되고, 어린이 대공원으로 탈바꿈하여 현재에 이르고 있다.

Saint Andrews 골프장

골프의 발상지는 영국 스코틀랜드다. 그래서 스코틀랜드에서 개최되는 골프 대회를 보면 'Home of Golf'라는 문구를 볼 수 있다. 인구가 500만 명밖에 안 되는 스코틀랜드이지만 골프 발상지로 알려진 Saint Andrews 골프장을 비롯하여 골프장이 우리나라와 비슷한 550여 개나 있다. 인구 대비해서 보면 우리보다 10배가 더 많은 셈이니 엄청난 수라고 할 수 있다. 왜 골프의 발상지인지 알 만하다. 그런데 골프장의 위치가 우리나라와는 달리 산악 지형이 아닌 바닷가에 위치해 있다. 그리고 대부분 모래로 되어 있고, 바람이 많이 불어서 농사짓기가 어려운 황무지에 조성되어 있다. 어떻게 보면 땅을 매우 현명하게 활용하는 것이다.

영국의 Saint Andrews Golf Club은 1754년 22명의 귀족이 모여 골프 클럽을 결성한 것을 계기로 골프장이 개장하게 되었다. 이후 1834년 윌리엄 4세 국왕이 왕립Royal이라는 칭호를 하사하면서 'Royal & Ancient Golf Club of Saint Andrews'라는 공식 이름으로 불리게 되었다. 아울러 영국 전역의 골프 클럽을 관할하는 권한까지 부여받음으로써 명실상부한 영국 골프의 총본산인 영국 왕실 골프 협회로 공인을 받았다. 그리고 영국의 골프장은 물론 골프 장비와 골프 규칙에 관한 내용을 제정하고 개정하는 권한까지 가지게 되었다.

세계 최초의 여성 골퍼는 골프의 발상지인 스코틀랜드의 메리 여왕으로, 1565년에 골프를 즐겼다는 기록이 남아 있다. 자존심이 가득한 명칭인 '디 오픈The Open'이라고도 불리는 영국 오픈 골프 대회는 1860년 창설되었다. 1회 대회에는 8명이 경기를 한 것으로 기록되어 있는데 당시 우승자에게는 은화 5파운드에 은제 벨트가 주어졌다고 한다. 디 오픈 골프 대회는 전통에 따라 반드시 링크스 코스에서 개최되어야 해서, 스코틀랜드와 잉글랜드에 조성되어 있는 8곳의 링크스 코스에서 번갈아 개최된다. 이 중 5년에 한 번은 반드시 골프의 발상지인 스코틀랜드의 Saint Andrews 골프장에서 개최하도록 되어 있다. 전통을 중시하는 영국다운 발상이다.

영국 스코틀랜드의 St Andrews에 있는 왕실 골프 협회 R&A는 지금도 전 세계의 골프 규칙을 매년 개정하는 권한을 가지고 있는데, 실제로는 미국의 골프 협회인 USGA와 협의를 통해 공동으로 골프 규칙 개정 작업을 해오고 있다. 전 세계 골프 대회는 이 골프 규칙에 따라 골프 경기를 진행한다. 그런데 한 가지 우리가 눈여겨볼 점은 골프 규칙의 제일 첫머리에 나오는 제1장 제1절의 규칙이 바로 골프 에티켓과 관련된 내용이라는 것이다. 그만큼 골프는 신사의 운동이고 자신을 속여서는 안 되는 스포츠라는 것을 보여주는 상징적인 대목이다. 골프는 자기가 손해 보더라도 남을 배려하고 생각하는 스포츠라는 것이다.

바다와 육지를 연결하는 링크스

우리나라의 골프 코스는 대부분 산악 코스로 되어 있지만, 세계적으로 유명한 코스 중에는 링크스 코스가 많다. 지리적으로 보면 링크스 지역이란 해안가에 위치해 있고 강한 바닷바람에 의해 오랫동안 쌓인 모래와 자갈로 구성된 황무지 지역을 말한다. 당연히 바람이 많은 것이 특징이다. 영어 의미 그대로 바다와 육지를 연결하는 중간 지대를 일컫는다. 영국의 초기 골프장들은 주로 이러한 지역에 위치했는데, 골프의 성지라 일컬어지는 스코틀랜드의 Saint Andrews 골프장이 대표적이다. Saint Andrews 골프장은 북해에 맞닿은 해안가에 있는데, 모래가 쌓인 지형을 그대로 이용하여 조성했다. 그리고 그 지역에 자생하는 히스heath라는 잡초가 무성한 것이 특징이다. 사실 여기에 자생하는 이 히스라는 풀은 거칠고 소금기가 많아 농사는 말할 것도 없고 동물들도 잘 먹지 않는다. 즉, 목축에도 좋지 않은 사실상의 황무지였던 것이다. 이러한 지역과 여건을 이용하여 만들어진 골프장을 우리는 통상 링크스 코스라 부른다. 러프에 심어져 있는 이 히스라는 풀은 무릎 높이 이상 자라며 매우 질기고 거칠다.

우리나라에서도 해안가에 위치한 지역에 골프장을 만들면 골프장 명칭에 '○○ 링크스 골프 코스'라는 호칭을 많이 사용한다. 대부분 이러한 골프장은 나무가 거의 없는 다소 황량한 지형에 러프는 갈대나 잡초 등으로 구성되어 있다. 그리고 모래로 된 벙커가 많고 높은, 소위 항아리 벙커가 그 특징이다. 산악 지형으로 이루어진 우리나라의 대다수 골프장과는 차별되는 까닭에 인기가 있다. 그러나 스코어 내기는 쉽지 않다.

그런데 우리나라는 골프장 명칭도 컨트리클럽(CC)과 골프 클럽(GC)을 혼용하여 쓰고 있다. 골프 클럽은 그야말로 골프장만 조성되어 있는 것으로 우리나라의 대부분의 골프장이 이에 해당한다. 그러나 컨트리클럽은 도시인들이 주말이나 휴가 기간에 가족과 함께 도시를 벗어나 시골의 정취를 느끼며 스포츠와 휴식을 취할 수 있게 조성된 곳이다. 기본으로 골프장에다가 테니스장, 승마장, 수영장, 숙박 시설 등이 갖추어진 복합 문화 스포츠 시설을 가리킨다. 즉, 우리나라의 대부분의 골프장은 이름은 컨트리클럽이지만 실제로는 골프 클럽에 가까운 것이다.

영국의 관문이자 유럽의 최대 국제공항인 런던의 히드로공항도 공항을 만들기 전에는 절반은 농지이고 절반은 습지여서 히스가 무성하게 자라던 지역이었다. 이런 곳을 공항으로 탈바꿈시켜 현재의 공항으로 조성했는데, 공항의 이름도 히스(heath)가 줄지어(row) 자라던 곳이라는 의미로 히드로공항이 되었다.

페어웨이와 러프

골프 용어에는 바다에서 따온 것들이 제법 많다. 우선 골프에서 골프공을 치기에 가장 좋은 지역을 말하는 페어웨이fairway는 선박이 순항하는 항로를 의미한다. 선박이 항행하는 바다에도 무작정 아무 곳이나 선박이 다니는 것이 아니라 항상 다니는 길이 있다. 이렇게 선박이 순항하도록 되어 있는 항로가 바로 페어웨이다. 페어웨이에 골프공을 올려놓으면 다음 샷을 치기에 편하거나 홀을 쉽게 공략할 수 있는데 선박의 순항과 일맥상통한다. 이와 반대되는 용어가 러프rough다. 다 아는 것처럼 잘 다듬어진 잔디 구역인 페어웨이와 달리 러프에 공이 들어가면 큰 풀이나 나무 등에 걸려 공을 치거나 빼내기가 여간 힘든 게 아니다. 마찬가지로 바다에서도 험하고 거친 파도rough sea를 만나면 순항은 고사하고 항해의 안전을 담보하기도 어렵게 된다.

그리고 지구상에서 가장 큰 새이자 바다의 새로 알려진 앨버트로스는 날개 길이만 3미터에 달하고 쉬지 않고도 5,000킬로미터를 날 수 있다고 한다. 바로 이 앨버트로스는 더블 이글이라고도 불리는데 골퍼들에게는 꿈의 스코어다. 한 홀에서 파보다 3타를 적게 친 스코어를 가리킨다. 홀인원 확률 2만분의 1보다도 확률이 훨씬 희박한 200만분의 1이라고 한다. 실제 프로 골프 선수들도 홀인원은 경험한 선수가 많으나 앨버트로스는 별로 없다고 한다. 우리나라에서 1994년 기록을 집계한 이후 남자 프로 골프 대회에서 앨버트로스가 나온 것은 9번에 불과하다. 그만큼 몇 년에 한 번 나올까 말까 한 대기록인 것이다. 여자 프로 골프의 경우는 더 희소해서 단 7명만이 앨버트로스를 기록했다고 한다. 정말로 대단한 기록이 아닐 수 없다.

골프는 인생과 같다고 한다. 잘 나갈 때일수록 겸손해야 하고, 어려울 때 정신을 집중하면 다시 반전의 기회가 오기 때문인 것 같다. 골프를 잘 치기 위해서는 마음을 비워야 하고, 무게 중심은 바다를 항해하는 배처럼 아래로 아래로 내려놓아야 한다. 또 거리를 내기 위해서는 오히려 힘을 주지 않고 빼야 한다. 그러고 보면 골프는 바다를 닮았다. 바다 같은 마음을 담은 스포츠다. 그래서 그런지 중국이나 러시아처럼 대륙 국가보다는 섬나라나 해안을 끼고 있는 나라들이 골프 강국인 경우가 많다. 우리나라를 비롯해 미국, 영국, 일본, 호주, 남아공 등이 그렇다.

미터와 톤의 유래

프랑스혁명과 미터법

해운이나 물류 분야에 종사하는 사람들은 물론이고 일반 사람도 많이 사용하고 접하는 기본적인 단위가 무게를 나타내는 킬로그램이나 톤이 아닐까 싶다.

무게 1,000킬로그램을 1톤이라 한다는 것은 누구나 다 아는 사실이다. 물론 이 1톤도 우리가 상식적으로 아는 것처럼 동일하게 1,000킬로그램은 아니다. 영국 톤이 다르고 미국 톤이 다르기 때문이다. 상식으로 알고 있는 1톤이 1,000킬로그램이라는 것은 프랑스 중심의 미터법에 의한 것이다. 그러나 이 1톤이 1,000킬로그램이 되기까지는 많은 곡절이 있었다.

19세기를 눈앞에 두고 있던 1789년 당시 프랑스의 왕 루이 16세는 불공대천할 원수지간인 영국에 대항하여 일어난 미국의 독립전쟁을 재정적으로 지나치게 지원했다. 결국 이 여파로 프랑스는 재정난에 빠졌고, 무리한 세금 부과에 대한 반발로 프랑스 시민혁명이 일어나게 되었다. 혁명군은 군주제를 폐지하고 루이 16세와 그보다 더 유명한 왕비 마리 앙투아네트를 단두대에서 처형했다. 그리고 혁명정부를 구성했으나, 다시 그 반작용으로 나폴레옹이 집권하여 황제에 오르는 격랑의 시기를 겪게 된다. 이 과정에서 혁명정부는 세금 부과의 기준이던 도량형이 지역이나 기관마다 각각 달라 문제가 심각하다는 점을 인지했다. 그리고 지역마다 상이한 도량형을 통일할 필요성을 느껴 다양한 도량형을 정비하게 되었다. 혁명 당시 프랑스에는 도량형만 700~800개 정도가 되었다고 하니, 세금 부과하는 사람 마음대로였던 것이다.

1790년 프랑스 유수의 과학자들은 북극에서 파리 노트르담 성당을 통과하여 적도에 이르는 길이의 천만분의 일, 즉 지구 남·북극 사이 거리의 2천만분의 1을 기본 단위로 하기로 했다. 그리고 그 명칭은 라틴어의 '측정'을 의미하는 단어인 메트룸metrum의 앞글자인 'm'으로 하기로 했다. 이것이 바로 우리가 사용하는 미터법의 시초다. 이 거리를 명확히 하기 위하여 당시 변하지 않는 백금 재질로 두 개의 1미터짜리 표준 자를 만들어 기준으로 삼았다. 그러기에 미터법에 의하면 지구 둘레는 4만 킬로미터가 되어야 하지만, 지구가 완벽한 원이 아닌데다가 산이나 바다 등 지리적 여건으로 실제로는 4만 킬로미터가 조금 안 되는 것이다. 그러나 프랑스에서도 전국적으로 미터법이 강제로 사용된 것은 한참 후인 1840년이나 되어서였고, 이후 1875년 국제 미터 위원회가 창설되면서 전 세계적으로 미터법을 공통적으로 사용하게 되었다. 물론 영국이나 미국 등 일부 국가는 지금도 야드와 인치, 그리고 파운드라는 미터법이 아닌 야드 중심의 도량형 체계를 고집하고 있다. 이는 프랑스 중심의 미터법에 대한 역사적인 반감과 질투가 뒤섞여 있어서 그런 것이다.

1999년 미국 항공우주국 NASA가 발사한 천오백억짜리 화성 탐사 우주선이 폭발하는 사고가 났다. 그런데 이 사고의 원인이 바로 미국 과학자들이 야드와 미터를 혼동하여 생긴 것이라고 하니, 측정 지표가 얼마나 중요한지 교훈을 주고 있다.

나무 술통과 톤

톤ton이라는 명칭의 유래에 대해서는 대개 두 가지 이야기가 있다. 우선 하나는 과거에 항해 중 선원이나 승객들의 식수를 실어 보내던 나무로 만든 통이 굴러가는 소리인 tun(턴이라고 발음)에서 생겼다는 설이다. 고대 영어에도 소리를 의미하는 tun이라는 단어가 있고, 라틴어에도 tunna라는 단어가 있는데 여기에서 유래되었다는 것이다.

또 다른 유래는 네덜란드가 17세기 해양을 주름잡던 시절에 술통이나 식수를 운반하던 나무로 만든 통 자체를 네덜란드 사람들이 툰tun이라고 불렀다는 데에서 생겼다는 설이다. 네덜란드 사람들은 이 통 하나를 1툰, 두 개면 2툰이라 불렀고 이것이 영어로 넘어오면서 톤ton으로 확립되었다는 것이다.

물론 미터법이 정립된 1875년 이후에는 톤의 무게가 지금처럼 1,000킬로그램으로 확립이 되었지만, 그 이전에는 톤이라 부르면서도 각 국가가 서로 다른 무게를 나타내는 단위였다. 어쨌든 미터와 톤은 과학이다.

바다의 속도, 노트

육상 마일과 바다 마일

통상 육지에서는 시속 100킬로미터, 100마일 등 주로 킬로미터나 마일을 속도의 단위로 사용한다. 그러나 바다에서의 속도는 '노트'라는 단위 하나만을 사용한다. 이 노트knot는 발음이 비슷한 필기하는 노트note와는 전혀 다르다. 노트의 사전적 의미는 뜨개질을 하거나 머리를 묶을 때 필요한 매듭이나 매듭 끈을 의미한다.

바다에서는 거리를 나타내는 단위도 몇 킬로미터나 마일이 아닌 항해마일nautical mile이라는 의미의 해리海里를 사용한다. 이것은 또 무슨 이유일까? 육상에서의 마일은 1,609미터인데 비해 해리는 1,852미터다. 즉, 바다에서의 해리가 육상 마일보다 243미터 더 길다.

육지에서 사용하는 마일은 로마 시대 군인들의 행군 거리에서 유래된

그림 1-8 로마의 마일 원점 표지석

것이다. 당시에 로마가 만든 주요 도로에는 거리를 표시한 말뚝을 세워 놓았는데 군인들이 행군하는 천 걸음(실제로는 두 발자국을 한 걸음으로 계산함)마다 하나씩 세워 놓아 거리를 알 수 있도록 했다고 한다. 바로 라틴어로 1,000을 의미하는 단어(mille)에서 지금의 마일이 유래된 것이다. 즉, 육상에서의 마일은 과학적인 근거나 이유가 아닌 로마 시대의 군사 이동 등 현실적인 필요로 사용되던 것을 그대로 받아들인 것이다.

지구 둘레에서 나온 해리

해리의 거리인 1,852미터는 결론적으로 말하면, 근대 항해 시대에 선박의 항해를 위하여 매우 과학적이고 수학적인 근거를 가지고 발명되었다. 과거에는 거리나 지형을 선박이 항해하면서 눈대중으로 측정하고 기록을 했다. 소위 목측 항해를 했던 것이다.

그러나 17세기에 접어들면서 지구 둘레의 거리가 측정되고 위도와 경도 개념이 확립되자, 바다에서 항해를 함에 있어서 정확한 거리와 속도를 측정할 필요성이 대두되었다. 따라서 지구의 둘레를 원을 나타내는 360으로 나눈 것을 1도로 하고, 이 1도를 다시 60으로 나눈 것을 1분으로 했다. 그리고 분에 해당하는 거리, 즉 지구 둘레의 1/360*60, 그러니까 1/21,600이 1해리(1,852미터)가 된 것이다. 지구 둘레는 21,600해리(약 4만 킬로미터, 정확하게는 39,941킬로미터)가 된다. 그런데 지구가 완벽한 원이 아니므로 극지방은 1분이 1,861미터가 되고 적도 지방은 1,843미터가 된다. 이 때문에 중간인 45도 지역의 거리인 1,852미터를 국제적인 1해리로 1929년 모나코에서 열린 제1차 국제수로회의에서 결정하여 지금에 이르고 있는 것이다. (모나코에 국제수로기구IHO, International Hydrographic Organization 본부가 있다.) 이 국제수로기구는 동해 명칭 문제나 독도 문제 등 우리에게 매우 민감한 이슈를 다루는 중요한 해양 기구다.

위대한 매듭, 노트

대항해 시대 바다에서 속도를 측정하는 것은 육지와는 달리 너무 어려운 일이었다. 그래서 근대 항해 시대 초기 선박의 속도를 측정하는 원시적인 방법을 채택했다.

배를 출항하면서 배에 있는 긴 밧줄에 일단 매듭을 묶고, 다시 1해리 거리를 지나면 밧줄에 다시 매듭을 묶었다. 그리고 나서 매듭과 매듭 사이, 즉 1해리를 가는 데 소요되는 시간을 1시간 단위로 계산했다. 이렇게 1시간 동안 이동하는 속도를 매듭이라는 의미에서 1노트라고 이름 지었던 것이다. 다시 말해, 바다에서 1시간에 매듭과 매듭 사이인 1해리를 이동하는 속도가 1노트다.

요즘 컨테이너 선박은 20노트를 평균적으로 항해한다고 한다. 이것은 시간당 20해리, 즉 약 38킬로미터를 항해한다는 뜻이다. 로프에 묶인 작은 매듭이 바다에서 없어서는 안 될 큰 매듭이 되었다.

2,750미터의
백두산과 벤치마크

바다도 높이가 다르다

같은 바다라고 해서 높이가 다 같은 건 아니다. 파나마운하에서 보면 약 80킬로미터를 두고 태평양과 대서양이 있는데 양쪽의 바다 해수면 높이가 서로 다르다. 바다 밀도와 조류의 흐름이나 지형, 그리고 조수 간만의 차가 이러한 차이를 만들어 내는 것이다. 파나마운하의 태평양 쪽 수면이 대서양 쪽보다 20~30센티미터 정도 높은 것으로 알려져 있다. 편서풍 등의 바람과 조류에 의한 영향으로, 대양의 해수면은 2미터 정도 내외에서 서로 높이가 다른 것이다. 자연의 현상은 경이롭기만 하다.

해발고도의 기준, 벤치마크

우리가 산의 높이를 이야기할 때 한라산은 해발고도 1,950미터, 백두산은 2,744미터라고 표현한다. 우리나라의 해발고도 기준에 의한 것이다. 해발고도를 측정하는 기준이 되는 곳을 '수준원점水準原點'이라 하는데, 우리나라의 당초 수준원점은 인천 앞바다의 평균해수면이었다. 그러다 매립이나 항만 개발 등으로 지형이 변화함에 따라 1963년 인하대 교정으로 옮겨 현재에 이르고 있다. 여기에서부터 해발고도를 측정하는 것이다.

이 수준원점이 영어로는 'bench mark'인데, 우리가 남이 잘한 것이나 좋은 것을 벤치마크 한다고 할 때의 그 벤치마크가 바로 여기에서 나온 것이다. 다른 것을 측정하고 비교하는 데 가장 기준이 되고 본보기가 된다는 의미로, 현재는 금융시장 등 다양한 분야에서 사용된다. 따라서 우리나라의 수준원점인 인하대 교정을 벤치마크로 하여 측정한 한라산이 해발고도 1,950미터, 백두산은 2,744미터인 것이다.

반면 북한은 우리와는 달리 원산 앞바다를 수준원점으로 삼고 있다. 그런데 이 원산 앞바다의 수준원점이 인천의 수준원점보다 6미터 낮다. 따라서 백두산은 북한에서는 해발고도 2,750미터이고 한라산은 1,956미터로 우리보다 6미터 더 높게 되는 것이다. 중국은 톈진(천진) 앞바다를 수준원점으로 삼고 있는데 백두산은 중국 기준으로는 2,749미터가 된다.

남북한 사이에는 분단 이후 언어나 풍습 등 많은 것이 달라져 가는데, 높이를 측정하는 수준원점도 상이해서 한라산이나 백두산의 높이가 서로 다른 것이다. 서로 더 달라지기 전에 정치적이지 않은 작은 것부터 통일시키는 작업이 필요하다는 생각이다.

벤치마크가 다르면 결과도 다른 법이다.

전국 방방곡곡과
전국 진진포포

방방곡곡과 진진포포의 차이

해외여행이 자유롭지 못하던 시절, 해외에서 열리는 국가대표 간의 경기 중 국민들의 밤잠을 설치게 했던 것이 축구였다. 그 시절 축구 중계를 할 때 약간은 흥분한 목소리의 아나운서가 가장 먼저 하는 말이 "안녕하십니까? 고국에 계신 동포 여러분, 전국 방방곡곡에서 밤늦게까지 이 경기를 시청하고 계신 국민 여러분…"이라는 고전적인 표현이었다. 만약 이 표현을 일본 아나운서가 일본에 중계를 한다면 어떻게 달라질까? 다 동일하겠지만 '전국 방방곡곡坊坊曲曲에 계시는…'이 '전국 진진포포津津浦浦에 계시는…'으로 바뀔 것이다

방방곡곡은 한자에서 나온 말이다. 말 그대로 전국에 있는 시골 동네 구석구석이나 산골의 골짜기 골짜기를 의미한다. 진진포포는 느낌에서 알

수 있듯이 바닷가 지역을 의미한다. 예로부터 진津이라는 지명은 군사적으로 요충지에 해당하는 해안가나 강가의 지형에 붙여진 이름이다. 부산의 부산진, 강화도의 양화진, 서울의 노량진 등이 그런 지명의 예다. 그런데 포浦라는 지명은 진津과 마찬가지로 해안가나 강가에 위치하고 있는 것은 같으나, 대부분 군사적인 목적이 아니라 어업이나 상업 또는 조운의 목적으로 이용되는 지역을 의미한다. 즉, 전남 목포, 인천의 제물포, 나주의 영산포, 서울의 마포, 부산의 부산포처럼 해안가나 강가에 위치한 많은 지명이 '○○포'로 불리는 이유다.

영국이나 미국에서는 Oxford, Stanford처럼 ford(우리말로는 여울목 정도로 번역된다)가 들어간 지명이 많은데 이러한 곳은 대부분 강이나 해안가의 만이 있는 지형이다. 아니면 인근에 나루터가 있었거나 포구에 해당하는 지역으로 보면 틀림이 없다.

바다로 가야 할 때

인천 제물포나 나주 영산포 등의 지명은 지금의 위치로 보면 내륙에 있어 잘 이해되지 않을 수 있다. 이들 지역은 근대에 들어서 바다를 메꾸는 매립이 이루어졌거나, 과거에는 강에 하구언 같은 구조물이 없어서 선박들이 쉽게 운항할 수 있었던 지역이다.

방방곡곡과 진진포포의 차이는 우리가 대륙 지향형 민족이었다는 것을 단적으로 말해준다. 대륙 지향형으로 살아왔던 역사의 대부분의 시기에 우리는 중국의 영향하에 있었고, 군사적으로나 경제적으로 중국이라는 거대한 산을 넘어섰던 기간은 없었다. 그러나 우리가 해양과 해외로 눈을 돌렸던 최근 삼사십 년의 시기를 돌아보면, 이 기간이 역사상 우리가 중국을 능가한 최초의 시기라는 데에 이견이 없을 것이다.

여기에서 우리는 답을 찾아야 한다. 우리가 가야 할 길이 명확하다는 이야기다. 기회와 미래가 있는 바다로 가야 한다.

"전국 방방곡곡에 계시는 국민 여러분, 이제 골짜기를 나와 바다로 가야 할 때입니다."

같은 듯 많이 다른
바다의 날

5월 31일은 바다의 날

우리나라의 매년 5월 31일은 국가 기념일인 바다의 날이다. 통일신라 시대 해상왕 장보고 대사가 완도에 청해진을 설치한 날을 기념하는 날이다. 우리만 바다의 날이 있는 것은 아니다. 당연히 섬나라인 일본에도 바다의 날이 있다. 일본은 천왕과 관련 있는 날인 7월 20일(현재는 7월 셋째 주 월요일)을 바다의 날로 기념해오고 있다. 중국은 7월 11일 정화가 대항해를 떠난 날을 기념하여 바다의 날로 정하고 있다.

그런데 남미의 볼리비아는 내륙국임에도 3월 23일을 바다의 날로 기념하고 있다. 특이하다면 특이한 일이다. 볼리비아는 근세기에 칠레와의 전쟁에서 바다를 빼앗긴 아픈 역사가 있다. 이것을 기억하고 언제든 다시 되찾기 위하여 바다를 잊지 말자는 의미에서 기념하고 있다. 내륙국이 되어 보면 얼마나 바다가 귀한지 알게 된다. 볼리비아와 몽골이 그것을 잘 말해 주고 있다.

일본에서 바다의 날은 공휴일

우리나라 바다의 날은 단지 해양수산부와 관련 기관 등이 기념하는 정도다. 이에 비해 일본은 격이 완전히 다르다. 1995년부터 국가의 법정 공휴일로 정해 기념하고 있다. 아마 바다의 날을 국가 공휴일로 지정한 국가는 일본이 유일할 것이다. 그만큼 바다가 주는 고마움과 혜택을 온 국민과 함께 기념하는 것이다.

우리나라의 대표적인 법정 공휴일로는 삼일절, 광복절, 개천절 등이 있다. 그러니까 우리의 법정 공휴일과 같은 의미와 중요성을 가지고 일본은 바다의 날을 기념하는 것이다. 우리의 바다의 날이 수많은 기념일의 하나로, 알 듯 말 듯 지나가는 것과는 차이가 크다.

우리나라에서도 바다의 날인 5월 31일이 법정 공휴일로 지정되어 모든 국민이 바다의 중요성을 인식하고 기념했으면 하는 바람이다.

왜구를 위한 변명

우리에게 일본은 마냥 가까이할 수도 없고, 그렇다고 무조건 또 멀리할 수도 없는, 그야말로 계륵 같은 존재다. 우리와 일본 사이에 얽히고설킨 것이 많아서다. 이것이 오로지 일제강점기 때문만은 아닐 것이다. 물론 그 시기가 가장 큰 영향을 주고 있기는 하지만, 2천 년 이상을 두고 이어져 온 역사적 악연이 있었기에 더욱 그러할 것이다.

삼국 시대에 왜구가 출몰했다는 기록이 있고, 그 이후 고려와 조선 시대를 거치면서 왜구는 항상 국가의 골칫거리였다. 그러나 일본의 시각에서 보면 왜구는 섬나라와 바다라는 이점을 최대한 활용한 그들만의 생존 수단이었다. 빠른 선박과 바다에 익숙한 선원, 그리고 자기들만의 항법을 접목하여 부족한 식량이나 선진 문물 등을 아주 값싸게 얻을 수 있는 가장 좋은 방법이었을 거라는 이야기다.

일본의 왜구들은 우리나라뿐만 아니라 중국이나 대만 등에도 노략질을 했다고 하니 바다에 대한 지식, 항해용 선박이나 경험 많은 선원이 없이는 불가능했을 것이다. 우리가 조선 시대까지도 조운선 등은 연안항법이라 하여 해안가 지형을 보면서 해안가에 가깝게 붙어서 항해하는 방법을 택한 것과 비교해볼 때, 일본 왜구들이 진출한 해역이나 거리를 보면 항해술 한 가지는 대단하다는 생각이 든다. 중세 유럽 대륙을 뒤흔든 바이킹에는 미치지 못하더라도 상당한 항해술이라 생각된다. 물론 일본 왜구들을 미화하고자 하는 말은 아니다. 그저 바다나 항해라는 시각에서 볼 때 그렇다는 말이다. 고려나 조선처럼 바다를 잘 이용하지 못하는 이웃 나라를 둔 일본 입장에서는 아주 손쉽게 이익을 챙길 수 있는 분야가 바다 아니었을까? 마음만 먹으면 언제든지 필요한 것을 빼앗을 수 있는 물품 공급처가 이웃에 있었으니 말이다.

그런데 우리는 왜 적극적으로 바다에 진출하지 못했을까? 우리 민족이 평화를 사랑해서였을까. 아니면 당시 조정에서 바다로 나가는 것을 금지해서였을까. 그것도 아니면 먼바다를 나갈 수 있는 선박을 만들 수 있는 기술이 없었거나 항해술에 능한 바닷사람들이 없어서였을까. 이 모든 것이 복합적으로 작용한 때문으로 보는 게 타당할 것이다. 그리고 보면 지금의 우리나라 해운 산업은 연간 50조 이상의 매출을 올리고 있고, 또 세계 10위권 이내의 대형 글로벌 선사를 보유하고 있다. 또 조선 산업은 세계 1위를 굳건히 지키고 있다. 우리 민족의 해양 DNA 관점에서 보면 기적이라고 아니 할 수 없다. 아마도 장보고나 이순신의 해양 DNA가 우리 민족의 몸속 어딘가에서 작동하고 있는 것 같다.

일본인에게 바다는 생활

바다의 날이 법정 공휴일이라는 사례에서 보듯, 일본이 바다에 대하여 갖는 애정과 관심은 그야말로 대단하다. 물론 거기에는 경제적인 이유도 있고 영토 확장이나 국가 안보 등의 이유도 있겠지만, 명확한 것은 일본 국민에게 바다는 곧 생명이고 생활이라는 것이다. 영국인들이 바다에 대하여 갖는 생각과 아주 유사하다. 섬나라 국가인 영국과 일본이 숙명적으로 가질 수밖에 없는 필연이라고 쉽게 생각할 수도 있겠지만, 단지 섬나라이기 때문만은 아닌 것 같다.

여러 이유를 차치하고 바다를 보는 측면에서만 보면, 우리는 안타깝고 그들은 좀 부럽다.

복지부동 관료와
넙치 관료

한국의 복지부동 관료

공직자로 현직에 있을 당시 가장 듣기 싫었던 단어가 '복지부동'이었다. 우리나라는 정권 교체기나 어떤 민감한 사안이 발생하면 공직자들이 당연히 할 일을 하지 않고 정치권의 눈치만 본다며 비판한다. 공직자들의 기본자세에 문제가 있어 비판받는 경우도 있겠지만, 대부분의 경우는 공직자를 정치권의 하위 체계로 생각하는 집권 그룹의 인식 문제일 때가 많다.

물론 행정부의 공직자는 입법부에서 만든 법을 집행하는 것이 기본 속성이고, 정치 권력이 5년마다 바뀌는 단임제 대통령제에서 어느 정도의 정치적 영향력이 미칠 수밖에 없다는 것은 부인할 수 없을 것이다. 그러나 그것이 공직자들의 기본인 정치적 중립과 균형적인 시각을 침해하는 정도에까지 이르면 공직자들 스스로는 물론이고 국가와 국민에게 불행한 일이다. 우리는 이런 사례를 많이 목격하고 경험해왔다.

자신의 이해관계나 정치적 입장에 따라 중립적이고 균형 잡힌 일을 하는 공직자를 복지부동이라며 타박하고, 자신의 민원을 들어주거나 정치적 견해를 옹호해주는 공직자는 적극 행정을 한다며 높이 평가하기도 한다. 무엇이 국익에 도움이 될지는 깊이 따져보지 않아도 자명하다. 우리 스스로도 자기 마음에 들고 이익이 되면 적극 행정을 하는 공직자라고 인정하고, 마음에 들지 않으면 복지부동 관료라며 비판해서는 안 될 것이다.

일본의 넙치 관료

이유야 어찌 되었든 우리나라에서 공직자를 비난할 때 가장 많이 쓰는 말이 '복지부동 관료'다. 우리나라와 문화적인 공통분모가 많은 일본 역시 이와 같은 의미의 말이 있다. 그런데 누가 바다의 나라 아니랄까 봐 일본은 정치권이나 위의 눈치만 보고 움직이지 않는 관료를 일컬어 '넙치 관료'라고 표현한다.

넙치 관료? 일본 관료들은 광어회를 좋아하나? 우리의 국민 생선회로 잘 알려진 광어회의 그 광어가 바로 넙치다. 넙치는 주로 바다 바닥에 엎드려 지낸다. 눈이 두 개인데도 왼쪽 한 방향에만 붙어 있다. 즉, 한 방향만 보는 것이다. 넙치는 태어날 때는 보통의 물고기와 같이 양쪽에 눈이 있지만, 커가면서 눈이 왼쪽으로 붙어 결국에는 두 눈이 한쪽 면에만 붙어 있게 된다. 이런 구조적인 이유로 넙치는 바다 바닥에 배를 깔고 한쪽 방향만을 보고 있다. 넙치 관료란 바닥에 바싹 엎드려 한쪽 방향만 바라보며 먹이가 지나가기를 기다리고 있는 넙치를 빗댄 말이다. 그 모습을 상상해

보면 우리의 '복지부동'이라는 말과 아주 잘 어울린다.

우리나라나 일본이나 둘 다 좋은 의미의 말은 아니지만, 일본의 '넙치 관료' 용어는 바다가 일본인들의 일상생활에 얼마나 깊숙이 들어와 있는지를 보여주는 좋은 사례다. 바다 관점에서 생각하면 이런 것도 부럽다.

부러우면 지는 것이라고 했던가. 그래도 일단 무엇인가를 하기 위해서는 부러워하는 것에서부터 시작하는 것도 좋지 않을까 싶다. 물론 마냥 부러워만 하자는 것은 아니며, 그 부러움이 그것을 넘어서기 위한 동기나 계기가 되어야 한다는 의미다. 일본이 갖고 있는 바다에 대한 애정과 관심을 부러워하며, 우리의 바다에 대한 열정이 일본을 넘어서는 날을 기대해본다.

두 나라의 쇄국

흥선대원군의 쇄국 10년과 척화비

조선왕조 500년은 왜 멸망했을까? 세도정치 때문이었을까, 아니면 임금의 무능 때문이었을까? 다양한 시각들이 존재하지만, 직접적인 원인으로는 당시의 세계정세를 읽지 못한 쇄국정책 때문이라는 평가가 많다. 막무가내로 중국을 제외한 모든 나라와 통상을 금지하는 쇄국정책을 취함으로써 자강을 할 수 있는 기회를 잃어버렸다는 것이다.

물론 이러한 지적은 맞는 평가이긴 하다. 하지만 단지 흥선대원군의 10년(1863~1873년)간의 쇄국정책과 척화비가 조선을 몰락으로 이끌었다는 것은 지나친 면이 있다. 일본이 이미 1600년대 초부터 1867년까지 200년 이상 쇄국정책을 취했던 것과 비교하면 더욱 그러하다. 조선은 쇄국을 하기 이전에 임진왜란과 병자호란을 거치며 국가를 제대로 개혁하고 일신해야 하는 계기와 필요성이 여러 차례 있었다. 그럼에도 임금을 비롯한 당시의 권세가들이 이를 그냥 흘려보내버렸고, 알량한 권력을 쥐기 위한 당파 싸움으로 허송세월했다. 바로 조선왕조의 몰락은 단지 외부의 요인이나 어느 한 개인이 아닌 조선왕조와 그 사회 전체에 있었다고 보아야 한다.

세계 어느 국가의 역사를 보아도 임진왜란과 병자호란 같은 큰 전쟁에서 패했으면서도 왕조가 멸망하지 않고 그대로 존속하고, 지배층도 그대로인 사례는 찾아보기 어렵다. 그만큼 당시 왜란과 호란 이후에 보여준 조선왕조와 지배층의 자세는 아쉽고 또 아쉽기만 하다.

일본 막부의 200년 쇄국과 나가사키

일본은 쇄국정책을 우리와는 비교도 안 되는 장기간 시행했다. 1603년부터 1867년 메이지 유신 이전까지 강력한 쇄국정책을 취하면서 서양의 요구에 수세적이고 방어적으로 국경의 문을 닫아걸었다. 임진왜란 이후인 1613년 에도막부의 권력자이던 도쿠가와 이에야스는 당시 가톨릭이 일본에서 급속하게 전파되자, 이를 두려워한 나머지 여러 차례 신부들을 처형하거나 쫓아내는 등 박해를 하며 국경의 문을 걸어 잠갔다.

그러나 조선왕조의 쇄국처럼 물샐틈없이 모든 문을 걸어 잠그고 예외 없이 단속하지는 않았다. 일본은 200년 이상의 쇄국 시기에도 1631년에 조성된 나가사키에 있는 데지마出島만큼은 섬 이름 그대로 '세상을 향하여 나아가는 통로'로 개방했던 것이다. 일본은 쇄국정책을 취하면서도 초기에는 포르투갈, 이후엔 네덜란드 동인도회사의 상인들에게는 문호를 개방하여 일본의 입장에서 필요한 상품이나 신기술을 수입하고, 서양 열강의 흐름 등 세상 돌아가는 정세를 취득했다. 일본은 세상으로 나가는 섬, 데지마와 바다를 통해서 세상을 제대로 보았다.

데지마가 가져온 엄청난 차이

일본에게 있어서 데지마는 세계를 보는 유일한 창구single window였으며, 네덜란드를 필두로 한 서양 열강들에게는 일본의 문화가 서양에 소개되는 관문portal이었다. 이렇게 소개된 당시 일본의 판화와 일본의 도자기는 유럽의 화풍에도 영향을 주었고, 유럽의 상류 계층에서는 일본풍이 유행하기도 했다. 시기는 좀 다르지만, 우리에게 널리 알려진 푸치니Puccini의 오페라 〈나비 부인〉도 일본 나가사키항이 그 배경 무대다.

이렇듯 쇄국의 시기에도 일본은 귀와 눈을 열고 서양 열강에 대해 듣고 보고 있었다. 나아가 그들은 일정 부분 마음까지 열고 있었다. 이러한 조선과 일본의 작다면 작은 차이, 즉 축구장 2개 넓이 정도의 작은 섬이었던 데지마가 있고 없고의 차이가 결국 조선은 멸망으로 가는 항해를 멈출 수 없었던 반면, 일본은 메이지 유신을 거쳐 제국을 형성한 힘이 되었다. 일본은 이 힘으로 조선을 비롯한 아시아 각국을 손에 넣었으며, 제2차 세계대전에서 미국과 패권을 놓고 각축을 벌였다.

당시 네덜란드 동인도회사의 직원이었던 하멜은 나가사키 데지마로 가다가 풍랑을 만나 조선의 제주도에 표류되어 억류당했다. 이 하멜 일행이 제주도를 탈출하여 일본으로 건너간 다음 네덜란드로 귀국하여 출간한 것이《하멜 표류기》다. 데지마가 있었기 때문에《하멜 표류기》가 세상에

그림 1-9 데지마

나올 수 있었던 것이다. 하멜이 당시 우리 조선과 일본의 차이를 상징적으로 보여준다고 할 수 있다.

신라의 해양수산부, 선부

바다는 그 문을 억지로 닫는다고 닫히지 않는다. 물이라는 속성은 아주 작은 틈만 있어도 스며들기 마련이고, 결국에는 큰 구멍을 만들어 엄청난 제방도 무너뜨린다. 우리는 그 바다의 속성을 잊으면 안 된다. 더욱이 우리 앞에 존재하는 바다를 애써 멀리하고 보지 않으려 했던 과거로부터 값진 교훈을 얻어야 한다. 바다를 잊고 보지 않았던 시기에 우리는 발전과 확장성을 잃었고, 바다를 기억하는 시기에 발전과 융성을 도모할 수 있었다.

1500년 전 한반도의 삼국 시대에 가장 약소국이었던 신라는 한강 하구를 확보함으로써 중국과의 해상 통로를 통해 통일의 기반을 다졌다. 더욱 놀라운 것은 신라 시대에 이미 지금의 장관급 부처인 선부船府가 설치되었다는 것이다. 선부에서 선박의 건조와 항해 등을 담당했는데 지금의 해양수산부의 삼국 시대 모델이라고 할 수 있다. 바다에 대한 이러한 국가적인 관심이 결국 삼국을 통일하는 큰 힘이 되었으며, 이 선부는 통일신라 시대에도 이어졌다. 장보고 대사도 중국에서 벼슬을 하고 귀국한 이후에 독자적인 세력을 형성하기는 했으나, 아마도 완도에 거점을 둔 이 선부의 고위 관료가 아니었을까 생각한다.

해양 세력 왕건과 육지 세력 궁예

고려를 개국한 왕건은 개성에 근거를 둔 상인이자 수군을 가진 해양 세력이었다. 왕건의 집안은 시기적으로 보아 장보고와도 관련이 있는 것으로 보여진다. 장보고 시대에 실력을 쌓은 왕건의 집안은 개성 등 서해안을 중심으로 왕성한 해상 교역을 장악하여 부와 군사력을 쌓았고, 이것이 결국 궁예를 제치고 고려를 건국하는 힘이 되었다. 이에 반해 왕건이 주군으로 모셨던 궁예는 내륙 세력이었다. 후삼국 시대 마지막에는 내륙인 철원에 도읍을 정하고 남의 마음을 읽는 관심법을 행하는 등 실정을 거듭한 끝에 부하였던 왕건에게 밀려나고 만 것이다.

결국 왕건의 후삼국 통일과 고려 시대 몽골 침략, 조선 시대의 임진왜란과 병자호란을 보면 바다를 통해 준비했던 세력이 주도권을 쥐고 역사의 흐름을 탔다는 걸 알 수 있다. 일본이 나가사키를 통해 포르투갈의 총포술을 받아들이지 않아서 조총을 개발하지 못했다면, 과연 임진왜란은 어찌 되었을까? 병자호란의 피란지였던 강화도로 가는 길을 정비하고 제대로 선박을 준비해놓았다면 삼전도의 굴욕은 피할 수 있었을까? 역사의 가정은 의미가 없다고 하지만, 바다를 경시하고 제대로 준비하지 못한 것이 어떠한 결과를 초래했는지를 보면 안타깝기 그지없다.

반면 조선 시대 태종과 세종 때의 이종무는 대마도를 정벌하여 왜구가 한동안 움직이지 못하게 했으나, 이후 바다를 경시하면서 임진왜란에 이르기까지 왜구에 의해 수많은 시달림을 당했다. 바다를 국부의 원천과 국가 전략의 요체로 삼아야 하는 교훈을 우리는 이미 역사에서 절실하게 배웠다. 두 번 다시 이런 교훈이 필요해서는 안 될 것이다.

이러한 면에서 우리나라가 해양과 관련한 종합적인 업무를 다루는 장관급 부처로 해양수산부를 두고 있는 것은 과거에서 교훈을 찾은 결과다. 전세계에 우리나라의 해양수산부와 유사한 정부 부처를 두고 있는 나라는 캐나다, 인도네시아, 그리스 정도다. 프랑스는 근대에 해양부를 두었고 현대에 이르러 해양부의 부활과 폐지를 반복하고 있어 우리와 유사한 모습을 보이고 있다. 그리스는 전통적인 해양 국가이자 해운 국가로, 아예 해운 산업을 다루는 해운부를 별도로 두고 해운 산업을 국가의 전략산업으로 삼고 있다. 이런 바탕에서 선박왕 오나시스 같은 세계적인 해운 산업가가 배출된 것이다.

세계지도를 거꾸로 뒤집어 보면

바다로 갈 것인가, 다시 대륙으로 갈 것인가? 세계지도를 거꾸로 뒤집어 보면 답은 자명하다. 우리의 미래가 바다에 있음을 실감한다는 이야기다.

우리는 대륙의 끄트머리에 간신히 매달려 있는 반도 국가가 아니다. 대평양으로 향하는 중심에 위치하고 있어서 왼쪽으로는 일본열도라는 방파제가 있고, 오른쪽과 뒤로는 중국과 러시아라는 큰 배후지가 있는 요지 중의 요지다. 우리는 대륙과 바다를 연결하는 출구이자 관문인 것이다.

역사에서 배워야 한다. 잘못을 그대로 반복해서는 안 된다. 생각과 시각을 바꾸면 세상이 바뀐다. 장점과 단점은 보기 나름이다. 첫째가 꼴찌가 될 수 있고, 꼴찌가 첫째가 될 수 있는 것이 세상 이치다.

타이태닉호의 유산

비극을 넘어서

우리는 타이태닉Titanic호 하면 비극적이 사고를 떠올리기에 앞서, 영화배우 레오나르도 디카프리오와 케이트 윈즐릿이 배 앞머리(船首)에 기대어 서서 바람을 맞으며 팔을 벌리고 취한 영화 〈타이타닉〉의 명장면을 먼저 떠올린다.

그러나 이 타이태닉호는 그 비극을 넘어서, 영화의 명장면보다 더 명장면 같은 많은 유산을 현재의 우리에게 남겨주고 있다.

명명식을 하지 않아서 침몰했다?

1912년 4월 10일 영국 남부 항구도시 사우샘프턴항에서는 지구상 가장 크고 호화로운 여객선 타이태닉호가 출항하고 있었다. 타이태닉호는 무게 5만 2천 톤에 그 길이만 해도 260미터에 달했다. 규모로만 보면 인류가 물에 띄웠던 가장 큰 선박으로, 당시로서는 꿈의 여객선이자 최고의 기술이 접목된 최첨단 선박이었다. 그러나 아무리 최첨단 선박이라고 해도 당시의 최첨단 엔진은 증기기관이어서 타이태닉호는 보일러에 석탄을 때서 나오는 수증기를 동력원으로 하는 증기선이었다. 타이태닉호의 사진을 보면 배 위에 높이 솟아 있는 네 개의 굴뚝을 볼 수 있는데, 증기선인 까닭에 석탄을 싣고 다니면서 석탄을 밤낮으로 때야 했기 때문이다. 그래서 타이태닉호에는 증기기관에 석탄을 때는 화부火夫만도 176명이 승선했다. 전체 승무원 880명 중에 화부가 20퍼센트 이상을 차지했는데, 이들 화부는 당시 타이태닉호 밑바닥에서 가장 험한 업무를 하던 승무원들이었다. 이들은 침몰 당시 마지막까지 자기들이 맡은 일을 담당하며 전원이 배와 함께 운명을 같이한 것으로 알려져 있다. 물론 당시 선장이던 에드워드 스미스Edward Smith도 탈출하지 않고 타이태닉호와 운명을 같이했다. '선장은 배와 함께 운명을 같이한다'는 바다 사나이들의 오랜 전통을 몸소 보여준 거룩한 희생이라고 할 수 있다.

이 타이태닉호에 승선한 2,200여 명의 승객과 선원 및 승무원은 모두 신대륙인 미국 뉴욕으로 향하는 각양각색의 꿈에 젖어 있었다. 그러나 1912년 4월 15일 북미 뉴펀들랜드 인근 해상에서 거대한 빙산과 충돌하여 1,500여 명의 희생자를 내고 침몰하고 말았다. 처녀항해의 임무를 완수하지 못하고 역사 속으로 사라져버린 타이태닉호는 바다 밑 3,900미터 해저에서 희생자들의 꿈을 간직한 채 잠들어 있다가, 70여 년이 지난 1985년에야 다시 그 처참하고 안타까운 모습을 드러냈다.

그림 1-10 타이태닉호

　타이태닉호의 비극 100주년이 되는 2012년 영국은 타이태닉호의 침몰을 기억하는 의미에서 타이태닉호가 건조된 북아일랜드의 벨파스트에 타이태닉 박물관을 개장했다. 타이태닉호 사고 당시 가장 어린 승객으로 구조되었던 밀비나 딘Milvina Dean이라는 생후 9주가 된 여자 아기가 있었는데, 이 최연소 생존 승객은 이후 97세가 되던 2009년까지 생존하여 최후의 생존자로 기록되고 있다. 1997년 영화 〈타이타닉〉의 주연이었던 레오나르도 디카프리오와 케이트 윈슬럿이 생활고를 겪던 이 생존 할머니의 노년의 생활 비용을 부담하기도 했다.

　타이태닉호의 침몰 원인에 대해서는 다양한 의견과 설이 제시되고 있다. 선박의 구조가 문제가 있었다는 설도 있고, 항해 중 전방을 잘 살펴야 하는 당직자의 잘못이라는 이야기도 있다. 이렇게 여러 가지가 원인으로 제시되고 있지만, 어떤 한 가지가 정확한 원인이라기보다는 여러 요인들이 복합적으로 작용한 것으로 알려져 있다.

보통 선박이 새롭게 건조되면 전통적으로는 여성을 주빈으로 모셔서 여성이 배의 이름을 붙여주고, 금도끼로 줄을 잘라 샴페인 병을 부수는 진수식 또는 명명식이라는 가장 중요한 행사를 갖게 된다. 이것이 일반적이다. 그런데 한 가지 특이한 것은 타이태닉호는 그 당시로서는 가장 큰 선박이었음에도 불구하고 이러한 명명식을 갖지 않았다는 사실이다. 그래서 혹자는 명명식을 갖지 않았기 때문에 바다의 저주를 받아 침몰했다고 이야기를 하기도 하나 과학적인 근거가 있는 것은 아니다. 그러나 왜 타이태닉호가 명명식을 하지 않았는지는 아무도 모른다. 이상한 일이긴 하다.

세계 공통의 구조 신호, SOS

타이태닉호가 침몰되던 당시에는 위급 상황 시 통용되던 무선 구조 신호는 일반적으로 CQDCome Quick Danger, 즉 "위험하니 바로 와 주세요"였다. 그러나 이 글자가 무선 전신으로 송신하기 어렵고 불명확하기 때문에, 간단하고 명료하며 보내기 쉬운 SOS가 1906년 국제무선전신회의에서 국제적인 공식 구난 신호로 채택되었다. 그러나 1912년 사고 당시까지도 이 두 가지 구조 신호(SOS와 CQD)가 혼용되어 사용되고 있었다. 그러니까 타이태닉호에서도 이 두 가지의 구조 신호가 번갈아가면서 발신되었던 것이다. 그러나 타이태닉호 사고 이후로는 SOS가 널리 사용되게 되었고, 전 세계의 공식적인 구조 신호로 자리 잡게 되었다.

이와 유사한 것으로 메이데이mayday가 있다. 영화 등에서 항공기 사고나 긴급 상황 시에 메이데이라는 구조 신호를 보내는 것을 많이 보았을 것이다. 이는 무선 신호가 아닌 음성으로 긴급 구조를 요청할 경우에 보내는 구조 신호로, 프랑스어 "나를 구해주세요" 또는 "도와주세요"라는 의미의 '브네 메데venez m'aider'의 뒷부분에서 유래한 말이다. 원래 뜻과는 전혀 상관없이 프랑스어를 소리 나는 대로 영어식으로 옮기다 보니 메이데이가 된 것이다. 당연히 국제노동기구 ILO가 지정한 5월 1일 노동절을 의미하는 May Day와는 발음만 같을 뿐 무관하다.

구명조끼 등 국제 해상 안전 기준 도입

타이태닉호의 침몰은 그 자체로는 더할 수 없는 비극이지만, 역설적으로 바다에서의 안전이나 구조와 관련한 거의 모든 관행과 제도를 바꾸는 계기가 되었다. 당시 타이태닉호 사고는 인류가 경험한 최악의 해난 사고였다. 특히 타이태닉호 사고 당시 타이태닉호에는 승선 인원 2,200명에 턱없이 부족한 1,178명이 승선할 수 있는 구명정밖에 구비되지 않아서 애초에 전원이 탈출하는 것은 불가능했다. 그래서 영화에서 보듯이 탈출 순서를 정해서 여자와 어린이 먼저 탈출시켰던 것이다.

사고 직후인 1914년 당시 영국, 미국, 프랑스 등 주요 국가들은 선박에 반드시 구비해야 할 구명정과 구명조끼 등의 구명 설비를 정해서 강제적으로 구비하도록 하는 협약의 필요성을 절감했다. 이러한 노력의 결과가 선박의 안전기준을 강제화하는 국제협약이자 해상협약의 시조인 해상인명안전협약, 즉 SOLASSafety of Life at Sea 협약이다. 그러나 안타깝게도 이 협약은 제1차 세계대전 발발로 제대로 시행되지 못하고 1929년이나 되어서야 빛을 볼 수 있었다. 지금은 정원의 130퍼센트에 해당하는 구명 설비를 선박에 비치하도록 강제되어 있다.

또 선박 내부 공간인 격벽을 제대로 구분하지 않아서 한 곳이 침수가 되면 전체 선박이 침몰되는 것을 방지하기 위하여, 침수 방지를 위한 격벽을 두도록 선박 구조도 방화벽을 두듯이 변경했다. 사고 당시 타이태닉호에서 발사한 SOS 조명탄은 일반 불꽃과 색이 동일했기에, 20킬로미터 정도 떨어져 있던 캘리포니안호라는 선박에서 SOS 조명탄을 보았음에도 구조 요청 신호인지 몰라 구조하려고 이동하지 않았다고 한다. 이렇듯 조명탄 형태의 구조 신호가 인근을 지나는 다른 선박에서는 불꽃놀이를 하는 것으로 착각이 되었다는 분석에 따라, 구조 신호탄에 짙은 붉은색을 추가하여 쉽게 구별이 되도록 변경했다.

UN 국제해사기구의 탄생

국제적으로 해상에서의 안전 문제를 다루는 국제기구가 필요하다는 인식이 커지면서 1948년 UN의 전문 기구로 국제해사자문기구IMCO가 설립되었고, 1982년에 그 이름이 변경되어 국제해사기구IMO, International Maritime Organization가 되었다. 현재는 우리의 해상 분야에서의 위상을 과시하듯 해양수산부 출신의 임기택 씨가 UN 기구의 유일한 사무총장으로 활약하고 있다. 참으로 자랑스러운 이름이다.

해운과 해양 안전 문제를 다루는 국제해사기구가 영국 런던에 소재하는 것에는 해양 대국 영국의 전통과 타이태닉호라는 배경이 있기 때문이다. 최근에 영국 런던에 있는 우리나라의 대사관이 IMO 대표부 업무를 겸하게 되어, 주영 대한민국 대사관 겸 주IMO 대표부로 확대 개편된 것은 우리나라의 해양 분야에서의 위상을 고려할 때 참으로 잘된 일이다. 영국 런던의 북쪽에 있는 케임브리지에는 고래잡이, 즉 포경 문제를 다루는 국제 포경위원회IWC, International Whaling Commission가 소재하고 있다. 이렇게 해양 수산 분야의 다양한 정부 간 또는 비정부 간 국제기구들이 런던 등지에서 활동하면서 국제 해양 전문가들을 위한 양질의 일자리를 창출하고 있다. IMO라는 UN 기구가 런던에 소재하고 있기 때문에 가능한 일이다.

국제빙산순찰대의 창설

빙산이 해상 교통의 안전에 치명적이라는 것이 드러남에 따라 빙산의 움직임을 추적하고 경고하는 국제빙산순찰대International Ice Patrol가 1914년 발족되었다. 현재에도 빙산의 움직임을 추적하며 선박의 안전 항해를 위해 활동하고 있다.

아울러 수중에 있는 빙산과 같은 물체를 쉽게 탐지할 수 있는 수중음파탐지기술 개발에 관심이 높아져 1914년에 수중음파탐지기SONAR의 초기 형태가 캐나다에서 개발되었다. 이 소나는 현재의 잠수함 등 수중통신 분야에 없어서는 안 되는 필수 기술이 되었다.

이렇듯 타이태닉호는 침몰로 선박 자체는 사라졌지만, 세계 해양 안전 분야의 전반을 되돌아보게 하는 계기가 되어서 국제해상안전협약과 IMO라는 다른 모습으로 재탄생되었다. 가슴 아픈 비극이었지만 비극으로 끝나지 않고, 전 세계와 미래의 해양 안전을 보장하는 매우 값비싼 기여를 했던 것이다. 이런 점에서 해양을 터전으로 삼는 이들만이 아니라 우리 모두가 이들의 희생을 기억하고 되새겨야 한다. 타이태닉호는 국제안전기준의 또 다른 이름이다.

해양 생물의 밀입국 통로,
선박 평형수

종이배와 오뚝이

해운에 종사하는 사람들만 알던 선박 평형수, 즉 밸러스트ballast라는 전문용어를 세월호 참사를 겪으면서 일반 국민도 많이 접하게 되었다. 그만큼 선박에 있어서 선박 평형수가 중요하다는 의미도 될 것이다. 배가 물에 뜨는 것은 부력이 있기 때문이다. 그런데 배는 물에 가라앉으면 그 부피만큼의 물을 밀어내게 된다. 이 말은 배가 물에 뜨면 매우 불안정한 상태가 된다는 것을 의미한다.

우리는 가벼운 종이배가 물 표면에 떠서 내려갈 때 조금만 옆에서 바람이 불어도 쉽게 넘어지는 것을 보았을 것이다. 그러나 절반은 공기가, 또 절반은 물이 들어 있는 유리병은 물속에 반쯤 잠겨 떠 있으면서도 물에 가라앉지도 않고 안정성 있게 원래의 자세를 잘 유지한다. 바로 이 차이는 무게 중심이 어디에 있느냐의 문제로 귀결된다. 종이배는 무게 중심이 배 밑바닥, 즉 물 표면에 근접한 곳에 있거나 아예 물 표면일 것이다. 그러나 유리병은 물에 가라앉은 밑부분, 즉 물속에 무게 중심이 있게 되는 것이다. 이렇듯 무게 중심이 물속에 깊숙이 있을수록 물에 떠 있는 물체는 넘어지지 않고, 파도가 치거나 바람이 불어도 잘 버틸 수 있는 것이다.

오뚝이를 보면 밑바닥에 모래나 무거운 쇳조각이 들어가 있어 옆에서 힘을 주어 넘어뜨리면 바닥에 닿을 정도로 넘어졌다가도 곧바로 일어나는 것을 볼 수 있다. 이것이 무게 중심이 낮을수록 원상 회복력이 높아 그만큼 안정성이 높다는 것을 보여주는 좋은 예다. 반대로 연필은 세워 놓으면 무게 중심이 표면보다 한참 위에 있어서 조금만 힘을 주어도 바로 쓰러지고 만다.

배의 무게 중심을 아래로 아래로

이렇듯 배도 무게 중심을 바다 깊숙하게 유지하면 할수록 안전하게 항해할 수 있다. 그런데 고민은 무게 중심을 물 아래로 너무 깊게 하면 할수록 안정성은 높아지나 배의 고유의 목적인 사람이나 물건을 더 실을 수가 없게 된다는 것이다. 배는 한정된 부피가 있어서 각각의 배가 최대한 실을 수 있는 용량으로 물속에 잠기는 한계가 정해져 있는데, 이것을 선박 용어로 '만재흘수선滿載吃水線, full load draft line'이라고 한다. 배 무게에다 배에 실을 수 있는 화물이나 사람의 무게를 합쳐 이 만재흘수선을 넘을 수 없도록 엄격하게 규제하고 있다. 만재흘수선보다 배가 물에 잠기면 과적 상태가 되어 배가 가라앉을 수도 있고 파도가 치면 바닷물이 배 위로 올라올 수도 있게 된다. 선박 안전에 있어 가장 중요한 기준이 되는 것이 만재흘수선이다. 즉, 어떠한 경우도 배는 만재흘수선보다 더 물속으로 들어가서는 안 된다. 안전의 마지노선이 만재흘수선인 셈이다.

그런데 배는 구조적으로 화물이나 사람을 배의 밑부분에 두는 것이 아니라 갑판이나 화물창에 싣게 되는데, 이런 경우에 무게 중심이 배의 위쪽인 물 위로 올라가 배가 위험하게 된다. 따라서 이러한 위험을 감소시키기 위하여 배의 제일 낮은 쪽에 물을 저장할 수 있는 커다란 물탱크를 여러 개 두는 구조를 가지고 있다. 이것이 밸러스트 탱크라는 것이고 여기에 싣는 물을 밸러스트 수, 또는 선박 평형수라고 부른다. 특히 곡물이나 원유를 실어 나르는 배는 구조적으로 화물이 없는 경우에는 속이 텅 빈 배가 되어 선박의 밑바닥이 물 위 표면 가까이 올라가게 되어 매우 불안정한 상태가 된다. 즉, 선박의 무게 중심이 바다 표면 쪽으로 올라오게 되는데 이는 배가 뒤집힐 수도 있는 매우 위험한 상황이 되는 것이다. 이러한 것을 방지하기 위하여 빈 배(공선)로 출항할 때에는 화물 대신 배 밑에 있는 밸러스트 탱크에 바닷물을 가득 채워서 배의 무게 중심을 아래쪽으로 유지하도록 한다. 항해 시에 파도나 바람이 불더라도 배가 쓰러지지 않고 항해하도록 하는 것이다.

밸러스트에 실려 온 외래 바다 생물

그런데 이 밸러스트 수의 양이 상상을 초월할 정도다. 몇십만 톤의 유조선이나 곡물 운반선의 경우는 이 밸러스트 수가 몇만 톤 이상이 되니 그 양이 엄청나다는 이야기다. 더욱 중요한 것은 육지에도 고유의 생태계와 생태계에 적응한 고유 생물종이 있는 것처럼, 바다도 특정 해역에 서식하는 고유 생태계와 생물종이 있다.

UN 기구인 국제해사기구 자료에 의하면 전 세계적으로 1년에 약 50억 톤의 바닷물이 밸러스트 수로 사용되어, 한 국가의 바다에서 다른 국가의 바다로 이동된다. 이에 따라 수만 종의 바다 생물과 미생물이 바닷물 속에 섞여 이동하기도 한다. 사람이야 여권이 있고 출입국 비자가 있어서 기록이 남게 되지만, 이 밸러스트에 실려 간 생물들은 말 그대로 허가도 없이 남의 바다에 밀입국을 한 셈이 된다.

예를 들어 부산항에서 10만 톤 규모의 곡물 운반선이 옥수수를 싣기 위해 호주로 출항한다고 하면, 부산 앞바다에서 바닷물을 10만 톤 싣고 호주의 시드니항으로 가서 배에 싣고 있던 부산 앞바다의 바닷물을 시드니 앞바다에 버리고 대신 옥수수를 10만 톤 싣고 오는 과정을 거치게 된다. 이 과정에서 부산 앞바다에 살던 해양 생물이 줄지에 팔자에도 없는 호주 시드니 앞바다로 이동하여 살게 되는 것이다.

이런 경우 호주 시드니 앞바다의 해양생태계는 부산 앞바다에서 강제로 이동해간 해양 생물로 인해 교란이 일어나게 된다. 또 고유 생물종이 아닌 해양 생물이 부착하거나 토착화하여 우리가 예상하지 못한 문제를 유발하기도 한다.

실제로 우리나라의 참게와 고둥이 미국으로 가는 선박의 밸러스트에 실려 태평양을 건너 미국 해안에 도착해서, 미국 서부 항만 도시인 샌프란시스코와 LA의 해양생태계를 교란시키기도 했다.

우리가 먹는 홍합은 홍합이 아니다

포장마차 세대면 누구나 한 번쯤 감칠맛 나는 홍합 국물에 소주 한잔을 기울이던 추억이 있을 것이다. 생각만 해도 군침이 도는 추억의 길거리 먹거리이기도 하다. 그런데 사실 우리가 먹던 이 홍합은 우리나라 토착 홍합이 아닐 뿐만 아니라 홍합도 아니고 홍합의 사촌 격이다. 즉, 이 작은 홍합은 지중해 담치라는 것으로 엄격하게는 홍합이 아니다. 또 우리나라의 토종 홍합과는 크기나 맛이 상당히 다르다. 우리나라의 토종 홍합은 크기가 손바닥만 한 게 제법 크고 육질도 쫄깃쫄깃하다. 이에 비해 지중해 담치는 크기도 작고 맛도 약간 물렁한 것이 별로다. 우리나라 토종 홍합은 동해안 지역에서는 '섭'이라 불리고, 남해안 지역에서도 제법 잘 잡힌다.

그럼 지중해가 원산지인 이 담치가 어떻게 우리나라 바다에 들어와 염치도 없이 주인 행세를 하고 있을까? 이 지중해 담치는 한국전쟁 이전에는

그림 1-11 우리나라 전통 홍합

우리나라에 없던 것으로, 산업화 시기를 거치며 유럽에서 흘러들어왔다. 특히 수에즈운하를 통해 지중해 지역을 운항하는 선박의 통항이 많아지면서 선박의 밸러스트 수에 포함되어 우리나라에 들어왔던 것이다. 이제는 우리나라 해안에 완전히 적응하여 토착화되었을 뿐만 아니라 토종 홍합을 밀어내고 우리나라 홍합 행세를 하고 있는 셈이다. 우리나라 토종 홍합 입장에서는 참으로 기구한 운명이 아닐 수 없다. 굴러온 돌이 박힌 돌을 빼낸 격이니 말이다.

이러한 해양 생물 교란을 방지하기 위하여 국제해사기구는 밸러스트 수를 옮기고 내보낼 때, 반드시 해양 생물을 살균하거나 생물을 걸러서 내보내는 등의 사전 조치를 하도록 강제적으로 국제 규정을 만들어 적용하고 있다. 우리나라의 업체들이 발 빠르게 움직여 20조 원 이상 되는 세계 밸러스트 처리 장치 시장의 50퍼센트 이상을 점유하고 있다. 조선 산업과 더불어 이 분야의 세계 1위도 우리나라 업체다. 그러고 보면 위기는 기회의 다른 말이다. 선박 평형수가 새로운 산업을 창출했으니 말이다.

기본은 오뚝이 정신

사람의 욕심이 지나치면 기본적인 규정을 어기게 된다. 만약 물건을 더 싣기 위하여 선박에 반드시 적재해야 하는 선박 밑바닥의 밸러스트 수를 빼내고 갑판 등 윗부분에 물건을 실으면, 겉에서 보이는 만재흘수선은 잘 지키고 있어서 겉으로 보기에는 문제가 없어 보이지만, 실제로는 무게 중심이 위로 올라가 선박의 안정성이 매우 취약하게 된다. 겉만 번지르르한 외화내빈의 속 빈 강정이 되는 것이다.

보통은 선박의 복원성이 있어서 일정한 각도로 회전을 하거나 기울어도 원상으로 회복이 되어야 하는데, 무게 중심이 위로 올라와 있는 상태가 되면 조금만 힘이 가해져도 선체가 복원되지 못하고 침몰하게 된다. 해군 함정이나 요트를 보면 크기는 작은데 속도도 빠르고 옆으로 완전히 기울어져도 오뚝이처럼 다시 복원되어 항해하는 것을 볼 수 있다. 이런 선박들은 무게 중심이 극단적으로 낮게 설계되어 있어서 웬만큼 기울어도 곧바로 복원되도록 되어 있는 것이다. 특히 요트는 배 밑바닥 아래로 커다란 무게 추인 쇳덩어리가 달려 있어 무게 중심이 튼튼할 수밖에 없다. 이 때문에 배가 작아도 대양을 항해할 수 있고, 흔들림도 적어서 승선감도 좋은 것이다.

　이처럼 모든 일에 무게 중심과 균형감을 잃지 않으면 언제 어디서든 무슨 일이 있어도 오뚝이처럼 바로 일어날 수 있다. 오뚝이 정신이 필요한 때다.

바다와 EXPO

여수 박람회는 해양 엑스포

2012년 우리나라 남해안의 아름다운 도시 여수에서 열린 세계박람회를 기억하고 있을 것이다. 그런데 여수 박람회 하면 떠오르는 것이 무얼까? 누구는 빅오쇼나 스카이 타워를 기억하기도 하고, 또 누구는 아쿠아리움을 기억하기도 할 것이다. 이렇게 우리의 기억에 남아 있는 것이 바로 그 박람회의 유산이다.

여수 박람회는 항구도시 여수에서 개최된 것에서 엿볼 수 있듯이, '살아 있는 바다, 숨 쉬는 연안'이라는 슬로건을 내세운 해양 박람회였다. 우리나라에서는 1993년 대전에서 과학 박람회가 개최된 데 이어 두 번째 박람회였다. 그런데 통상 박람회는 산업자원부가 주관 부처가 되는데 여수 박람회는 해양을 주제로 한 엑스포이기에 예외적으로 바다를 관장하는 해양

수산부가 주관 부처가 되었다. 유치부터 개최, 그리고 사후 활용에 이르기까지의 모든 과정을 해양수신부가 담당했던 것이다.

참고로 명칭에 '박람회'가 들어 있는 각양각색의 행사가 전국 각지에서 많이 개최되는데, 사실 이런 행사는 명칭은 박람회이지만 실제는 박람회가 아닌 전시회나 이벤트에 불과하다.

세계 최초의 영국 수정궁 박람회

공식적으로 박람회, 즉 EXPO라는 공식 타이틀을 국제적으로 사용하기 위해서는 '세계박람회기구협약(1928년)'에 근거하여 설립된 BIE_{Bureau of International Exposition, 국제박람회사무국}의 승인을 얻어야 한다. BIE는 프랑스 파리에 본부를 두고 있다. 우리나라에서 개최된 수많은 박람회 중에서 BIE의 승인을 받고 이 국제기구의 주관하에 개최된 박람회는 여수 엑스포와 대전 엑스포, 단 2회에 불과하다.

엑스포는 '등록_{Registered} 엑스포'와 '인정_{Recognized} 엑스포', 두 가지로 나뉜다. 최대 규모의 세계박람회는 '등록 엑스포'라 하여 매 5년 단위(예를 들면 2010년 상하이 엑스포, 2015년 밀라노 엑스포)로 개최가 된다. 등록 엑스포 중간인 매 5년 사이에 좀 더 작은 규모의 박람회인 '인정 엑스포'가 개최되는데 2012년 여수 엑스포와 대전 엑스포 등이 그것이다. 우리나라에서 개최된 엑스포는 모두 인정 엑스포인 것이다. 이 밖에 우리나라 완도에서 개최되는 '세계 해조류 박람회'처럼 많은 국가나 단체에서 박람회라는 명칭을 사용하고 있으나, BIE가 인정하는 공식적인 세계박람회와는 성격이 다른 것이다.

근대적 의미의 박람회는 자국의 국력이나 발전상을 자랑하고 국민들의 자긍심을 고취하기 위한 계기로 삼기 위해 영국이나 미국, 프랑스 등 선진국 위주로 개최되었다. 역사상 최초의 엑스포는 1851년 런던 만국박람회 또는 수정궁Crystal Palace 박람회로 불리는 박람회다. 당시 영국은 최전성기를 구가하던 빅토리아 여왕 시대로, 산업혁명에 성공한 이후 대영제국을 건설하여 소위 팍스 브리태니카Pax Britannica 시대를 향유하던 시기였다. 세계인들에게는 영국의 발전상을 과시하고 영국인들에게는 자부심을 고취하고자 하는 목적에서 개최된 산업박람회였다. 수정궁이라는 이름은 수정처럼 반짝반짝 빛나던 건물에서 유래된 것인데, 박람회 개최 장소로 사용하기 위해 당시만 해도 매우 귀하고 비싼 유리와 철제 빔 구조만으로 박람회 전시장 건물을 만들었다. 당시로서는 그야말로 혁신적인 디자인이었다. 이 구조물은 온실 정원을 제작하는 설계자의 아이디어에서 나온 작

그림 1-12 수정궁

품이었다. 반짝이며 빛을 내는 유리로 둘러싸인 멋진 박람회 건물이 박람회 장소이던 런던 중심의 하이드 파크Hyde Park에 들어서자 당시 박람회 관람객들은 입을 다물지 못했다고 한다. 런던 하이드 파크에 위치해 있던 수정궁 건물은 박람회 이후에는 런던 근교 도시인 크로이든Croydon으로 이전했는데 1936년 화재로 전소되어 지금은 사진만 남아 있다.

지금도 영국 런던 남부 지역 크로이든에는 Crystal Palace라는 지명이 있고 같은 이름의 기차역이 있다. 또 영국 프리미어 리그 팀 중에도 Crystal Palace를 연고로 하는 팀이 있는데 우리나라 이청용 선수가 활약했던 Crystal Palace FC라는 축구팀이 바로 그것이다. 이 축구팀은 1905년 당시 수정궁을 건축하는 데 참여했던 노동자들이 뜻을 모아 창단했다. 당연히 이 팀의 상징물인 엠블럼에는 수정궁 건물이 보이고, 수정궁 건물 가운데 위에 독수리가 앉아 있는 모습을 볼 수 있다.

당시 수정궁 박람회에는 세계를 주름잡던 25개국이 참여했으며, 개최 기간 5개월 동안 600만 명 이상의 관람객이 몰렸다. 당시의 교통수단이나 200만 명 정도였던 런던의 인구를 고려하면 엄청난 인파로 대단한 성황이었다. 출품된 전시물 중에는 영국의 산업혁명의 주역인 증기기관을 이용한 본격적인 증기기관차를 비롯해, 당시 세계에서 가장 큰 다이아몬드 등 영국이 수집한 진기한 명품들이 전시되었다. 또 최신 발명품인 자동권총과 가스레인지를 포함한 영국, 프랑스, 미국 등의 발명품이나 전통 공예품이 새롭게 선을 보였다. 이 당시에 전시된 물품 중 일부는 당시 영국 여왕이던 빅토리아Victoria와 부군 앨버트Albert 공을 기리기 위해 만들어진 Victoria & Albert 박물관에 소장되어 있다.

영국 박람회와 BBC, 그리고 웸블리 구장

축구에 대해 조금만 관심이 있다면 영국 축구의 성지로 알려진 축구장 웸블리 구장Wembley Stadium을 알 것이다. 그런데 이 웸블리 구장도 원래는 축구장이 아니라 1923년 런던에서 개최된 대영제국 박람회의 박람회 장소로 건설된 것이었다. 이 웸블리 구장은 우리에게 영화 〈보헤미안 랩소디〉로 알려진 퀸이나 비틀스, 마이클 잭슨 등 당대의 유명 가수들의 공연이 개최된 곳이다. 최근에는 우리나라가 낳은 세계적인 그룹 BTS가 공연한 곳으로, 이 자리에 서는 것만으로도 성공을 보장받는 곳이다. 이렇듯 웸블리는 박람회 정신에 걸맞게 스포츠 분야에서의 성지일 뿐 아니라 팝 공연 등 다양한 분야에서의 성지로 그 유산을 전해오고 있다. 과거 박람회 장소였던 웸블리 구장은 2007년 현재의 시설로 재개장되어 오늘에 이르고 있다. 그러고 보면 박람회의 유산은 우리가 알지 못하는 여러 장소와 분야에서 만나게 된다.

또 영국의 공영방송이자 공정하고 균형 있는 방송으로 명성이 자자한 BBC는 1923년에 라디오 방송으로 첫 전파를 발송하며 탄생을 알렸다. 그런데 첫 방송 전파가 바로 1923년 런던의 웸블리 구장에서 개막된 대영제국 박람회의 개막을 알리는 행사로, 당시 영국의 군주였던 조지 5세의 개막 선언 방송이었다. 물론 BBC가 대영제국의 식민지 지배를 정당화하는 측면에서 이용된 것은 부인할 수 없으나, 방송과 박람회가 절묘하게 인연을 맺고 있는 것을 알 수 있다. 예나 지금이나 박람회가 성공하기 위해서는 방송이나 신문 등 언론이 매우 중요하다는 것을 보여주는 대목이다. 벌써 100년 전의 이야기다.

박람회가 남긴 에펠탑, 전화기

영국의 런던 수정궁 박람회의 유산인 수정궁 자체는 사라졌지만, 아마도 가장 큰 유산은 그 이후 세계열강들이 앞다투어 만국박람회를 개최하는 기폭제가 되었다는 데 있을 것이다. 1851년 수정궁 박람회의 성공적인 개최 이후, 1853년 미국 뉴욕에서 신대륙 최초로 박람회를 개최했는데 여기에서 엘리베이터가 처음 선보였다. 그리고 1878년 미국 독립 100주년을 기념하는 필라델피아 박람회에서는 벨Bell이 발명한 전화기가 출품되어 인기를 끌었다. 지금도 전화기의 벨이 울린다고 말하는데 벨의 이름에서 유래된 것이다. 이후 1889년 프랑스혁명 100주년을 기념하기 위해 파리 박람회가 개최되었는데, 우리가 파리에 가면 반드시 방문해야 하는 곳 중의 하나인 에펠탑은 이 파리 박람회를 위해 제작된 것으로 파리 박람회의 대표적 유산으로 남아 있다. 이 에펠탑을 설계한 에펠은 뉴욕의 자유의 여신상을 설계했으며 파나마운하 공사에도 참여하는 등 당시 최고의 구조 전문가였다.

이후 미국은 1893년 콜럼버스의 신대륙 발견 400주년을 기념하는 시카고 박람회 등 여러 차례 박람회를 개최했다. 신흥 강국으로 부상하는 미국이 박람회의 역사를 주도하게 된 것이다. 이러한 박람회를 통해 현대 우리 사회에 필수품이 된 전구, 축음기, 필름, 카메라 등 새로운 발명품들이 최초로 전시되었다. 그리고 이것이 상품화되어 대중들 속으로 파고들어 일상의 필수품이 되었다.

수정궁 박람회가 개최되던 1851년 영국 등 유럽에서는 증기기관을 이용한 공장이 돌아가고 증기기관차가 철로 위를 다니는 변화와 성장의 시기였다. 이에 비해 당시 우리 조선왕조는 추사 김정희를 유배 보냈던 헌종 임금에 이어, 당파 싸움의 결과로 산에서 나무하던 강화도령 철종이 즉위한 바로 다음 해였다. 당시 세도가이자 집권 세력이던 안동 김씨 집안은 세상 돌아가는 것에는 눈을 감은 채 조선이라는 작은 세상에서 권력을 잡기 위해 이전투구를 벌이고 있었다. 참으로 암울한 상황이었다.

우리가 처음 참가한 시카고 박람회

조선 말기 우리나라가 참가한 최초의 박람회는 고종 때이던 1893년 미국에서 개최된 시카고 박람회다. 사실 당시는 아관파천 다음 해로 청나라는 조선이 자신들의 속국이라며 시카고 박람회 참여를 방해했다. 당시 고

그림 1-13 시카고 박람회의 한국관

종이 미국에 협조를 요청하여 어렵사리 참여할 수 있게 되었다.

당시 조선은 정경원을 박람회 대표인 '미국박람회출품사무대원'으로 임명하고, 수행원 2명과 악공 10여 명을 대동하여 선박을 타고 태평양을 건너 이동하도록 했다. 그 이동 경로는 자세히 나오지 않는데, 모르긴 몰라도 거의 초주검이 되어 박람회장에 도착하지 않았을까.

시카고 박람회에는 총 47개국이 참여했는데 조선도 '조선 전시관'을 개관하여 갓, 병풍, 화살, 옷감, 부채 등을 전시했다. 그리고 동행한 악공들이 국악을 연주함과 동시에 국악기를 전시하기도 했다. '조용한 동방의 나라' 조선이 처음으로 해외 무대에, 그것도 미국에서 개최된 박람회에 데뷔하는 대단히 역사적인 사건이었다.

당시의 박람회 참여는 고종이 청나라의 간섭에서 벗어나기 위해, 미국의 영향력이나 협조를 구하는 정치 외교적인 의도로 해석될 수 있다. 대외적으로 형식적인 선언에 불과했지만, 실제로 대한제국을 선포하며 잠시나마 청나라의 지배권을 거부한 것이 1897년이니, 시카고 박람회 참여가 이와 무관하지 않은 것이다.

여수 밤바다와 세계 해양 박람회

재수 끝에 성공한 여수 엑스포

'너와 함께 걷고 싶다. 이 바다를…' 〈여수 밤바다〉란 달콤한 노래의 가사 중 일부다. 그렇다. 그렇게 여수는 2012년 세계박람회를 계기로 다시 태어났다. 중세 시대가 르네상스 시대를 맞아 깨어난 것처럼.

우리나라에서는 1906년 부산에서 민간단체 주관으로 '일한상품 박람회'가 열리고 다음 해인 1907년 일본 통감부 주최로 '경성 박람회'가 개최되었는데 통상 1907년의 박람회를 우리나라 최초의 박람회로 보고 있다.

2012년 우리나라 남해안의 여수에서 개최된 박람회는 그 주제가 '해양'이라는 점에서 해양 박람회라고 불리기도 한다. 이는 통상 박람회가 산업 측면에서 강조되어 온 것과 비교하면 박람회의 새로운 시각을 개척했다는 의미가 있다. 사실 우리나라는 2010년 상하이에서 개최된 세계박람회와 같은 해인 2010년 여수에서 엑스포를 개최하기 위하여 해양수산부를 중심으로 준비를 했다. BIE 총회에서 투표한 결과 러시아, 아르헨티나, 멕시코, 폴란드 등 쟁쟁한 경쟁국들을 이기고 결선에 올라 중국의 상하이와 치열한 경합을 했지만 아쉽게 실패했다. 이러한 실패를 거울삼아 재도전 끝에 여수가 2012년 해양 엑스포를 개최하게 된 것이다.

해양 도시 부산에서도 2030년 엑스포를 개최하기로 하고 추진 중에 있다. 그 주제는 '인류 공존과 번영을 위한 지혜의 공유'라고 한다. 주제가 철학적이고 손에 잡히지 않는 측면이 있는 것은 차치하고라도, 안타까운 것은 우리나라 제1의 해양 도시인 부산에서 엑스포를 개최하면서 그 주제가 해양과 관련된 것이 아니라는 것이다. 역대 엑스포를 살펴보면, 그 주제와 개최 도시 또는 시기가 매우 밀접하게 연관되어 있어서 그 박람회의 성격을 한눈에 알 수 있다. 그런데 부산 엑스포의 슬로건은 부산이 가지는 가장 큰 장점을 살리지 못한다는 아쉬움을 지울 수 없다. 그럼에도 불구하고 부산이 2030 엑스포를 유치하는 것은 엄청난 가치가 있는 프로젝트이고, 부산이나 국가적으로 보아도 반드시 성공해야 할 중대사인 것은 분명하다. 2030 부산 엑스포 개최를 간절히 기대한다.

여수 엑스포의 유산들

엑스포 역사상 여수 해양 박람회는 매우 드문 사례로 뽑힌다. 포르투갈에서 열린 1998년 리스본 엑스포와 더불어 해양을 주제로 한 엑스포의 쌍벽을 이루고 있다. 여수 박람회는 과거에 항구로 사용되었으나 그 기능이 쇠퇴하여 여수 구항으로 불리던 오동도 입구에 위치한 항만 부지를 박람회 개최지로 선정했다. 그러고는 여수와 남해안에 활력을 불어넣고, 우리 국민들을 비롯한 세계인들에게 해양의 중요성을 인식시키고자 하는 목적에서 개최되었다. 이러한 흐름에서 박람회 기간 중 여수 선언이 채택되고 발표된 바 있다.

2012년 5월부터 8월까지 3개월의 박람회 기간에 820만 명이 관람하는 큰 성공을 거두었다. 현재도 여수 박람회장에 가면 빅오Big O와 아쿠아리움 등 다양한 볼거리를 만날 수 있다. 그러나 무엇보다도 여수 박람회는 여수 지역 활성화에 큰 기여를 했다. KTX 여수엑스포역과 전용 진입 도로, 이순신대교 등 다양하고 편리한 SOC를 통해 여수에 대한 접근성이 빠르고 편해졌다. 엑스포 이전에는 '여수' 하면 오동도였으나 이제는 낭만적인 '여수 밤바다'로 상징이 되듯이, 여수 전역으로 그 유명세가 확대되는 효과를 가져왔다. 여수를 찾는 관광객도 엑스포 이전 300여만 명에서 엑스포 개최 이후에는 1,300만 명을 넘어서는 그야말로 비약적인 증가세를 보였다.

그러나 이러한 외형적인 모습도 중요하지만, 2012년 여수 엑스포에서 우리나라가 세계인에게 보여주고자 했던 여수 엑스포의 유산legacy이자 미래 정신을 잘 계승 발전시키는 것이 무엇보다 중요하다. 상징 타워나 조형물과 같은 외형이 아닌 여수 선언으로 대표되는 엑스포의 정신을 잊어서는 안 될 것이다. 여수 엑스포 유치 과정과 준비 과정에 깊이 관여했던 한 사람으로서 여수 박람회의 정신과 유산이 오래 지속되기를 바란다. 여수 엑스포는 최고의 해양 박람회였다.

바다와 유배

최적의 유배지, 바다

우리나라에서 귀양, 즉 유배의 역사는 깊다. 《삼국사기》에도 유배와 관련된 기록이 있는 것을 보면 삼국 시대에도 유배가 있었던 것으로 보인다. 구체적인 기록은 고려 인종 때 이자겸이 전남 영광으로 유배를 가서 그 지역에서 생산되는 조기를 말린 굴비를 임금인 인종에게 진상했다는 기록이나, 12~13세기인 고려 무신정권 시절 허수아비에 불과하던 임금들이 폐위되어 유배를 갔다는 기록이 나온다.

보통 민간에서는 유배보다는 귀양이라는 말이 더 많이 쓰였다. 귀양은 벼슬을 빼앗기고 고향으로 돌아간다는 말인 귀향에서 나온 것으로, 조정에서 벼슬을 하는 것이 인생의 최대 목표이고 입신양명의 수단이었던 양반들에게 임금의 명에 의해 벼슬을 그만둔다는 것은 그야말로 청천벽력과도 같은 일이었다. 그것도 한양에 살지 못하고 기한 없이 강제로 낙향하는 것은 매우 큰 처벌이었다. 그래서 통상 임금에게나 당시 정권을 쥐고 있던 권세가 입장에서는 반대파에 해당되는 인물들이 유배의 대상이었다. 즉, 유배는 보통 정치범에게 내리는 형벌이라는 성격이 강했다. 그러나 유배지는 대상자나 경중에 따라 고향뿐만 아니라 해안가나 산골 또는 국경 근처의 변방, 외딴섬 등으로 다양했다. 그중에 섬이나 바닷가에 보내는 유배는 앞으로 보지 않겠다는 의미이기도 했다.

왕들의 유배지, 강화도

조선 시대 한양이나 고려 시대 개경과 가까운 섬인 강화도(특히 교동도)는 유배지로서 특이한 위치를 차지하고 있다. 바로 왕들의 유배지란 것이다.

기록에 의하면, 고려 시대에는 무신 정권 시대의 불행한 임금이었던 21대 희종과 22대 강종, 그리고 고려 말의 임금이던 30대 충정왕, 32대 우왕, 33대 창왕 등 5명의 왕이 왕위에서 폐위된 후 강화도에 유배를 당했다. 그리고 조선 시대에는 연산군과 광해군이 중종반정과 인조반정으로 폐위됨에 따라 임금에서 왕자 신분인 군君으로 강등되어 강화도로 유배를 갔다. 또 세종의 셋째 왕자인 안평대군, 선조의 적자인 영창대군 등 왕족이나 왕자 12명이 강화도로 유배를 갔던 기록이 있다. 이는 강화도가 섬이면서도 고려 시대 개성이나 조선 시대 한양과 가까운 거리에 있었기 때문이다. 즉, 유배 가기가 편해서가 아니고 유배를 보낸 후에도 감시하기가 용이한 측면이 강했기 때문이다. 실제로 연산군은 폐위되어 강화도에 딸린 교동도로 유배 간 지 두 달 만에 역병으로 숨졌다고 하는데, 실제 숨진 이유가 역병이었는지 아니면 다른 이유가 있었는지 유추해볼 만하다.

우리가 강화도령으로 알고 있는 조선 25대 철종은 정조의 아우인 은언군이 강화도에 유배되면서 강화에서 태어난 천덕꾸러기 처지였다. 그런데 안동 김씨 일파의 당파적인 이해관계에 의해 왕이 되는 인생역전의 인물이 된다. 지금의 시각에서 보면 인생역전이지만 철종 본인으로서는 매우 불행한 삶이었던 것 같다. 실제로 강화도 산을 뛰어다니던 매우 강건한 청년이었던 철종은 재위 14년 만인 30대 초반에 졸지에 생을 마감한다.

좀 다른 이야기이지만, 세조에 의해 영월 청령포로 유배를 간 단종도 내륙이었으나 실제로는 영월 서강이 삼면을 돌아 흐르는 육지 속의 섬으로 유배를 간 것이다. 지금도 이곳은 작은 배로만 들어갈 수 있다.

조선 시대의 유배지, 제주와 남해

조선 시대의 유배는 부처付處와 안치安置가 있었다. 부처는 한양에서 가까운 곳에 보내 그곳 수령들에게 처분을 위탁하는 것으로 안치보다는 가벼운 형벌로 인식되었다. 안치는 부처보다는 무거운 형벌로 일정한 지역이나 장소에 유배인을 한정하여 형벌을 가하는 것이다. 본향안치本鄕安置, 주군안치州郡安置, 절도안치絶島安置, 위리안치圍籬安置 등의 종류가 있었다.

본향안치는 유배 중 가장 가벼운 것으로 자기의 고향에 유배를 보내 한양에 들어오지 못하게 하는 것이다. 왕의 입장에서 보면, 앞으로 유배를 풀어주어 다시 기용할 수도 있는 재기 가능성이 높은 양반을 대상으로 한 유배로 볼 수 있다.

주군안치는 특정한 지역(주나 군이나 현)에 유배를 가는 것이다. 정약용은 강진으로 주군안치를 당하였기 때문에 강진군 내에서는 자유롭게 여행도 하고 유배 거처도 정할 수 있었다. 그래서 다산의 흔적들이 강진군의 이곳저곳에 많이 남아 있는 것이다.

절도안치는 흑산도로 유배 간 정약전이나 추자도의 최익현, 남해의 김만중의 경우처럼 섬 내에서는 이동이 가능하나 섬을 벗어날 수 없는 경우를 말한다. 절도안치의 경우는 대개 그 섬을 벗어나지 못하고 유배지에서 생을 마감하는 경우가 많았다. 흑산도에서 16년의 유배 끝에 생을 마친 정약전이 그 예다.

위리안치는 유배된 죄인이 거처하는 집 둘레에 가시로 울타리를 치고 그 안에 가두어 두는 경우를 말한다. 그런데 절도안치에다 위리안치까지 가중 처벌되는 경우도 있었으니, 제주도 대정에 위리안치된 추사 김정희가 여기에 해당한다. 최악의 유배였던 것이다.

조선왕조실록에 따르면, 유배와 관련된 기록이 80여 회 나오고 실제로 유배 간 사람이 700여 명이라고 기록되어 있다. 이 중 200여 명이 제주도(추자도 60명 포함)로 유배를 간 것으로 나온다. 조선 중기를 넘어 후기에 접어들자 목숨을 건 당파 싸움이 격화되면서 점차 유배지가 절해고도로 정해지는 경향이 있었던 것에 기인한다.

제주와 더불어 우리나라의 대표적인 유배지로 쌍벽을 이루는 곳이었던 경남 남해군에는 유배문학관이 있다. 지금이야 남해가 다리로 육지와 연결되어 바로 갈 수 있지만, 그 이전에는 당연히 외딴섬이었다. 17세기에 《구운몽》과 《사씨남정기》를 쓴 서포 김만중(1617~1692년) 등 200여 명의 유배인이 이 남해에 유배를 당했다. 이들에 대한 이야기를 담고 기록해놓은 것이 남해에 있는 유배문학관이다. 얼마나 많은 유배객이 있었으면 유배문학관이 만들어졌겠는가. 과거 유배지의 어두움에서 벗어나기라도 하듯, 오늘날의 남해 바다와 풍광은 찬란하기가 그지없다.

16~17세기 조선에 당파 싸움이 한창일 때 당시 관료의 25퍼센트 가까이가 유배를 다녀온 사람들이었다고 하니, 당시 유배는 출세의 한 징표였는지도 모르겠다. 과거에도 유배는 여러 종류라 돈이 있고 권세 있던 양반들은 유배를 가면서도 자기 돈으로 노비도 데려가고 음식도 집에서 가져다 먹었다고 한다. 심지어는 현지에서 소실을 얻어 편한 생활을 누린 경우도 있었다고 한다. 예나 지금이나 세상은 공평하지 않다.

사람만 유배를 간 것이 아니다. 코끼리도 전남 여수에 있는 장도로 유배를 갔다. 조선 태종 시절 1411년 일본에서 코끼리를 진상품으로 바쳤는데, 이 코끼리가 사고를 쳐서 사람을 죽이자 유배를 보낸 곳이 여수 인근의 장도였다. 코끼리 유배지로 기록되어 있는 이곳은 이순신 장군의 전승 숨결이 살아 있는 곳이기도 하다.

바다 사람, 정약용과 정약전

다산 정약용의 《경세유표》와 해양수산부

조선의 마지막 계몽 군주였던 정조의 총애를 받던 정약용은 순조가 즉위하자 1801년 전남 강진으로 유배를 간다. 그나마 강진군에 유배를 가게되어 강진군 내에서는 자유롭게 이동할 수 있었던 것이 불행 중 다행이었다. 이것은 추사 김정희가 제주도로 유배를 가면서 위리안치를 당해서 집안에만 머물러 있어야 했던 것과 비교하면 참으로 다행스러운 것이었다.

다산은 강진만과 남해 바다가 내려다 보이는(지금은 간척과 매립을 통해 완전히 육지의 모습이다) 만덕산 기슭에 다산초당을 짓고 시골 초동들을 가르치며, 국가를 운영하는 전략을 고민하고 대안을 제안한 《경세유표》를 저술했다. 이 책은 당시로서는 혁신적이고 창의적인 제안들을 보여주고 있다. 다시 말해, 다산의 선각자적인 참지식인의 모습이 엿보이는 대작이다.

다산은 그의 형 정약전과 함께 조선 순조 때인 1801년 신유박해에 이은 신유사옥으로 1818년까지 장장 18년을 강진에서 유배 생활을 했다. 그의 형 정약전은 더 혹독하게 외딴섬인 흑산도까지 내려가 유배 생활을 했다. 참으로 기구한 형제의 운명이 아닐 수 없다.

다산은 《경세유표》에서 '나라 땅이 편소하여 남북으로는 2,000여 리, 동서로는 1,000여 리에 불과하다. 오직 서남쪽 바다 여러 섬, 그중에서 큰 것은 둘레가 100리가 되고 작은 것도 40~50리는 된다'고 우리나라의 지리적인 여건을 제시하며, '작고 큰 것이 서로 끼어 있어 그 수효가 대략 1,000여 개인데 나라의 울타리다. 개벽 이래 조정에서 사신을 보내 이 강토를 다스리지 않았다'고 해 조선 시대 바다와 섬에 대한 무지와 소홀함을 지적하고 있다.

당시로서는 매우 진취적이고 현실을 직시한 실사구시의 사상을 가졌던 다산은 지금으로부터 200여 년 전에 이미 바다와 섬, 그리고 어업을 관장하는 유원사綏遠司라는 중앙행정기관을 설치하자고 제안했다. 조선 시대 버전의 해양수산부다. 그러나 조선왕조가 이를 수용했을 리는 만무하다. 당시 조정이 그의 제안을 수용했다면 조선의 운명은 달라졌을 것이다.

다산의 바다에 대한 이러한 철학은 현재에도 이어지고 있는데, 우리나라의 북극 연구 기지의 명칭이 바로 다산의 정신을 이은 다산 기지다. 다산 기지는 노르웨이의 북극 영토인 스발바르제도의 니알슨Ny-Alesund에 위치하고 있다. 200여 년 전 바다의 중요성을 깨달았던 불우한 선각자 다산 정약용, 그의 정신을 살리고 계승하는 것은 우리 후손의 몫이다.

어류학자, 손암 정약전의 《자산어보》

코로나 상황 속에서도 성황리에 상영된 영화 〈자산어보〉에 나오듯, 손암 정약전은 동생 다산 정약용과 함께 동시대에 형제가 남해안에 유배되는 기구한 운명에 처한다. 동생인 다산이 사상적·인문학적인 측면에 치중한 반면, 험하고 외딴섬 흑산도로 절도안치된 정약전은 현실과 실생활에 접목한 학문에 치중했다.

정약전의 호는 손암巽庵인데 흑산도에 유배를 오면서 지은 호로 '겸손한 바위'라는 의미다. 나름 자신의 처지와 생각을 담은 깊은 뜻을 가진 호로 보여진다. 동생의 호인 다산에 비해 우리에게는 다소 생소한 편인데, 다산과는 다르게 흑산도에 유배되자 손암은 세상을 내려놓고 현실을 괴로워했다. 그리고 술을 즐기며 민초들과 어울리고자 했다. 이러한 과정에서 탄생한 것이 《자산어보玆山魚譜》다. 조선 시대를 통틀어 바다와 어류에 대해 이처럼 상세하고 과학적으로 접근하여 기록한 연구서는 《자산어보》가 유일하다. 더욱이 물고기와 바다에 대해 전혀 알지 못하는 공자와 맹자를 논했던 양반 출신의 유학자가 물고기 연구라니! 지금의 시각으로 보아도 대단히 파격적이고 창의적이며 혁신적인 변화다.

정약전은 바다 생물을 현재와 유사하게 어류, 패류, 조류, 해금류, 충수류 등 5가지로 나누고 총 226종의 바다 생물에 대해 상세하게 기재하고 있다. 현재의 어류학자들의 시각으로 보아도 매우 정확하게 분류하고 분석했다는 평가다. 그리고 보면 정약전은 대단한 과학자인 것이 분명하다. 단지 할 일이 없어서 그런 일을 했다고 폄하할 수 있는 대상이 아닌 것이다.

정약전의 역작인 《자산어보》는 단지 정약전 혼자만의 노력의 산물이 아니다. 어찌 보면 정약전과 서얼 출신의 섬 젊은이 창대(장덕순)와의 협업의 산물이자 양반과 민초의 합작품이다. 그리고 실내 연구실과 야외 실험실, 이론과 실제 현장이 절묘하게 조화된 산학 공동 연구의 결과물이다. 아마도 정약전은 소통의 대가였던 것 같다. 자기가 직접 경험하지 않은 바닷물고기 이야기를 듣고서 자기가 직접 경험한 것처럼, 아니 그 이상으로 상세하고 정확하게 기록하고 있으니 말이다.

자산이란 흑산도를 이르는 말이다. 흑산을 쓰지 않은 이유를 정약전은 《자산어보》 서문에서, '흑黑' 자가 어둡고 부정적인 의미를 담고 있어서라고 밝히고 있다. 그런데 검다는 의미의 '흑' 자를 쓰기 싫어서 같은 의미의 검을 '자玆'를 쓰고 있는데, 검을 현玄 자가 두 개 겹치니 그 뜻은 검은 흑보다도 더 검었으리라. 아무 잘못도 저지르지 않았음에도 조선의 천주교 박해를 청나라의 외국 신부들에게 알려주려 한 〈황사영 백서〉의 주역인 황사영의 일가라는 것과, 천주교 학문인 서학을 공부했다는 이유만으로 당시 조정에 밉보여 전남 신지도를 거쳐 흑산도에까지 유배를 간 약전의 마음이 그러지 않았을까 생각하면 가슴이 아프다. 아마도 그의 마음은 어떤 글자로도 표현할 수 없을 정도로 검고 또 검지 않았을까. 그러나 검을 자玆는 '이제', '지금', '현재'라는 의미를 가지고도 있으니, 약전 자신이 처한 현실을 표현하면서도 혹시 있을지 모를 해배의 희망을 전하고 싶지는 않았을까. 여하튼 예나 지금이나 괘씸죄와 정치적인 단죄가 가장 억울한 법이다. 있어서는 안 될 일이기도 하다.

정약전은 동생 다산이 18년 만에 유배에서 해배되어 고향인 한강변 양수리로 귀향하기 이전인 1816년에, 16년간의 유배 끝에 결국 흑산도를 벗어나지 못하고 그 검은 섬 자산에서 숨을 거뒀다.

다산과 손암은 우리나라 역사와 바다에 큰 족적을 남긴 용감한 형제들이고, 진정한 바다 사나이들이다.

그림 1-14 정약전이 머물던 사촌서당

제주에 가면
추사 김정희가 생각나는 까닭은

천재의 비운

조선 시대의 명필이자 당대 최고의 학자였던 추사 김정희는 헌종 6년 (1840년) 제주도로 유배를 가게 된다. 추사 김정희처럼 외딴섬으로 유배를 보내는 경우는 거의 재기용 가능성이 없는 대상임을 나타낸다. 실제로 많은 관료들이 다시 부름을 받지 못하고 절해고도에서 흔적도 없이 사라져 버렸다. 여기에 추사처럼 위리안치까지 더해지면 정말로 유배에서 풀려나기가 어려운 상황이 되는 것이다. 바다로 막힌 섬에 유배되었는데 거기에다가 가택연금과 동일한 형벌이 이중으로 가해졌으니, 사형이나 사약만 내리지 않았을 뿐 죽으라는 것과 마찬가지였다. 추사가 겪었을 고통은 말로는 다 할 수 없는, 그야말로 생지옥이 따로 없었을 것이다.

이조판서까지 지낸 추사의 부친 김노경도 전남 고금도로 유배를 갔으니

이 얼마나 기구한 운명인가. 그랬다. 조선 시대 당파 싸움에 따라 집권 세력이 되지 못한 반대파의 경우는, 재기하지 못하도록 싹을 자른다는 의미에서 절해고도로 유배를 보냈다. 따라서 이들은 자기를 유배 보낸 왕이 죽거나, 자기 당파가 정권을 잡거나 하여 사면령이 내려지기 전에는 유배에서 살아 돌아오는 경우가 많지 않았다. 특히 섬으로 유배를 가는 경우에는 유배지에 도착하지도 못하고 가는 도중에 풍랑을 만나거나 병으로 인해 죽는 경우가 허다했다. 즉, 유배지에 도착하는 것 자체가 목숨을 거는 일이었다.

지금도 제주도나 추자도, 흑산도나 거문도, 홍도 등으로 여행을 가려면 큰마음을 먹어야 하지 않은가. 또 현대화된 대형 선박을 이용해도 뱃멀미 등으로 곤욕을 치르기도 하는데, 하물며 당시 돛이나 노를 저어서 가야만 하는 돛단배인 경우에는 오죽했겠는가. 추사도 1840년 9월 가을에 제주도로 유배를 가면서 완도까지 간 다음 거기에서 제주항까지 가는 항로를 택했다. 보통은 1주일이 걸리는 뱃길인데 추사가 탄 배는 얼마나 바람을 잘 탔는지 아침 새벽에 출항하여 저녁 무렵에 제주에 도착했다고 기록에 나오는 것을 보면 천운이 추사를 돕지 않았나 싶다. 그런데 거꾸로 유배에서 돌아올 때는 며칠씩 걸려 완도에 도착했다.

악연은 참으로 묘한 곳에서 싹트는 것 같다. 추사의 기구한 운명의 시작은 추사의 암행어사 시절에서 시작되었다. 경주 김씨인 추사를 모함하여 그의 집안을 쑥대밭으로 만든 장본인이 바로 추사가 암행어사가 되어 충청도 일대를 암행하던 중 탐관오리로 적발되어 봉고 파직당한 안동 김씨의 일문인 비인 현감 김우명이었다. 이자가 앙심을 품고 있다가 나중에 안동 김씨가 세도가가 되자, 그 일족으로서 추사를 무고해 추사 일족을 유배 보내는 상소를 주도했던 것이다. 참으로 얄궂은 운명의 장난이다.

이러한 고초를 겪은 추사는 말년에 다시 한번 유배를 가는데, 이번에는 북쪽 국경 지역이자 추운 고장인 함경도로 유배를 가게 된다. 그 후 추사는 과천에 기거하면서 노년을 보냈다. 기구한 운명으로만 따지면 가히 당해낼 사람이 없을 것 같다.

위리안치에서 탄생한 추사체와 세한도

추사의 위대함은 8년여의 제주 생활을 좌절하며 그냥 헛되이 보낸 것이 아니라는 점에 있다. 암울한 8년여 위리안치 기간을 추사체를 완성하는 계기로 삼았던 것이다. 이전부터 명필로 이름을 날리던 추사였지만, 제주 기간을 거치면서 현재 우리가 감탄해 마지않는 추사체를 완성시켰다. 거기에다 조선 시대 문인화의 진수라 일컬어지는 작품인 〈세한도〉를 그리기도 했다. 세상이 추워진 후에야 소나무와 잣나무의 진가를 알 수 있다는 의미의 〈세한도〉는 그림의 단순함에도 불구하고 그 정신과 기개는 팔팔하게 살아 숨을 쉰다. 추워지면 더 단단해지는 소나무의 날카로운 솔잎처럼 말이다. 더 나아가 제주 유배 기간 중 추사를 지극 정성으로 보살펴준 제자이자 통역관 이상적에게 이것을 선물로 준 것은 추사의 인간미를 엿보게 한다.

그러나 이러한 성숙한 인간미는 제주 유배 이전의 추사에게는 없었다. 조정과 학문에서 잘 나갈 때의 추사는 매우 고집이 세고 남을 인정하지 않는 독선적인 모습이었다. 이런 것을 볼 때 제주 유배 기간을 통해 문필과

그림 1-15 세한도

예술이 무르익었을 뿐 아니라 인간적으로도 매우 성숙하게 되었음을 알수 있다. 유배 기간은 추사에게 한편으로는 시련이었지만, 다른 한편으로는 학문과 인간적인 측면에서 자신을 되돌아보며 완성을 향해 가는 마지막 여정이 되었던 것이다.

멀티형 인간 추사와 초의, 그리고 허련

추사 김정희와 평생을 같이하며 우정을 나눈 벗 중의 하나가 다도茶道로 유명한 초의草衣 선사다. 추사는 초의에게 여러 번 좋은 차를 보내 줄 것을 청할 정도로 막역한 사이였다. 추사와 초의의 교류는 유학과 불교라는 어울리지 않을 것 같은 대가들의 교류로, 유불儒佛을 뛰어넘는 우리 문화사에서도 사례가 별로 없는 돋보이는 교류다. 요즘 우리 시대에 보이는 종교 간, 지역 간, 계층 간, 성별 간 갈등이나 내 편만 옳고 상대방은 그르다는 흑백논리가 횡행하는 것을 생각하면 추사와 초의의 교류에 절로 고개가 숙여진다.

문인화의 대가로서 추사의 경지는 추사 당대에 머무르지 않고 제주 유배 시절에 동고동락하며 시중들던 그의 애제자인 소치 허련에게 그 맥이 이어졌다. 허련을 통해 호남 지역 문인화의 큰 맥이 끊기지 않고 현재까지 내려오고 있으니 말이다. 허련은 추사와 초의라는 당대의 걸출한 두 인물을 스승으로 두고 그들에게서 가르침을 받는 영광을 누린 행복한 인물로, 스승의 가르침을 헛되이 하지 않고 걸작품들을 남겼다. 추사의 글씨는 당대의 명필이자 고종의 생부로 세도정치를 휘두른 제자 흥선대원군에게도 큰 영향을 주었다.

추사는 조선 시대 누구보다도 국제적인 감각과 식견을 가진 인물이었다. 그는 당대 세계 최고 수준이던 북경의 지식인들과 교류를 하며, 그들로부터 가르침을 받기도 하고 가르침을 주기도 했다. 추사는 지금의 시각에서 보면 다재다능한 multi-functional한 현대형 엘리트였다. 관료이자 선비로서 또 유학자로서, 거기에다 예술인으로서 각기의 분야에서 최고의 자리에 도달한 삶을 살았다. 그에게는 학문과 예술의 구분이 없었고, 금석학을 통해 추사체를 완성하는 등 현재와 과거의 구분도 없었다.

산은 높고 바다는 깊다

추사는 유배를 두 번이나 당했다. 한 번도 아니고 두 번이나 그 험한 경험을 했으니, 걸출한 인물됨에 비하면 개인적인 삶은 불우했다고 할 수 있다. 두 번째 유배지인 함경북도 북청에서 1년간의 유배를 마친 후 돌아와 인생을 마무리하는 과천 시절의 글귀가 '산숭해심 유천희해山崇海深 遊天戲海'인데, 이 글은 '산은 높고 바다는 깊다. 구름과 학이 하늘에서 노닐고 갈매기는 바다에서 노닌다'라는 의미다. 이 글귀는 세상과 인생의 풍파를 다겪고 학문과 예술의 최고 경지에 다다른 추사 자신을 읊은 것이라 생각된다. '산은 산이요. 물은 물이다'라는 글귀를 남긴 고승의 마음과 서로 와닿지 않는가.

그러나 추사의 인간미는 결국 가족에게로 마무리된다. 노년의 추사는 인생의 즐거움의 하나로 농손락弄孫樂이라 하여 손자들 데리고 노는 것을 꼽고 있다. 그러고 보면 예나 지금이나 손주 보는 즐거움은 같은가 보다. 까르르 웃는 추사의 손주 웃음소리가 들리는 듯하다.

피카소와 추사

추사를 생각하면 불현듯 20세기 최고의 거장으로 꼽히는 입체파 화가 파블로 피카소가 떠오른다. 피카소는 이렇게 말했다. "나는 이미 열다섯 살에 당시 최고 화가이던 벨라스케스처럼 그릴 수 있었다. 그런데 아이들처럼 그릴 수 있게 되기까지는 80년이 걸렸다." 참으로 마음에 와닿는 말이다. 그렇다. 외형으로 보이는 완벽함을 넘어 다소 부족한 것처럼 보이는 완벽함이야말로 참된 완벽함이다.

이는 인디언들의 목걸이나 페르시아의 양탄자와도 같다. 인디언들은 목걸이를 만들면서 반드시 흠이 있는 구슬을 하나씩 넣었다고 한다. 마찬가지로 완벽해 보이는 페르시아의 양탄자에도 보이지 않는 흠이 하나씩 있다고 한다. 완벽함은 신의 영역이다. 겸손함을 알았던 인디언이나 페르시아인이야말로 참으로 완벽한 이들이다.

이는 추사체와도 같은 맥락이다. 추사는 해서·행서·초서를 인쇄한 것보다도 더 잘 썼다. 그러나 무언가 부족해 보이고 어색해 보이는 전서나 예서 같은 초기 금석문에 나오는 글자체의 글은 해서·행서·초서보다 더 어려운 것으로, 도의 단계에 들어가야 가능한 것이다. 추사체가 바로 여기에서 나왔다.

유럽의 피카소와 조선의 추사. 시대와 장소는 떨어져 있었어도 많이 닮은 두 거장이다. 역시 거장은 거장끼리 통하는가 보다. 제주 대정읍 추사 유배지에 가면 흩어지는 파도를 보며 고뇌하던 추사의 쓸쓸한 모습이 보이는 듯하다. 불현듯 피카소가 추사의 모습을 보았다면 어떻게 그렸을지 궁금해진다.

빠삐용과
외국의 섬 유배지

빠삐용, 마침내 날개를 달다

우리나라와 마찬가지로 외국에서도 육지에서 멀리 떨어진 섬이 정치범들의 유배지나 중범죄 죄수를 위한 감옥으로 많이 사용되었다.

아마도 감옥 탈출 영화의 진수를 꼽는다면 영화 〈빠삐용〉이 아닐까 싶다. 빠삐용papillon은 프랑스말로 나비라는 뜻이다. 절해고도에 갇혀 있는 죄수의 입장에서 날개 달린 나비라도 되어 자유를 얻고 싶다는 심정을 표현한 것이다. 실제로 종신형을 선고받은 죄수로 분장한 스티브 맥퀸은 가슴에 나비 문신을 한 채 한 마리 나비처럼 절벽을 날아서 탈출에 성공한다. 절벽으로 코코넛 자루를 이용해 나비처럼 날아 탈출했으니, 기막힌 영화 제목이 아닐 수 없다.

영화 〈빠삐용〉의 배경은 1941년경 프랑스령으로 남미의 브라질 북서쪽 기아나에 있는 소위 악마의 바위섬으로 알려진 '디아블섬'이다. 그리고 이 섬에 있는 감옥과 탈출이라는 실화를 바탕으로 한 영화다. 얼마나 대단한 섬이었으면 악마의 섬이라 이름이 붙었겠는가. 스티브 맥퀸과 더스틴 호프만의 명연기가 돋보이는 영화로, 우리 인간도 나비처럼 날개를 가졌으면 하는 영화다. 자유를 향한 처절한 몸부림이라는 부제처럼 결국 〈빠삐용〉은 자유를 얻는 해피엔딩으로 마무리된다. 인간의 의지는 참 대단하다. 나비 인간이 결국 날개를 가졌으니 말이다.

유배지의 나라, 호주

우리나라 사람들이 선호하는 이민 대상지 중의 하나가 호주다. 호주의 영어 명칭인 오스트레일리아는 남쪽 대륙이라는 의미의 라틴어에서 나왔다. 애초에 호주는 본국인 영국의 중죄수들을 가둬 놓은 커다란 감옥이자 유배지였다. 1779년 지금의 시드니에 죄수 759명을 포함한 개척자들이 도착한 것을 시작으로 해서 1867년 마지막 죄수가 도착할 때까지 100년이 못 미치는 기간에 약 16만 명의 영국 죄수들이 호주로 보내졌다. 호주에서 일정한 기간 형기를 마치면 자유인으로 생활할 수 있었다.

물론 죄수들만이 호주에 도착한 것은 아니었다. 일반 영국인들도 상업이나 여러 가지 목적으로 이주를 했다. 하지만 기본적으로 호주는 유배지로서의 역할이 당시 가장 중요한 기능이었다. 그러고 보면 지금의 호주와는 그 이미지가 영 어울리지 않는다.

초기에는 집을 짓고 도로를 만들기 위해, 즉 기본적인 의식주에 필요한 것들을 갖추기 위해 죄수들 중에서도 목수나 대장장이 등 기술을 가진 사람들을 우선적으로 보냈다. 이들 초기의 죄수들은 호주에 도착해서 당시 호주섬에 살던 원주민인 동남아계 인종 에보리진Aborigine들을 거의 노예 부리듯 강제로 착취했다. 부족사회 단계에 머물렀던 원주민이 겪었을 고통은 상상 이상이었을 것이다. 그들은 이제 20만 명 정도밖에 남지 않았다. 본토박이 오리진origin이 아닌 주변인인 엡오리진aborigine으로 전락하여 본래 거주했던 좋은 기후의 해변가에서 밀려나, 호주의 내륙에 있는 척박한 사막이나 산악 지역에 거주하고 있다.

섬에서 태어나 섬으로 유배 간 나폴레옹

프랑스의 근대사는 물론 유럽 근대사에서 나폴레옹을 빼놓고는 이야기가 안 될 정도로 나폴레옹은 영웅 중의 영웅이다. 나폴레옹은 프랑스의 변방 영토인 지중해 서북부에 있는 코르시카섬에서 시골뜨기로 태어나 황제에까지 오른 입지전적인 인물이다. 하지만 영국의 넬슨 제독에 의해 트라팔가르 해전에서 패하고, 러시아의 지연 작전에 말리는 등 전쟁에 패하면서 자기의 고향인 코르시카섬과 이탈리아반도 사이에 있는 엘바섬으로 1814년 유배를 가게 된다. 여기에서 이듬해인 1815년 극적으로 탈출하여 다시 파리로 들어와 권력을 잡게 되지만, 워털루 전투에서 영국 등에 다시 패하며 이번에는 영국령인 대서양의 외딴섬 세인트헬레나섬으로 6년간 유배된다. 그리고 그곳에서 파란만장한 삶을 마치게 된다.

나폴레옹에게는 영국의 넬슨 제독과 벌인 트라팔가르 해전과 워털루 전투가 자신의 운명을 결정하는 전투였던 셈이다. 프랑스의 변방인 섬에서 태어난 나폴레옹이 결국 섬으로 유배되어 섬에서 생을 마무리하는 것을 보면 인생의 허무함이 느껴지기도 한다.

만델라의 포용과 용서는 로벤섬 감옥에서

아프리카 남쪽 끝에 있는 나라, 남아공의 인권 운동가이자 평화주의자였던 넬슨 만델라 대통령을 기억할 것이다. 처음엔 무장투쟁을 신조로 삼았던 만델라는 남아공 최초로 흑인 대통령이 된 이후에는 자신을 평생 감옥에 가두었던 백인 정권에 대해 보복을 하지 않고 포용과 화합을 선택했다.

그런데 이 만델라가 27년간이나 갇혀 있었던 감옥이 바로 남아공의 유명한 섬에 있는 감옥이다. 이 섬은 남아공 최남단 케이프타운에서 배로 30~40분 거리에 위치한 로벤섬이다. 이 섬은 17세기 네덜란드인들과 영국인들이 남아공을 지배한 이래 수백 년 동안 흑인 정치범들을 가두는 정치범 수용소이자 감옥으로 사용되었다. 지금은 만델라 등을 기념하기 위한 '자유의 기념관'으로 활용되고 있으며, 1999년 유네스코 세계문화유산으로 지정되었다.

만델라는 이 악명 높은 섬 감옥에 갇혀 있으면서도 복수가 아닌 용서를, 적대가 아닌 포용을, 갈등이 아닌 화합을 다짐했다. 또 그것을 대통령이 된 이후에 실천했다. 아마도 그는 27년간 섬에서 바다를 바라보며 비가 와도 젖지 않는 바다의 모습을 닮은 것 같다.

샌프란시스코의 앨커트래즈섬

아마도 미국의 가장 악명 높은 감옥을 꼽으라면 대부분이 샌프란시스

그림 1-16 앨커트래즈섬

코만 가운데에 있는 앨커트래즈섬을 이야기할 것이다. 이 앨커트래즈섬은 영화 〈더 록The Rock〉으로 더욱 유명해졌다. 샌프란시스코만에서 배로 20~30분 거리의 가까운 위치에 있으면서도 험한 해역과 빠른 조류로 탈출이 불가능한 섬 감옥으로 알려진 곳이다.

여기에 전설적인 마피아 알 카포네가 수용되기도 했는데, 1963년 폐쇄될 때까지 탈출에 성공한 사례가 기록되지 않았다. 영화 〈더 록〉은 성공했을 것으로 생각되는 탈출기(성공 여부를 알 수 없는)를 그린 영화다. 지금은 감옥을 체험할 수 있는 관광지로, 샌프란시스코를 방문하는 관광객의 필수 코스 중의 하나다.

유배지에서 중국의 하와이로

서양만이 아니라 중국에서도 섬이 유배지로 사용되었다. 실제로 중국에는 우리나라의 다도해와 같은 섬 지역이 거의 없다. 그래서 중국인들이 우리나라의 서남해안의 크고 작은 섬이 점점이 떠 있는 다도해를 보면 신기해한다.

중국의 섬 중에서 최남단에 있는 섬이 베트남 옆의 하이난섬(海南島)이다. 우리에게는 해남도로 많이 알려져 있다. 그런데 중국의 대륙인 북경이나 중경, 그리고 남경에서 보면 여기만큼 유배지로 좋은 곳도 없다. 중국 황제가 보기에 황실에서 수천 킬로미터 떨어진 변방에 위치한 하이난섬은 유배지로 최적격이었을 것이다. 하이난섬은 그래서 예로부터 유배지로 각광받았다.

송나라 때의 대문호 소동파가 하이난섬으로 유배를 가서 하이난섬을 '하늘의 끝 땅의 끝'이라 부르며 자신의 심정을 표현했다. 하이난섬은 송·원·명대의 왕조를 거쳐 청나라에 이르기까지 정치적인 격변기나 왕위 다툼에서 밀려난 왕족들이 가는 유배지로 계속해서 활용되었다. 추사 김정희가 자신이 제주도에 유배된 심정을 소동파에 빗대어 표현한 것도 소동파가 중국의 가장 남쪽 섬에 유배되었기 때문이다. 조선에서 가장 먼 남쪽 제주도에 자신이 유배된 것과 같다는 심정을 표현한 것이다.

지금의 하이난섬은 중국 최대의 관광지로 명성을 날리고 있다. 그뿐 아니라 매년 4월 새로운 중국 중심의 질서China Standard를 구축하기 위한 전략의 일환으로 야심 차게 추진하는 보아오 포럼의 개최지로 그 명성을 새롭게 하고 있다. 보아오 포럼은 동양의 다보스 포럼이라 불린다. 참으로 격세지감이 아닐 수 없다. 그동안 저평가받아 온 하이난섬이 제대로 평가를 받고 있는 듯하다. 어쨌든 세상일은 알다가도 모를 일이다.

세계의 자연유산이 된 갯벌

세계자연유산 등재의 숨은 의미

얼마 전에 우리나라 갯벌이 유네스코에서 세계자연유산으로 등재되었다는 반가운 소식이 전해졌다. 그동안 몇 차례 시도한 끝에 등재가 된 것이라 그만큼 더 가치가 있어 보인다. 우리의 유산을 넘어 인류의 유산이라는 것을 UN 기구가 공인한 것이고, 앞서 2007년 등재된 제주도 화산섬과 용암동굴에 이어 한국의 세계자연유산으로는 두 번째다.

그러나 전체 갯벌이 등재된 것은 아니고 충남 서천과 전북 고창, 전남 신안, 보성·순천의 갯벌이 세계자연유산으로 최종 결정된 것이다. 이로써 한국은 13개 문화유산과 2개 자연유산 등 총 15개의 세계유산을 보유하게 되었다. 사실 등재 여부와는 무관하게 우리나라의 갯벌이 중요하고 자연적으로도 매우 의미 있는 자연 자원이라는 것에는 변화가 없다. 우리가 그 소중함을 알고 가꾸어 나가면 되는 것이다. 유네스코 지정은 우리의 갯벌을 더 잘 보존하고 체계적으로 관리하라는 것을 의미한다. 우리나라 갯벌은 세계 5대 갯벌에 속하는 것으로 알려져 있다. 캐나다 동부, 미국 동부, 브라질 아마존 연안, 그리고 북해 연안의 갯벌과 함께 가장 넓고 생명력이 풍부한 갯벌로 인정되고 있다. 이번 세계자연유산 지정으로 이런 점을 확실하게 공인받은 셈이다.

그런데 갯벌이라고 다 같은 갯벌이 아니다. 갯벌의 종류가 그만큼 많다. 지리적으로의 갯벌이 다르고, 지질학적으로의 갯벌이 다르다. 강 하구에 위치한 갯벌과 해안가를 따라 위치한 갯벌이 있고, 모래로 이루어진 갯벌과 진흙으로 이루어진 갯벌이 있다. 그리고 이것이 뒤섞인 갯벌이 있다. 그중에서도 가장 생명력이 풍부하고 가치 있는 것이 강과 바다가 만나는 곳에 형성된 하구 갯벌이다. 우리나라의 한강 하구와 강화도 갯벌, 만경강과 동진강이 만나는 새만금 갯벌, 영산강 하구 갯벌, 낙동강 하구 갯벌 등이다.

그런데 잘 살펴보면 북한과의 접경 문제로 막히지 않은 한강 하구 말고는 모조리 그 입구가 막혀 있다. 바다와 강이 소통을 하지 못하니 거기의 갯벌은 더 이상 갯벌이 아닌 것이다. 불행 중 다행인 것은 내륙의 비무장지대인 DMZ처럼 바다에서는 한강 하구가 막히지 않고 타의에 의해 보존되고 있다는 것이다. 남북 단절과 긴장 상황의 역설적인 모습이라 할 수 있다.

2000년 초 나는 해양수산부의 해양환경과장이라는 직책을 맡고 있었다. 당시 가장 큰 현안이 바로 새만금 방조제를 막느냐 마느냐에 관한 것이었다. 당시 해양수산부 장관이 고 노무현 대통령이었다. 당시 새만금 사업을 하려는 농림부와 이를 반대하는 해수부와 환경부 등 정부 부처 간, 그리고 관련 기관들과 NGO들의 격렬한 논의 끝에 새만금 사업은 잠정 유보가 되었다. 하지만 결국 몇 년 후에 재개가 되어 새만금 방조제가 완공되고 새만금호는 담수호의 길을 갔다. 이 새만금 방조제는 길이만도 33킬로미터로 세계에서 가장 긴 방조제다. 그 안에 없어지는 운명의 갯벌 면적이 400헥타르가 넘는다. 다시 말해, 여의도 면적의 140배가 넘는 갯벌이 흔적도 없이 사라졌다. 갯벌의 생명은 바닷물이 주기적으로 밀물과 썰물에 의해 드나드는 데에 있다. 그런데 방조제로 그 숨결이 끊긴 것이다. 당시 새만금 사업의 주목적은 논농사를 짓는 것이었다. 그런데 지금의 새만금 사업은 처음 목적인 논농사는 사라지고, 태양광과 관광지로 그 운명이 바뀌고 말았다. 새만금 사업의 당위성도 갯벌과 함께 상실되고 만 것이다. 이제 새만금의 운명은 억만금을 주고도 되돌리기 어렵게 되었다.

호주 대사관의 외교관과 새만금 철새

유네스코의 세계자연유산 등재 과정에서 우리가 눈여겨봐야 할 것이 있다. 유네스코 세계유산위원회가 한국의 갯벌을 높이 평가한 것이 멸종 위기종인 27종의 철새를 비롯해 2,000종 이상의 생물이 서식하는 곳이라는 점이다. 우리나라 갯벌은 동남아는 물론이고 미국, 호주, 뉴질랜드 등 22개국에 걸친 세계 철새 이동 경로상의 중간 기착지로 중요한 역할을 맡고 있다.

해양환경과장으로 재직 중이던 2000년의 어느 날, 호주 대사관의 외교관이 찾아왔다. 그런데 놀랍게도 그 여성 외교관은 새만금 사업에 대한 해양수산부의 입장을 문의하면서, 새만금이 시베리아에서 호주로 오는 철새의 중요한 중간 기착지라며 절대 없애면 안 된다는 주장을 했다. 참으로 당황스럽기도 하고 놀랍기도 한 이야기였으나, 당시 해양수산부의 입장만으로 새만금 사업을 더 이상 막을 수 없는 상황이라 안타까울 따름이었다. 갑자기 그 호주 대사관의 외교관이 떠오른 것은, 유네스코가 우리 갯벌을 세계자연유산으로 등재해준 중요한 이유 중 하나가 철새의 중간 기착지라고 밝혔기 때문이다. 이런 새만금이 지금은 방조제에 포위되어 그 생명을 다하고 있다.

조개 중에 백합이라는 것이 있다. 새만금 방조제 이전에는 우리나라 백합 생산의 70~80퍼센트가 새만금에서 생산되었다. 백합 하면 새만금이었던 것이다. 하지만 지금의 새만금에는 백합의 껍데기만 하얗게 뒹굴고 있다. 더 이상 갯벌이 아니라는 것을 백합의 껍데기가 몸으로 말해주고 있는 것이다.

곡선의 아름다움과 역간척

과거에 우리는 해안선을 직선화해야 한다며, 리아스식의 굴곡이 많은 우리 해안을 매립하여 국토를 넓히려는 단견적인 정책을 취한 적이 있었다. 실제로 해안 매립을 통해 우리 국토의 육지 면적이 크게 증가했다. 한국국토정보공사(대한지적공사가 이름을 변경함)의 자료에 의하면, 우리나라 육지 면적은 9만 8,477제곱킬로미터에서 지금은 10만 266제곱킬로미터로 증가해 여의도 면적의 617배가 늘어난 것으로 나타나고 있다. 주로 해안 매립에 의한 것으로 그만큼 갯벌이 줄어든 것이다. 이것은 해안선의 변화에서도 나타나는데, 100여 년 전인 1910년과 비교하면 지금의 해안선은 100년간 1,900킬로미터가 감소하여 원래 해안선의 26퍼센트가 사라져버렸다. 그만큼 매립이 이루어지고 해안선이 직선화된 것이다.

물론 지금은 이러한 정책에 여러 가지 변화를 주고 있다. 더욱이 최근에는 역간척이라는 발상의 전환이 보이는 노력을 하고 있어 그 결과가 기대된다. 역간척은 매립을 통해서 육지가 된 과거의 갯벌을 방조제나 둑을 허물어서 다시 바다와 갯벌로 되돌려 주는 것을 말한다. 네덜란드나 독일 등에서 행해지고 있는데, 우리나라에서도 서해안의 폐염전이나 어장 등에서 아주 소규모로 이루어지고 있다. 아주 작은 걸음마이지만 앞으로 큰 걸음을 위한 매우 의미 있는 시도이자 전환이다.

유네스코 세계자연유산 등재는 그 자체도 중요하지만, 더 중요한 것은 우리가 갯벌을 잘 보존하고 훼손을 방지하는 것에 있다. 더 나아가 이미 간척된 갯벌을 복원하는 노력도 중요하다. 갯벌을 매립해 조성한 인천 송도신도시에 '갯벌 타워'라는 이름의 빌딩이 있는데 그 빌딩의 영어 명칭이 'Get Pearl Tower'다. 갯벌에서 미래의 진주를 캐는, 아니 진주를 만들어내는 우리나라의 갯벌이 되었으면 좋겠다. 앞만 보이는 직선보다는 옆도 보이고 가끔은 뒤돌아가기도 하는 곡선이 아름다운 법이다. 새만금과 시화호의 방조제가 사라지고 생명력이 넘치는 갯벌이 복원되어, 그 많던 백합이 꿈틀대기를 바란다.

바다 민족 몽골의 꿈

해수부 차관이 몽골에 출장을 간 사연

"해수부 차관이 바다도 없는 몽골에는 무슨 일로 출장을 갑니까?"

이 질문은 박근혜 정부 시절 황교안 당시 총리의 말이다. 몽골 출장을 수행하는 입장에서 보고하러 들어갔을 때 총리가 집무실에서 물어본 질문이다. 아마도 같은 질문을 다른 직원들도 하고 싶었으리라. 해양수산부 차관이 몽골에 총리의 공식 수행원으로 출장을 가는 것도 의아하지만, 우리나라와 몽골 정부 간에 해운 분야에서의 협력을 다지는 양해각서에 서명하기 위해서였으니 저런 질문이 나올 만도 하다. 바다가 한 뼘도 없는 몽골과 우리나라의 해양수산부가 바다가 있어야 가능한 해운 협력이 왜 필요할까?

내륙국 몽골에도 바다가 있나. 물론 우리가 말하는 바다는 아니다. 몽골 최대의 '홉스굴' 호수인데 홉스굴은 몽골어로 '어머니의 바다'라는 의미다. 세계에서 14번째로 큰 호수로 수심이 260미터가 넘고 호수 둘레가 380킬로미터가 넘는다. 수심 260미터면 서해 바다보다 깊은 것이다. 몽골 사람들은 이 홉스굴 호수를 말 그대로 바다로 여긴다.

몽골은 우리가 생각하는 것보다 훨씬 큰 나라다. 남한의 15배나 되니 말이다. 몽골의 동쪽에서 서쪽까지의 거리가 2,400킬로미터로 우리나라 인천공항에서 몽골의 수도인 울란바토르까지 가는 거리인 2,100킬로미터보다 더 길다. 그런데 전체 인구는 약 300만 명이고 가축 수는 6,000만 마리나 되어서 절대 굶을 일은 없다고 한다. 계속 잡아먹어도 그 사이에 가축들이 또 새끼를 낳고 크기 때문에 줄지 않는다는 우스갯소리도 있다.

칭기즈칸은 바다의 왕

몽골에서 가장 유명한 인물은 누구나 다 알고 있듯 칭기즈칸이다. 몽골에서는 화폐며 공항이며 모든 상징물이 칭기즈칸과 맞닿아 있다. 1162년 태어난 칭기즈칸의 이름은 '강철'이라는 뜻의 '테무친'이다. 1206년 몽골족을 통일하고 칭기즈칸이라는 칭호를 받았다.

'칭기즈'라는 의미에 대해서는 여러 해석이 있으나 '넓은 바다(대양)'라는 의미가 정확한 것 같다. '칸'이 왕이라는 의미이니 칭기즈칸은 '바다의 왕'인 것이다. 이 호칭은 칭기즈칸의 인물에 대한 평가이자 그의 포부와 열정에 관련된 것이기도 하다. 더욱이 몽골의 국기와 국가의 상징물인 '소욤보'를 보면 중간에 물고기 두 마리가 그려져 있다. 이는 물고기처럼 잠을 자지 않고 항상 눈을 뜨고 있는 것을 상징한다고 한다. 물고기가 국기에

그림 1-17 몽골 국기

들어가 있는 국가는 섬나라라고 해도 찾기가 쉽지 않다. 그런데 내륙국 몽골의 국기에 물고기가 있다니, 단순히 신기한 것 이상의 깊은 유래와 의미가 있는 것이다.

몽골 울란바토르의 중앙 광장에 있는 몽골 국립역사박물관의 전문 해설가는 해양수산부 차관으로 방문한 나에게, 과거 몽골은 아마도 해양 대국을 꿈꾸고 있었는지 모른다고 이야기했다. 듣기 좋으라고 그냥 하는 말은 아니었을 것이다.

달라이 라마는 바다의 스승

달라이 라마는 몽골의 종교인 티베트 불교의 최고위직 스님이자 정신적인 지주다. 티베트 불교는 라마교라고도 하는데 '라마'는 큰 스승이라는 뜻이다. 그런데 라마 중 최고위직인 '달라이'는 바로 몽골어로 '바다'라는 의미다. 달라이 라마라는 호칭과 직위는 몽골이 중국과 티베트 등을 지배하던 원나라 시절에 몽골의 칸이 티베트 불교계에 내려준 것이라 한다. 이 두 가지 호칭, 즉 정치 분야의 '칭기즈'와 종교계의 '달라이'라는 호칭은 그 맥이 바다라는 데에 절묘하게 닿아 있다. 이는 우연이 아닌 필연으로 보인다.

잘 알려진 것처럼 14대째인 현재의 달라이 라마는 인도에 망명 중이기는 하나, 아직도 티베트 불교의 최고위직으로 살아 있는 부처로 여겨진다. 라마교에서 달라이 라마 다음의 2인자가 판첸 라마인데 '판첸'은 위대한 학자라는 의미다. 현재는 중국의 지배하에 있는 티베트 내에 거주하면서 중국의 영향권 내에 있다.

몽골의 속세를 지배하는 정치 지도자와 내세를 지배하는 종교 지도자를 상징하는 명칭에 공히 바다라는 의미가 담긴 호칭이 사용되고 있는 것은, 몽골인들에게 바다는 꿈과 희망의 대상이자 지혜의 상징을 의미한다고 할 것이다. 그렇지 않고는 칭기즈칸과 달라이 라마가 나올 수 없다.

그러고 보면 고고학적으로 지금도 소금이 나오는 티베트고원은 한때는 바다였고, 몽골과 중앙아시아의 많은 사막들이 바다였다. 아마도 그들의 바다를 향한 기억과 염원이 DNA 속에 남아 대대로 물림이 되고 있는지도 모르겠다. 어쩌면 몽골인들의 피가 바닷물을 닮아서 우리보다 더 짤 수도 있겠다는 생각이 든다. 그렇지 않고서야 바다 없는 몽골이 어찌 바다를 저리도 사랑할 수 있겠는가. 남미의 안데스산맥의 3~4천 미터 고원에 있는 호수가 과거에는 바다여서 지금도 소금이 생산되는 소금호수이거나 소금을 채취하는 광산이고 보면 충분히 가능한 이야기다.

긴 지구의 역사로 보면 현재와 미래의 위치가 참으로 한순간의 찰나에 불과하다. 오늘의 바다가 내일은 고원과 사막이 되고, 어제의 육지가 오늘은 바닷속 해저에 있으니 말이다. 영원한 삶인 것처럼 역지사지의 자세를 잊어버리고 사는 우리에게, 바다를 잊지 않고 사랑하는 바다 민족 몽골은 많은 것을 시사해준다.

바다를 향한 몽골의 DNA

사실 몽골은 바다가 없어서 풍부한 광물자원을 개발하여 수출하고 싶어도 하지 못한다. 수출 항구를 중국이나 러시아에 의존해야 하는데 그것이 매우 복잡하고 미묘한 문제이기 때문이다. 중국과는 내몽골이라는 미묘한 문제가 있고, 몽골어를 러시아 문자로 표기할 정도로 강력한 후원 국가였던 러시아와도 사이가 예전만 같지 못하다. 또 지리적으로 러시아의 극동 항구는 너무 멀고 기후적으로도 1년에 반을 사용할 수 없는 문제가 있다. 중국의 대련항 등 발해만에 위치한 항구를 사용하는 것이 현실적으로 가장 바람직하지만, 이는 중국의 이해관계에 따라 매우 유동적이고 불안정해서 안정적인 광물 수출이 불가능하다. 언제든지 중국이 마음만 먹으면 몽골의 수출을 단절하거나 엄청나게 지연시킬 수 있기 때문이다. 즉, 몽골의 수출은 중국에 의해 좌지우지되는 것이다.

이러한 상황에서 몽골은 우리나라와의 협력 관계를 통해 당면한 어려움을 타개해보려는 생각을 가지고 있다. 해운 분야의 선진 기술과 자본력을 포함한 여러 가지 목적에서 우리나라와의 해운 분야 협력을 간절히 바라는 것이다.

좀 다른 이야기이지만, 어릴 때 우리 엉덩이에 나타나는 몽고반점은 몽골 사람들보다도 우리나라 사람들에게 나타나는 확률이 더 많아서 90퍼센트 이상 된다고 한다. 또 우리말에 우리도 모르는 사이에 몽골에서 유래된 말들이 많다. 직업이나 사람을 의미하는 '치'가 들어간 단어인 벼슬아치나 장사치, 양아치가 몽골어에서 나온 것이다. 또 '한참을 간다', '한참 걸린다'는 말도 마찬가지다. 몽골 시대에는 정복지를 관리하고 또 상업을 원활하게 하기 위해 육지의 고속도로인 실크로드를 연결하는 중요 지점에 역참을 설치했다. 그런데 보통 역참과 역참 사이가 100리, 즉 40킬로미터였다고 한다. 한참을 간다는 말은 역참과 역참 사이인 40킬로미터를 간다는 말이다. 아주 멀리 간다는 의미로 우리말에 남아 있는 것이다.

오늘도 몽골은 우리에게는 너무나 당연하게 생각되는 바다를 갖기 위해 한 발자국씩 다가가고 있다. 틀림없이 몽골이나 우리의 DNA 속에는 도도히 이어져 오는 바다의 유전자가 흐를 것이다. 두말할 것 없이 몽골과 우리는 다 같은 바다 민족이다.

바다와 노예무역

검은 화물, 노예

오래된 바다 용어에 'black cargo'라는 말이 있다. 검은색 화물이니, 검은 천으로 포장한 화물을 말하나 싶겠지만 아니다. 과거 항해 시대에 노예무역은 소위 돈이 되는 장사였다. 흑인 노예들은 그저 사고팔아 돈을 버는 화물이었다. 그래서 이 흑인 노예들을 당시 검은 화물, 즉 black cargo라고 불렀다. 화물이니 당연히 여객선이 아닌 화물선에 실려 운송이 되었고, 화물이기에 갑판이 아닌 물건을 싣는 배 밑바닥의 화물창에 짐짝처럼 실려서 신대륙으로 팔려갔다.

1800년 전후에는 영국이 전체 노예무역의 절반을 차지할 정도로 노예무역으로 가장 많은 이익을 챙겼다. 그러다가 1833년 개과천선한 영국이 영국인과 영국 선박에 의한 노예무역을 금지했다. 이후에도 신대륙에서

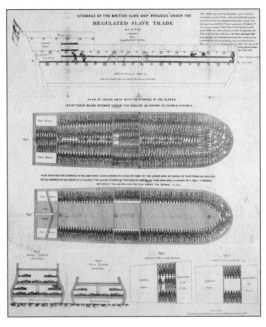

그림 1-18 노예선과 흑인 노예

플랜테이션을 위해 필요로 했던 노예무역은 단속의 눈을 피하거나 다른
나라의 선박을 이용해 성황을 이뤘다. 만약 영국의 단속 함정이 노예무역
선에 접근하면 흑인 노예들은 화물을 버리듯 바다에 그대로 던져지기도
했다. 1833년 노예무역을 금지한 이후 영국은 세계의 주요 항로에서 해군
을 동원해 순찰을 돌면서 노예무역을 적발했다. 이 순찰에서 적발이 되면
당시 노예 1인당 100파운드의 벌금이 부과되었다. 이는 어마어마한 거금
이어서 벌금을 내지 않기 위해 흑인 노예들을 산 채로 바다에 던지기도 했
다. 당시 런던의 1년 평균 집세가 70파운드 정도였으니 100파운드면 지
금의 가치로 수천만 원 정도의 거금이었던 것이다.

신대륙에서 노예가 필요했던 이유는 많은 노동력이 광범위하게 필요한 플랜테이션 농업에 있었다. 18세기 중반에 들어서면서 당시까지 노동력의 공급원이던 아메리카 인디언들이 전염병 등으로 거의 멸종 단계에 이르러 그 인력을 활용할 수 없는 지경이 되었다. 그래서 힘 좋고 뜨거운 기후에도 잘 견디는 아프리카 흑인들이 그 대체 인력이 되었던 것이다. 누구도 정확한 숫자를 알지 못하지만, 최소한 1천만 명에서 2천만 명 정도의 흑인들이 당시 아프리카에서 북미와 중남미로 끌려오거나 팔려와 노예 생활을 했다고 한다. 흑인 노예의 주된 수요처는 많은 인력이 필요한 플랜테이션 농장이었다. 설탕을 만들기 위한 중남미와 카리브해 지역의 사탕수수 농장과 미국 남부 지방의 면화 농사를 위한 면화 농장이 그것이었다.

이 노예들에게 제대로 된 식량이 주어질 리 없었다. 이들에게는 미국 동부와 캐나다에서 엄청나게 잡히던 대구를 소금에 절여 말린 염장 대구가 지급되었는데, 질 좋은 대구와 기타 생선은 유럽 등이나 미국에 판매하고 나머지 질 나쁜 하급품이나 부스러기 등을 모아서 노예들의 식량으로 주었다. 그래도 이러한 염장 대구는 단백질이 풍부하고 영양분이 좋아서 노예들이 힘든 노동을 버티는 데 큰 역할을 했다. 그러고 보면 대구 덕분에 당시 노예들이 살아남을 수 있었다고 해도 과언이 아니다. 참으로 큰 역할을 한 귀한 대구다.

〈어메이징 그레이스〉의 어메이징한 스토리

찬송가 〈어메이징 그레이스〉는 미국인의 영혼이 녹아 있는 노래라 불린다. 당연히 미국인이 가장 많이 부르고 좋아하는 대표적인 찬송가다. 우리의 〈아리랑〉과 같다고 보면 된다. 오바마 전 대통령이 2015년 백인 우월주의 청년의 총기 난사로 희생된 희생자들 장례식에 참석하여 연설하던 말미에 특유의 낮은 목소리로 이 찬송가를 불러 진한 감동을 주었다. 백 마디 연설보다 이 노래 하나가 더 많은 메시지를 주었던 것이다. 낮고 잔잔한 리듬과 가사가 영어를 몰라도 마음에 와닿는 노래다. 이 노래의 원조는 영국이지만 영국에서는 별로 인기를 끌지 못했다. 미국에서는 각광을 받았는데, 특히 남북 전쟁 당시 사망자를 추도하고 전쟁으로 상처받은 이들을 위한 노래로 불리면서 미국인의 영혼의 노래soul song로 자리매김하게 되었다. 1960년대 흑인 인권 운동가들 사이에서도 널리 불렸던 노래다. 최초의 흑인 미국 대통령 오바마가 장례식에서 이 노래를 불러 더욱 세계인의 관심을 받기도 했다.

이 노래 자체는 원래 영국의 민요로 새로 작곡한 노래가 아니다. 현재 불리는 노래의 가사는 18세기 영국 노예선의 선장으로 승선해서 노예무역에 종사했던 성공회 신부 존 뉴턴이 1779년에 지었다. 은혜가 넘치는 찬송가인 〈어메이징 그레이스〉와 노예무역선이라니, 어울리지 않는 조합임에는 틀림이 없다. 이 노래의 가사는 이 신부가 노예무역에 종사하며 저질렀던 잘못에 대해 회개하고, 신에게 자신의 용서를 바라는 가사다. 이 뉴턴 선장은 노예무역선에 승선해 있으면서 평일에는 흑인 노예를 관리했지만, 양심이 찔리고 가책을 느껴 주일인 일요일만큼은 흑인 노예들을 일부러 쳐다보지 않았다고 한다. 과거와 현재가 계속 비교되는 〈어메이징 그레이스〉 가사에 그의 참회가 그대로 녹아 있다.

"I once was lost but now am found, was blind but now I see."

사탕수수 농장의 아픔이 서린 이름, 애니깽

노예무역은 삼각무역 형태로 이루어졌다. 유럽, 아프리카, 신대륙이 삼각점으로 연계되어 신대륙에서는 유럽이 필요한 설탕이나 커피 등을 실어오고, 유럽에서는 신대륙으로 아프리카에서 필요한 공산품과 무기류 등을 운반하고, 아프리카에서는 신대륙으로 노예를 운반하는 형태의 무역이었다. 이 노예무역은 큰 이익이 남는 장사, 즉 선박이 침몰되지만 않는다면 큰돈이 되는 흑자 무역이었고 돈을 버는 cash cow였다.

1833년 영국에서 흑인 노예 제도가 폐지되자 이를 대신할 인력이 필요했다. 기존의 흑인 노예를 계약 근로의 형태로 계속 쓰기도 하고, 대체 인력으로 인도, 중국, 일본, 한국 등 아시아 노동자들을 쓰기도 했다. 따라서 1800년대 후반 들어서 인도와 중국 등 아시아 인력들이 미국이나 멕시코를 비롯한 중남미 등으로 이주를 하게 되었다.

특히 이런 식으로 이주한 조선 노동자들을 '애니깽Anniquin'이라 불렀다. 이들의 삶이 어떠했을지는 굳이 이야기를 하지 않아도 상상이 될 것이다. 지금도 외국에 이주하여 사는 것이 힘든데 당시는 오죽했겠는가. 1900년대 초 우리나라의 한인 이주 1세대를 이야기한 영화 〈애니깽〉은 멕시코 사탕수수 농장의 이야기를 담은 영화로 바로 이 시대의 이야기다. 이들은 숫자는 많지 않으나 특유의 응집력으로 하와이나 멕시코, 쿠바 등에서 조선 독립운동을 지원하는 등 다양한 유산을 남겼다.

라이베리아의 아이러니

아프리카 중서부 대서양 연안에 라이베리아라는 나라가 있다. 1821년 미국의 남부 지역에서 일어난 노예 해방 운동의 하나로 미국에서는 흑인 노예들을 아프리카로 돌려보내자는 운동이 일어났다. 이 운동으로 해방된 노예 중 일부인 80여 명이 다시 아프리카로 돌아와 정착하면서 탄생하게 된 국가가 바로 라이베리아다.

잘 알다시피 국가명 라이베리아는 해방이라는 의미의 라틴어 'liber'에서 나왔다. 이 나라의 수도 명칭이 먼로비아Monrovia인데 1824년 라이베리아 독립 당시 미국의 대통령이던 제임스 먼로에게 감사하다는 의미에서 그 이름을 따서 지은 것이다. 따라서 국기도 미국 국기와 매우 유사하다. 미국의 후원으로 미국 노예 출신의 흑인들이 아프리카에 역으로 흑인 식민지를 만들었고, 이를 바탕으로 탄생한 국가가 라이베리아로 보면 된다.

여하튼 이렇게 아프리카로 다시 돌아온 노예 출신 흑인들은 신대륙에서 자기들이 당하던 형태를 그대로 따라 하게 된다. 현지의 흑인들을 노예 형태로 고용하고 플랜테이션 농업 형태를 도입하여, 자기들은 지주가 되어 서양식 주택에 거주하며 영어를 쓰는 등 아이러니한 상황을 보여주었다. 흑인 노예 출신을 위한 흑인 노예가 탄생한 것이다. 라이베리아는 독립 이후 이러한 어긋난 사회 구조와 배경 때문에 최근까지도 국내문제가 복잡하여 쿠데타와 내전 등으로 내부 갈등을 겪고 있다. 역사의 이면을 알면 참으로 아이러니한 일들이 많다.

미국 달러의 원조

조개껍질과 돈

돈이라는 것이 인간 세상에 나오기 전에는 물물교환을 통해 교역을 했다. 특히 부족 간에는 물물교환이 가장 정확한 교역의 방법이었다. 교역의 규모가 커지고 장거리가 되면서 물물교환이 물리적으로 불가능하게 되자 돈이라는 교환 수단이 나오게 된 것이다. 그리고 처음에는 소금이나 조개 껍데기처럼 자연에서 얻어지는 것 중 귀한 것들을 사용했으나 점차 금화나 은화, 동전으로 변화하다가 가볍고 부피가 작아 휴대하기 편리한 현재의 지폐로 발전했다.

우리나라의 '돈' 어원은 돌고 돈다는 의미에서 나왔다는 설이 있는데, 이 것은 최근의 해석에 기인한 것으로 보인다. 역사적으로는 신석기 시대와 청동기 시대를 거치면서 돌로 화폐를 대신하는 '돌 돈'을 만들어 사용했는데 여기에서 기원했다는 설이 있다. 그리고 중국의 옛날 돈인 도전刀錢에서 유래했다는 설도 있다. 실제 우리나라에서 지금도 금의 무게를 한 돈, 두 돈 하는 걸 보면 화폐로 사용하던 돌에서 돈이 나왔을 가능성이 높다.

동양에서 돈을 의미하는 한자는 모두 바닷가의 조개와 관련이 있다. 財物, 賂物, 財産, 貨幣 등이 그것이다. 옛날에 화폐가 나오기 전에 매우 독특한 모양과 빛이 있는 조개가 돈의 역할을 했던 것에 기인한다. 그렇다면 조개껍데기를 마음대로 얻을 수 있는 바닷가 사람들은 부자였을까? 실제로는 그렇지 않아서, 이 조개껍데기는 조개를 쉽게 접할 수 없는 내륙 지방의 사람들 간에 주로 화폐로 사용되었다고 한다. 어쨌든 동양에서 돈의 원조는 바다다. 바다가 부의 원천인 셈이다.

money는 로마 신전에서 나왔다

돈을 의미하는 영어 money는 로마 시대에 황제의 얼굴이 새겨진 금화나 은화를 주조하던 장소에서 나왔다. 로마 시대는 모네타Moneta 신전에서 주전鑄錢을 했는데, 이 여신의 이름 모네타에서 money가 기원했다고 한다. 같은 맥락으로 영국의 화폐 pound는 로마의 귀금속 무게를 재던 단위인 libra에서 나온 것으로, 지금도 영국의 파운드 단위가 약자로 £로 쓰이는 이유다.

그리고 보면 우리가 알고 있는 것처럼 유럽의 문화의 원류는 파고 들어가면 결국은 로마나 그리스가 된다. 그리스 사람들이 지난번 금융 위기 당시, 2천 년 동안 유럽 국가들이 그리스에게 진 빚을 갚으라고 진담 섞인 농담을 했던 것이 이해가 되고도 남는다.

스페인의 은화에서 유래한 미국 달러

미국은 신대륙을 발견하고 세계 해양을 제패하면서 16~17세기 세계 경제를 쥐락펴락했던 스페인의 영향을 많이 받았다. 유럽의 최대 부자 가문 중 하나인 이탈리아의 메디치가는 피렌체의 금화와 동일한 가치를 가진 은화를 독일의 티롤에서 발행했는데, 이것이 탈러thaler였다. 이후 스페인에서도 동일한 가치의 은화 탈레로talero를 주조했다. 그리고 이것이 신대륙으로 넘어가 통용되면서 달러dollar가 된 것이다. 미국이 영국으로부터 독립하는 마당에 영국의 파운드를 받아서 사용할 수는 없었기에, 당시 유럽에서 일반적으로 가장 많이 사용하고 있던 스페인의 탈레로를 받아들여 달러로 쓰게 된 것은 어쩌면 당연한 일이었다. 마찬가지로 달러 표시를 할 때 쓰는 $는 스페인의 페르디난드 왕(이슬람의 이베리아반도 내 마지막 거점이던 그라나다 왕국을 함락시키고 이베리아반도를 통일시킨 왕)이 통치하던 아라곤 왕국의 화폐 단위로, 이베리아반도 통일을 기념하기 위하여 자신의 문장인 'S'에다 두 줄(당시 지브롤터해협에서 지구를 받치던 신화 속의 인물인 헤라클

그림1 19 스페인 달러

레스의 두 개의 기둥을 의미한다)을 세로로 그은 문장을 사용했다. 신대륙 발견 이후 스페인에서 제조한 금화나 은화에는 이러한 마크가 찍혀 있었다. 당시 최강국이던 스페인의 이러한 화폐 표기를 미국이 받아들였던 것이다. 실제로 미국에서 달러가 공식 화폐 단위가 된 것은 독립 이후인 1792년이 되어서였다.

그러고 보면 영국의 식민지였던 미국은 본국이던 영국의 제도를 따른 것들도 물론 있지만, 그에 못지않게 신대륙을 발견하고 초기에 중남미를 경략한 스페인의 유산을 많이 물려받았다. 그러기에 미국 서부의 대부분 지명이 샌프란시스코나 로스앤젤레스처럼 스페인어에서 나온 것이 많다. 물론 멕시코에게서 강제로 빼앗은 것이지만 말이다.

물, 술 그리고 바다

물 대신 와인

대항해 시대 선원이나 승선 여객들에게 가장 중요한 필수품은 음식과 신선한 물이었다. 햇볕은 내리쬐고 육지는 보이지 않는 망망대해에서 물은 그야말로 생명수였다. 그런데 물은 열기와 습기 등으로 쉽게 변질이 되거나 식수로 적합하지 않게 된다. 그래서 대항해 시대에 물을 어떻게 신선하게 보관할 수 있는가는 매우 중요한 과제였다. 이것이 어려우면 물을 대체할 수 있는 다른 무엇인가가 필요했다. 바로 그것이 잘 상하지 않는 와인이나 맥주였고, 이것들을 싣고 다니며 물 대신 마셨다. 뱃사람들에게 와인이나 맥주는 술로 먹는 것이 아니라 물 대신 마시는 생명수였던 것이다. 그래서 하루에 1인당 1리터씩 배분하여 배급하는 식으로 엄격하게 양을 정했다.

이러한 전통은 오랫동안 이어져 과거 선원들은 배에서 물 대신 와인이나 맥주를 마시며 항해를 했다. 좀 더 장거리를 항해하는 선원들은 셰리 같은 제법 도수가 나가는 술을 마시면서 항해를 하기도 했다. 최근까지도 유럽 등에서는 해군이나 선원들에게 일정한 정도의 와인이나 럼주 등을 제공해왔다. 어찌 보면 합법적인 음주 항해인 셈이다. 물이 부족한 상황에서 불가피한 방법이라 그것이 하나의 관습처럼 굳어져 내려왔다. 주위 눈치 때문에 술을 마시지 못하는 애주가가 있다면 타임머신을 타고 대항해시대로 돌아가 대양을 항해하는 선원이 되어보는 것도 좋을 것이다. 직장생활을 하면서 매일 물 대신 술을 마실 수 있으니 말이다.

물론 요즘은 배에서 술을 마시고 항해하는 것이 금지되어 있다. 과거와는 비교할 수 없을 정도로 배가 많아지고 항해도 복잡해졌기 때문에 지금은 항해하면서 음주를 한다는 건 상상할 수도 없는 일이 되었다. 그래도 만일을 위해서 요즘은 육상의 도로에서 자동차 운전자를 대상으로 음주 측정을 하듯이, 가끔 해양경찰이 선박의 선장이나 항해사를 대상으로 음주 측정을 한다.

보드카는 물이다

독하기로 유명한 러시아의 보드카vodka가 물이라고 한다. 어리둥절하겠지만 보드카는 물이 맞다. 러시아의 대표적인 술인 보드카는 '물'이라는 뜻을 갖는 러시아어 '바다вода'에서 나왔다. 보드카는 바다의 변형이자 애칭이다. 우연치고는 참으로 기막힌 우연이다. 그런데 결코 우연은 아니다. 추운 겨울을 이겨 내야 하는 러시아 사람들은 보드카 자체를 작은 잔에 따라

털어 넣듯이 마시지만, 실제로 보드카 자체는 무색무취의 맛이 없는 증류주다. 그래서 서구에서는 일반적으로 칵테일이나 다른 향을 추가하여 마신다.

그런데 아이러니하게도 가장 유명한 보드카인 스미르노프 보드카는 러시아산이 아니다. 미국산이다. 1917년 당시 러시아 볼셰비키 혁명으로 러시아 내에서 보드카 제조와 판매가 금지되자 '스미르노프'라는 당시 러시아에서 가장 유명한 보드카 제조업자가 미국으로 망명했다. 그러고는 자기 이름을 딴 보드카를 제조하여 미국에서 판매했다. 이것이 세계에서 가장 유명한 보드카 브랜드 '스미르노프 보드카'다. 러시아에서 바다를 건너간 망명 보드카가 원조 러시아 본국의 보드카를 제친 것이다. 시장의 힘을 보여주는 좋은 사례다.

러시아 인근의 스칸디나비아 국가도 보드카를 즐기는데 스웨덴의 앱솔루트 보드카가 유명하다. 이러한 보드카는 감자나 옥수수 등 곡물을 원료로 해서 만든 증류주인데, 집 밖 눈 속에 몇 시간 놓아두면 젤처럼 끈적이는 액체가 된다. 이것을 따라서 목 넘김을 느끼면서 마시는 것이 최고의 보드카를 즐기는 방법이라고 한다.

배의 흔들림이 빚은 세리 와인

자연의 힘은 항상 놀라워서 우리가 알지 못하는 사이에 뜻밖의 새로운 선물을 주기도 한다. 초기 대항해 시대에는 알코올 도수가 낮은 와인은 배에 보관하기가 쉽지 않아 자주 상하곤 했다. 따라서 이를 해결하고자 보통의 와인에다 알코올 도수가 높은 증류주인 브랜디를 섞어서 배에 싣고 다니면서 물 대신 마시게 되었는데, 이것이 알코올 도수가 높은 와인인 셰리 와인이 되었다. 셰리 와인은 항해에 필요한 현실적인 수요에 의해서 만들어진 바다 항해용 맞춤형 술인 것이다.

더욱이 대항해 시대에는 배의 안전성을 높여주기 위해 만든 선박 평형수 밸러스트에 물 대신 와인이나 술을 싣고 항해를 하기도 했다. 이렇게 배 밑바닥에 실린 술이 어두운 곳에서 항해를 하는 동안 자연스럽게 다양한 온도와 출렁거림을 겪으며 숙성이 되었고 맛도 좋았다. 이 술이 인기를 얻게 되자 선원들의 마시는 물을 대신하기 위한 술통이 아니라 돈을 벌기 위한 숙성용 술통을 싣고 대양을 건너기에 이르렀다. 이렇게 해서 셰리 와인은 선원의 음료수를 넘어서 바다라는 자연이 빚은 대표적 와인으로 대중적인 인기를 얻게 되었다.

런던 진London Gin으로 유명한 술인 진은 사실 영국의 술이 아니라 17세기 네덜란드가 해양을 제패하던 당시에 네덜란드에서 개발된 술이다. 호밀 등 곡물을 원료로 하여 만들어진 무색무취의 증류주다. 보드카와 아주 유사해서 보드카와 더불어 칵테일의 베이스로 많이 활용되고 있다. 대중적이면서도 도수가 높은 저렴한 서민용 술인 진은 대항해 시대에 네덜란드 선원들이 항해 중에 물 대신 마셨다. 그런데 진이 영국으로 건너가자 도수는 높은데 값은 저렴해서 엄청난 인기를 끌었다. 이렇게 비싼 영국산 위스키나 맥주 대신 대중화된 것이 런던 진이다.

좋은 것도 지나치면 문제가 된다고 했던가. 얼마나 영국 사람들이 진을 좋아했는지 진에 의한 알코올 중독이 큰 사회문제가 되기도 했다. 그리하여 1751년에는 진 규제법을 제정하기에 이르렀다. 세상의 이치는 과유불급過猶不及이다.

럼주와 그로기

대항해 시대의 전반기에는 항해 중에 주로 와인이나 맥주가 식수 대신 제공되었지만, 18세기에 접어들면서는 싸고 맛도 좋은 럼주가 선원들과 해군들에게 보급되었다. 당시 카리브해 지역에서는 설탕을 만드는 설탕 공장들이 성행했는데, 이 설탕을 만드는 원료인 사탕수수를 흑인 노예를 이용한 플랜테이션 농법으로 경작했다.

무더운 카리브해 섬 지역이나 남미에서 재배하던 사탕수수를 설탕으로 만들기 위해서는, 사탕수수를 으깬 후에 즙을 짜서 이를 불로 졸여야 하는데 이 과정에서 남게 되는 찌꺼기가 바로 당밀이다. 이 당밀을 버리지 않고 발효시켜 만든 저렴한 발효 증류주가 바로 럼rum주다. '럼'이라는 말은 라틴어 '강하다', '흥분하다'에서 나온 것으로 격렬한 남미 춤의 하나인 룸바rumba도 럼과 같은 의미의 어원을 가진 것이다. 말 그대로 룸바는 댄스 중 가장 격렬하고 도발적인 춤으로 아주 격정적이다.

럼주는 사탕수수 찌꺼기인 당밀을 원료로 만들었기 때문에 가격이 매우 싸서 초기에는 카리브해의 흑인 노예나 저소득층에서 즐기던 술이었다. 이런 배경 때문에 지금도 럼주는 해적의 술이니, 뱃사람들의 술이니, 하는 수식어가 따라붙는다. 초창기 럼주는 도수는 높은데 가격이 매우 저렴하고 쉽게 구할 수 있어서 해적선에 잔뜩 싣고 다녔고, 실제로 해적들에게 인기가 있었다. 카리브해의 해적이 나오는 영화에서 해적질에 성공한 후 해적선 선장과 그 부하들이 축하주로 턱수염을 적시면서 호탕하게 먹는 술이 바로 럼주다.

그러다가 미국이 독립하면서 미국인들에게 영국산 위스키나 유럽의 와인은 영국이라는 점과 가격 때문에 외면당하고, 저렴하면서도 신대륙에서 만들었다는 이유로 점차 럼주가 인기를 끌게 되었다. 1756년 영국 해군을 비롯하여 주요국의 해군에서도 값싸고 보관하기 쉬운 럼주를 지급하면서 전 세계 해군에 널리 퍼지게 되었고, 해군을 포함한 바닷사람들이 마시는 술이라는 인식이 확고하게 자리 잡았다.

알코올 도수가 높았기에 1:4의 비율로 물을 타서 지급했다고 한다. 이렇게 희석한 술을 그로그grog라고 불렸는데, 이런 그로그를 마시고도 가끔 취하는 선원들이 있었다. 그리고 이렇게 취해서 약간 비틀거리는 모습을 그로기groggy 상태라고 불렀다. 이것이 복싱 용어로 도입되면서 복싱 경기에서 상대방에게 강펀치를 맞고 비틀거리는 모습을 그로기 상태라고 하는 것이다.

영국 수병들은 넬슨의 피를 마신다

한편, 식민지 쟁탈이 한창이던 19세기 초 스페인의 남쪽 지브롤터 인근에 위치한 트라팔가르Trafalgar에서 유럽의 명운을 건 해전이 발발한다. 트라팔가르 해전은 1805년 식민지 영유권을 둘러싼 넬슨 제독의 영국 해군과, 나폴레옹의 프랑스와 스페인 연합 해군 사이의 감정의 골이 깊은 전쟁이다. 영국으로서는 식민지 지배뿐만 아니라 나폴레옹의 영국 본토 점령을 저지하느냐 마느냐의 사활이 걸린 해전이었다.

당시 해군 제독으로 이 해전을 승리로 이끈 넬슨은 이 해전에서 전사하

그림 1-20 넬슨즈 블러드를 지급받는 영국 수병들

게 되는데, 부하들이 시신의 부패를 방지하기 위해 럼주가 가득 담긴 술통에 넬슨의 시신을 넣어 본국으로 운반하기로 했다. 그런데 병사들이 넬슨을 존경하는 의미로 럼주 술통에 있던 럼주를 한 잔 두 잔 따라서 마시기 시작해, 영국에 도착해 보니 럼주 술통에 럼주가 하나도 남아 있지 않았다고 한다. 이후 영국 해군에서는 넬슨의 희생을 기리고 유대감을 고취하기 위해 해군에게 지급하는 럼주를 '넬슨의 피'라는 의미로 '넬슨즈 블러드Nelson's blood'라고 부르는 전통이 생겼다. 아마도 자랑스럽고 존경하는 넬슨 제독의 후예이자 피로 맺은 전우라는 정도의 의미일 것이다. 실제로 영국 해군에서는 1970년대까지 매일 해군에서 근무하는 수병들에게 넬슨즈 블러드 2분의 1파인트(300cc 정도)를 지급하는 것이 관습이었다.

우리나라에 넬슨 제독보다 더 훌륭한 장군이 있으니, 바로 임진왜란이라는 국난의 벼랑 끝에서 조선을 구한 충무공 이순신 장군이다. 《난중일기》에는 이순신 장군도 술을 즐겨 했다는 기록이 있다. 넬슨즈 블러드처럼 우리 해군도 이순신 장군을 기리는 술 하나 정도는 가지고 있어도 되지 않을까 싶다. 물론 술을 마시며 전투를 하라는 의미는 아니고 상징적인 의미로 하나쯤 있으면 어떨까 한다는 것이다. 외국은 보잘것없고 아무것도 아닌 것을 그럴듯하게 스토리를 입히고 각색하여, 그것이 시간이 지나면 제법 멋진 전통이 되게 한다. 그런데 우리나라는 그런 면에서 많이 인색하다. 아쉬운 면이다.

운하를 장악하라

수에즈운하

전 세계 수출입 물동량의 90퍼센트가 바다를 통해서 이루어진다. 그래서 해운을 세계무역과 경제의 핏줄이라고 한다. 정확한 표현이다. 북한으로 인해 섬나라와 마찬가지인 우리나라는 수출입 물동량의 99.7퍼센트가 바다를 통해서 오고 간다. 말 그대로 수출입은 전부 다 선박을 통해서 이루어진다고 보면 된다.

2021년 3월 세계 해상 물류의 핵심통로의 하나인 수에즈운하 중간에 22,000개의 컨테이너를 실은 초대형 선박이 좌초되면서 운하를 가로막아 운하 통행이 완전 중단되는 사고가 발생했다. 이 선박은 길이 400미터, 넓이 80미터에 달하는 축구장 4~5개 크기의 움직이는 땅덩어리였다.

수에즈운하는 이집트 시나이반도에 위치하고 있는데, 이 운하를 경계로 하여 아프리카와 아시아 대륙이 나뉜다. 이 운하는 당초 프랑스가 계획했으나 영국에 의해 1869년에 완공되어 영국이 운영하고 관리해왔다. 1956년 이집트의 영웅 나세르 대통령에 의해 국유화되어 그 이후부터는 이집트가 운영하고 있다. 운하라고 하지만 그 길이만도 165킬로미터에 달하고 폭은 지역마다 다소 차이는 있으나 200미터 정도로, 통과하는 데만도 15시간 정도 소요되는 엄청난 규모의 국제 항로다. 연간 2만 척 가까운 선박이 수에즈운하를 통과하고 있고, 아시아와 유럽을 연결하는 항로에서는 없어서는 안 될 중요한 시설이다. 수에즈운하의 마비는 곧 세계 물류의 마비를 의미한다.

수에즈운하는 전 세계 물동량의 12퍼센트를 담당하고 있는 말 그대로 물류의 허브다. 이 운하를 선박이 이용하지 못하면 아시아에서 유럽으로 가는 바다의 항로는 아프리카의 남단인 남아공의 희망봉을 돌아서 가야 한다. 이렇게 되면 거리로는 약 10,000킬로미터가 추가되며 시간적으로는 1주일에서 2주일 정도가 추가로 소요된다. 엄청난 우회로의 부담을 지게 되면서 세계 경제에 먹구름을 몰고 오는 것이다.

그렇지 않아도 급등하고 있는 해운 운임이나 물류비 등이 더 큰 폭으로 상승할 것이고, 이는 세계 경제는 물론 국가 경제에 영향을 줄 것이다. 세계적인 해운 전문 매체인 〈로이즈 리스트〉는 이번 수에즈운하 사고로 인해 전 세계적으로 시간당 4억 달러, 즉 우리 돈으로 4,500억 원의 비용이 추가로 발생할 거라고 보도했다. 충분히 예상되는 규모다. 운하의 경제학을 다시 써야 할 때다.

갑문이 필요한 파나마운하

수에즈운하와 쌍벽을 이루는 중요한 운하가 파나마운하다. 이 두 운하의 실질적인 운영에는 현재 미국이 깊숙이 개입되어 그 영향권 내에 있다고 보면 된다. 파나마운하도 당초에는 프랑스에 의해 추진되었으나 결국 미국에 의해 완공되었다. 그 과정은 매우 복잡하게 전개되었다. 당시 그 지역을 지배하고 있던 콜롬비아가 운하 건설을 반대하자 콜롬비아로부터 파나마가 독립할 수 있도록 미국이 지원하여 파나마를 독립시킨 후 파나마운하를 건설한 것이다.

파나마운하는 수에즈운하와는 달리 평지가 아닌 수십 미터 높은 지역에 위치한 호수를 이용하는 운하다. 따라서 파나마운하는 수십 미터의 높이를 극복하기 위해 3개의 갑문을 이용하여 배를 위로 올리고 또 내린다. 참으로 인간의 열정과 아이디어는 대단하다. 미국은 당초 파나마운하에 대한 독점적 운영권을 부여받아 운영하다 1999년 파나마에 이관했으나, 지금도 핵심 운영 인력은 미국인들이 담당하고 있다. 파나마는 화폐에 있어서도 미국 달러를 그대로 쓰는 등 중남미 국가 중 미국의 영향력 안에 있는 대표적인 국가로 분류되고 있다.

파나마운하는 전장 80킬로미터로 남미의 마젤란해협을 통과하는 것에 비해 15,000킬로미터를 단축하는 항로다. 이처럼 국제 해운 항로에 있어서 절대적인 역할을 담당하는 운하로 연간 15,000척의 선박이 이용한다. 운하를 통과할 수 있는 최대 규모의 선박을 파나맥스Panamax 선박이라고 분류할 정도로 해운에 미치는 영향력은 절대적이다. 마찬가지로 수에즈운하도 수에즈맥스Suezmax 선박이 수에즈운하를 통과하는 최대 규모의 선박이다.

흥미로운 것은 파나마운하나 수에즈운하 모두 계획과 착공은 프랑스에서 했다는 사실이다. 그런데 완공은 모두 프랑스 몫이 아니었다. 탁월한 선견지명은 있었으되 마무리하는 열정과 전략은 부족해서 그랬던 걸까. 이중 한 곳이라도 프랑스 영향권 내에 두었다면 세계 역사는 또 달라지지 않았을까.

운하와 해협을 잡아라

세계 해상 항로에 있어 가장 중요한 3곳을 꼽으라면 아마도 수에즈운하와 파나마운하, 그리고 동남아에서 가장 중요한 해협인 싱가포르 인근 믈라카Melaka해협(옛 이름: 말라카Malacca해협)을 꼽을 것이다. 그런데 공교롭게도 이 3곳이 모두 미국의 영향권 내에 있다는 것은 우연의 일치가 아니다.

미국은 세계 전략상 해군을 통한 힘의 우위 전략을 견지하고 있는데 이는 과거 영국이 대영제국 시절 견지했던 전략과 동일하다. 해군 함정은(일반 선박도 마찬가지) 육지와 동일하게 자국의 영토로 인정되며 UN 해양법협약에 의해 공해상에서의 항행 자유권과 무해 통항권이 인정된다. 아마도 전 세계에서 이 두 권리를 가장 선호하고 향유하는 국가가 해양 국가이자 패권 국가인 미국일 것이다. 그만큼 해군력은 미국이 세계를 경영하는 국가 전략의 핵심 자산이며 중추 전력인 것이다. 미국의 해군은 실제로 공군과 버금가는 전투기를 보유하고 있다. 그만큼 해군의 중요성을 크게 보고 있는 것이다. 믿기 어렵지만 사실이다.

지정학적 또는 국제 역학적으로 매우 중요한 지역을 '초크 포인트choke

point'라고 한다. 직역하면 '숨통이나 급소를 일컫는 지역'이라는 뜻으로, 지리적으로 매우 중요하다는 의미다. 앞에서 말한 두 운하와 믈라카해협에 더하여 지브롤터해협, 보스포루스해협, 호르무즈해협 등이 이 초크 포인트에 해당한다. 지브롤터해협은 지중해와 대서양을 연결하는 아프리카와 유럽 사이의 15킬로미터 넓이의 해협으로 영국의 영향력하에 있다. 보스포루스해협은 유럽과 아시아를 나누는 경계 사이에 위치하여 지중해와 흑해를 연결하는 곳이다. 가장 좁은 폭은 1킬로미터도 안 되는 해협으로 터키의 영해 내에 속한다. 호르무즈해협은 중동의 페르시아만과 인도양을 연결하는 원유 수송로에 위치한 30킬로미터 넓이의 해협으로 이란의 영향권 내에 있다.

역사 이래로 이러한 지역들을 장악하기 위해 수많은 전쟁이 벌어졌다. 그리고 그 지역을 차지한 국가가 수없이 바뀌곤 했다. 운하와 해협을 장악하는 세력이 세계를 지배했던 것이다.

중국몽의 실현을 위한 '대체 운하 찾기'

중국은 믈라카해협의 대안으로 태평양과 인도양을 연결하는 태국 남부의 크라 지역을 관통하는 135킬로미터 길이의 크라운하를 건설하는 계획을 태국 정부와 논의하여 추진하고 있다. 이 지역은 과거 17세기부터 운하의 최적지로 여겨져 운하 건설이 논의되고 실제로 추진되기도 했던 지역이다. 그러나 중국이나 태국의 희망에도 불구하고 경제적인 이유나 국제정치적인 역학 구조상 제대로 추진이 되지 않고 있는 상황이다.

만약 이 운하가 건실되기만 한다면 중국은 미국의 눈치 볼 것 없이 인도양과 태평양을 드나들 수 있다. 자국의 영향하에 있는 크라운하를 통하면 되기 때문에 굳이 미국 영향하에 있는 플라카해협을 통항할 이유가 없는 것이다. 반면 현재 플라카해협이라는 국제 통항로가 있어 지리적인 이점을 한껏 누리고 있는 싱가포르나 말레이시아, 인도네시아 등은 큰 타격을 입을 것이 자명하다. 따라서 크라운하는 복잡한 계산 속에서 그 운명이 결정될 것으로 보인다.

이와 유사한 케이스가 바로 중남미 태평양과 대서양을 연결하는 파나마운하를 대체하고자 하는 니카라과운하다. 이 운하 역시 중국이 건설을 추진하고 있다. 중국 영향권 내에 있는 태평양과 대서양을 연결하는 운하를 갖고자 하는 중국의 세계 전략의 하나로 추진되고 있는 것이다. 니카라과는 중남미에서 반미적인 성향이 강한 국가이기도 하지만, 20세기 초 파나마운하가 프랑스에 의해 추진되다가 미국이 인수할 당시에도 미국에서는 파나마운하보다는 니카라과운하의 건설이 더 효과적이라는 평가가 있었다. 그만큼 운하를 건설하기에 유리한 조건이기도 하고, 중간에 연결 가능한 대규모 호수가 있기도 하다. 그러나 이 니카라과운하는 당초 2020년경 운영을 목표로 했으나 경제적인 문제 등으로 제대로 추진되지 못하고 있다.

19세기 수에즈운하와 파나마운하는 프랑스에 의해 추진되었지만 결국 영국이나 미국에 의해 완성되었다. 150년이 지난 지금 두 운하를 대체하는 운하 건설을 중국이 주도하여 추진하고 있다는 것은 매우 의미심장하다. 운하는 중국몽中國夢을 실현시키는 주요한 수단이다. 유라시아 대륙을 관통하는 내륙의 철도를 통한 철의 실크로드와 바다에서의 항로를 통한 해양 실크로드(진주 목걸이 전략이나 일대일로 전략)를 구축하고자 하는 것이 중국몽이다. 이를 통해 세계의 제국이자 미국을 대체하는 패권 국가로 발돋움하고자 하는 것이다. 중국은 이에 더해 러시아와 손잡고 북극 항로를 이용한 북극 실크로드를 구상하고 있다.

운하를 둘러싼 경쟁의 결과도 궁금하지만, 이에 대응하는 우리나라의 전략은 어떠해야 할지 고민이 커지는 때다. 그냥 넋 놓고 있다가 조선 말기의 우왕좌왕하는 모습을 재현해서는 안 되기 때문이다.

내륙 운하 이야기

수에즈나 파나마 등 국제 항로에서의 운하가 국제 역학 관계에서 매우 긴요한 역할을 한 것처럼 한 국가 내에 있는 내륙 운하도 정치적으로 매우 중요한 역할을 한다.

중국의 대운하는 현재까지 정상적으로 사용되는 운하로, 북쪽 베이징에서 남쪽 항저우까지 2,000킬로미터 정도 되는 내륙 운하다. 남쪽과 북쪽의 핵심인 두 도시의 앞글자를 따서 경항京抗운하로 불린다. 물론 현재는 기차나 도로 등 다른 운송 수단이 발달하여 과거와 같은 기능은 발휘하지 못하고 있으나, 물길 자체는 유지되고 있어 그 문화적인 가치가 매우 크다. 경항운하의 시기는 우리나라 삼국 시대까지 거슬러 올라간다. 수나라 양제(재위 기간 604~618년) 때 건설이 시작되어서 13세기에 가서야 완공되었는데, 산물이 풍부한 남부 지방의 물품을 북쪽의 베이징으로 운송하기 위해 건설한 운하다. 북쪽에 동서 산악을 중심으로 하는 방어를 위한 만리장성이 있다면, 남북으로는 강과 호수를 연결하는 5천 리 물길 경항운하가 있는 것이다.

인류 역사상 최초의 인공 수로가 기원전 4,000년경 이라크와 시리아 지역에서 굴착되어 실제로 사용되었다고 하니 그 역사가 매우 깊다. 영국에서는 로마 시대 때부터 내륙 수로가 굴착되어 약 7,000킬로미터에 달할 정도로 매우 치밀하게 발달되어 있었다. 최근에는 물류보다는 주로 관광이나 환경 사업 등에 치중하여 이용되고 있다.

유럽 대륙에서 가장 유명한 운하는 전장 3,400킬로미터에 달하고 현재도 활발하게 활용되고 있는 국제운하인 RMD(Rhine강, Main강, Donau강) 운하다. 이 운하는 유럽의 15개국이 직간접적으로 참여하는 내륙 운하이자 국제운하다. 유럽 물류에 있어서 없어서는 안 될 핵심 기반 시설인 것이다.

미국이나 캐나다의 경우도 미시시피강과 허드슨강을 연결하는 운하가 있고, 5대호 인근에 있는 소규모 운하 등 수많은 운하가 건설되어 있다. 해상 교통 물류와 관광 목적 등으로 현재까지도 활발하게 그 기능을 발휘하고 있다.

안면도는 섬이 아니라 육지였다

우리나라에도 당연히 운하가 있다. 다른 나라에 비해 종심이 짧은 까닭에 소규모의 운하가 건설되었는데 그중 대표적인 것이 충청남도 안면도의 판목운하다. 원래 안면도는 섬이 아닌 육지였다. 조선 시대 호남 지방에서 올라오는 세곡선이 자주 풍랑을 만나 피해를 보는 일이 벌어지자 이를 막기 위해 안면도와 육지 사이, 즉 천수만과 서해를 연결하는 곳에 300미터 길이의 판목운하를 만들었다. 이 운하를 통해 세곡선이 운항하도록 해서 그 피해를 줄이려 했던 것이다.

이 판목운하를 건설하게 된 것이 인조 때인 1638년이었다. 이 판목운하는 고려 시대인 12세기부터 운하를 건설하고자 했다는 이야기가 기록에 나오지만, 결국 500년 후에야 운하가 개통되었다. 그만큼 험한 해역으로 피해가 많았던 모양인지 지금도 그 해역에서는 침몰된 수많은 난파선의 흔적들이 발견되고 있다. 고려 시대부터 조선 시대에 이르는 각종 청자와 자기가 그것이다.

이 운하가 개통되고 난 이후에 편안하게 잠잘 수 있게 되었다 해서, 졸지에 새롭게 섬이 된 그 섬 이름을 안면도安眠島라 지었다고 한다. 사실 천수만과 북쪽의 가로림만을 연결하는 8킬로미터 정도 길이의 굴포운하도 여러 차례 시도되어 실제로 굴착이 이루어지기도 했으나, 중간쯤 굴착했을 때 엄청나게 큰 암반이 나와 실패하고 그 흔적만 남았다. 이 굴포운하가 성공했다면 조선 시대 우리 해양 역사에 한 획을 그을 수 있었을 것이다. 아쉬울 따름이다. 물론 그 운하가 성공했다면 지금의 안면도처럼 태안반도 전체가 섬이 되었을 것이다.

보도 해밀도를 아시나요

거문도의 슬픈 기억과 테니스

19세기 당시 세계의 중심 국가이자 패권 국가이던 영국은 전통적으로 대륙 국가인 러시아의 팽창을 견제했다. 러시아의 소위 남진 정책을 유럽과 흑해, 그리고 극동 지역 등 다방면에서 다양한 방법으로 저지해왔다. 극동에서 러시아를 막기 위해 영국이 취한 전략이자 방안의 하나로 한반도에서 벌어진 것이 바로 한반도 남단의 여수 남쪽에 있는 섬인 거문도 점령이다.

1882년의 임오군란과 1884년의 갑신정변이라는 회오리를 겪으며 청나라의 입김 속에 들어 있던 1885년, 영국은 러시아의 극동에서의 남진 정책을 견제한다는 명분을 삼아 거문도를 불법으로 점령했다. 그리고 1887년까지 약 2년간 항구를 만들어 해밀턴항Port Hamilton이라 부르며

4~5백 명에 달하는 해군 병력을 주둔시켰다. 당시 영국은 조선의 영토인 거문도를 점령하면서 조선을 청나라의 속국으로 생각하여, 조선에는 사전에 알려주지도 않고 오히려 청나라와 협상을 했다고 한다. 조선 말기 우리나라가 처한 힘없는 약소국의 아픔을 보여주는 안타까운 사례의 하나다. 결국 영국이 거문도를 점령한 지 두 달이 넘은 후에야 청나라가 이 사실을 조선에 알려주게 된다. 당시 조선은 자신의 땅이 외국에 불법 점거된 것도 외국을 통해 알게 되었던 것이다.

사실 영국은 이 거문도를 제법 오래 점령할 생각이었던 것으로 보인다. 영국은 1887년 거문도에서 상하이까지 전신을 보낼 수 있는 첨단의 시설인 해저케이블을 부설했다. 지금도 거문도에는 당시 거문도에서 숨진 영국 수병의 묘지와 함께 영국이 부설했던 케이블 흔적이 남아서 당시의 역사를 말해주고 있다.

그런데 당시 영국인들이 거문도항을 부르던 영어 이름 '포트 해밀턴'을 들리는 대로 따라 하던 일부 섬 주민들이 그 이후에도 거문도를 '보도 해밀도'라고 불렀다고 한다. 영문도 모른 채 섬을 점령당하고, 또 뜻도 알지 못하는 해괴한 이름으로 섬을 불렀으니 참 기가 막힐 따름이다. 섬 주민들이야 무슨 잘못이 있을까. 참으로 슬픈 이름이고 가슴 아픈 거문도다. 보도 해밀도가 아닌 우리의 아름다운 섬 거문도는 지금도 여수 남쪽 바다에서 빛나고 있다.

영국군의 점령으로 아이러니하게도 거문도는 우리나라 테니스의 발상지가 되었다. 우리나라 최초의 테니스장이 만들어진 곳이 바로 거문도인 것이다. 거문도는 우리나라 테니스의 발상지이자 당연히 근대 스포츠가 우리나라에 처음으로 소개된 곳으로 공식적인 인정을 받고 있다. 영국 군인들은 거문도를 점령한 후 테니스 코트를 만들어 놓고 테니스를 즐겼다. 그리고 당시 거문도 일부 주민들에게 가르쳐 주기도 했다. 거문도 해안에 위치한 우리나라 1호 테니스 코트가 있었던 곳을 기념하기 위하여 그 자리에 테니스 코트를 만들었다. 지금도 운영되고 있는 그 테니스 코트의 이름이 '해밀턴 코트'다. 테니스 애호가들은 우리나라 1호 코트인 이곳에서 경기하는 것을 나름의 의미로 생각하여 매우 붐비는 테니스 코트라고 한다. 역사의 아이러니가 아닐 수 없다.

하지만 좋은 역사이든 가슴 아픈 역사이든 우리가 기억하고 거기에서 교훈을 얻으면 될 뿐이다. 역사란 억지로 지우거나 덧칠한다고 본질이 변하지 않으니 말이다. 역사는 미래를 보는 거울이다.

조선 바다에서 일어난 전쟁들

우리 한반도의 운명을 결정한 20세기 전후의 결정적인 전쟁은 청일 전쟁과 러일 전쟁이다. 두 전쟁 모두 일본이 주역이다. 우리의 운명을 결정하는 전쟁임에도 우리 조선은 주연은커녕 조연도 아닌 전쟁터였을 뿐이다. 청일 전쟁으로 조선에 대한 청나라의 권리가 배제되고 대신 일본의 권리가 국제적으로 인정되었고, 러일 전쟁으로 배타적 권리가 재확인되어 일본의 지배 속에 들어가는 길을 걸었다.

청일 전쟁은 1894~1895년 조선의 종주권을 둘러싸고 청나라와 일본이 조선의 바다와 청나라 영토에서 싸운 전쟁이다. 조선이 누구의 지배를 받아야 하느냐를 두고 전통적인 권리를 주장하는 청과 새롭게 권리를 주장하는 신흥 강국 일본 간의 전쟁이었다. 참으로 우리로서는 안타깝고 부끄러운 전쟁이다. 이 전쟁에서 청이 일본에 무참하게 패함으로써 청은 아편 전쟁 이후부터 불리던 종이호랑이는커녕 완전한 종이고양이로 전락했다. 이와 더불어 조선에 대한 그동안의 권리도 일본에 넘기게 되었다. 이후 청은 일본 및 유럽 열강의 이권 다툼의 대상이 되어 멸망의 길을 걷고 말았다.

특히 청일 전쟁 10년 후인 1904년의 러일 전쟁은 역사의 태풍 앞에서 가늘게 흔들리던 조선에게는 몸부림칠 수 있는 여지마저도 없애버렸다. 러일 전쟁에서 일본이 승리함으로써 일본의 조선 지배는 시간문제였던 것이다. 당시 러일 전쟁은 일본이라는 신흥 산업국가가 아시아를 넘어 러시아라는 유럽의 강대국을 상대로 한 전쟁으로 무모한 전쟁이라는 평가가 지배적이었다. 그러나 일본은 치밀한 준비와 전략, 그리고 외교력으로 러일 전쟁에서 승리하게 된다. 이로써 한반도는 결국 일본의 수중에 들어가게 된다. 그런데 주목할 것은 이 무모하기까지 했던 러일 전쟁에서 일본 승리에 결정적인 역할을 한 것이 바로 영국이었다. 그리고 이는 거문도 점령과 맥을 같이하는 것이었다.

일본의 승리와 영국의 역할

당시 일본은 1902년 영국과 1차 영일 동맹을 맺어 영국의 청나라에 대한 권리와 일본의 조선에 대한 권리를 상호 인정했다. 그리고 러시아의 남진과 동진을 함께 저지하는 데 협력하기로 했는데 이것이 바로 러일 전쟁을 승리로 이끈 신의 한 수였던 것이다. 일본은 1904년 2월 중국 뤼순항에 정박해 있던 러시아 극동 함대를 선제 기습하여 큰 타격을 가함으로써 러일 전쟁을 시작했다. 큰 타격을 입고 위기를 느낀 러시아는 전세를 뒤집기 위해 당시 세계 최강이라 불리는 북해의 발틱 함대를 급파하여 일본 함대를 상대하고자 했다.

그러나 당시 수에즈운하의 운영을 독점하던 영국이 러시아 발틱 함대의 수에즈운하 통과를 허용하지 않아, 러시아 발틱 함대는 아프리카 남단의 희망봉을 돌아서 1만 킬로미터나 더 우회하는 항로를 택할 수밖에 없었다. 이러한 이유 등으로 발틱 함대가 우리나라 동해에 진입할 즈음에는 러시아 해군들은 거의 기진맥진해 있는 상태가 되었다. 여기에 일본이 쓰시마해협 인근에서 발틱 함대에 기습 공격을 가함으로써 러시아는 예상을 뒤엎고 일본에 패배를 당했다. 당시 러시아가 보유한 총 64척의 함대 중 21척이 침몰되고 13척이 나포되는 등 절반 이상이 사라져버린 데 비해 일본은 고작 3척이 침몰되었을 뿐이었다.

당시 침몰된 러시아 함정 중의 하나가 그 유명한 돈스코이호다. 일본의 공격을 받은 돈스코이호는 블라디보스토크로 피하기 위해 북상하던 중 동해 울릉도 인근 해역에서 일본 함정에 포위되자 스스로 침몰했다. 당시 이 배에는 러시아의 군자금이 실려 있었다고 하는데, 지금 가치로 보면 150조 원에서 200조 원에 달하는 엄청난 가치인 200톤의 금괴가 실려 있었다고 전해진다. 이 때문에 침몰한 돈스코이호를 건져내기 위해 해저 탐사가 시도되기도 했다.

아이러니하게도 이 돈스코이호는 14세기 몽골의 한 부류인 타타르족을 물리치고 지금의 러시아의 토대를 마련한 러시아의 모스크바 대공 드미

그림 1-21 돈스코이호

트리 돈스코이를 기리는 의미에서 함정의 이름을 붙였는데, 결국 임무를 완수하지 못하고 극동까지 와서 그 명을 다했던 것이다. 타타르족을 물리쳤던 돈스코이 대공이 보면 땅을 치고 한탄할 일이다.

러시아의 패전 요인은 여러 가지로 분석되지만, 일본 승리에는 영국의 역할이 결정적이었다. 당시 세계를 석권하던 해가 지지 않는 나라가 바로 해양 대국이었던 영국이었다. 영국은 러시아 발틱 함대가 보급이나 재정비를 위해 기항을 하고자 하던 나라의 항구에 압력을 행사하여 제대로 기항을 하지 못하게 함으로써 러시아 해군 병사들의 사기를 떨어뜨렸다. 또 당시 증기기관 선박이었던 발틱 함대의 선박 운항을 위해서는 양질의 석탄 공급이 지금의 석유 공급처럼 필수적이었는데, 당시 영국은 외교력을 동원하여 주요 기항지에서 러시아 함대에 석탄을 공급하지 못하도록 압력을 가했다. 러시아 발틱 함대가 질 좋은 석탄 공급을 제때 받지 못하여 함대의 이동속도가 저하된 것도 일본에 패한 큰 요인으로 분석되고 있다. 영국은 단지 영일 동맹에 따른 의무를 다한 정도가 아니라, 러시아의 남진을 저지하기 위한 전략적 이해에 따라서 자국이 전쟁을 치르듯 일본을 물심양면으로 전폭 지원했던 것이다.

역사에 가정이란 건 없지만, 당시 러시아 발틱 함대가 수에즈운하를 통과하여 이동하는 기간을 단축했거나 양질의 석탄을 제때 공급받아 제대로 이동했더라면 아마도 러일 전쟁의 승패는 달라졌을 것이다. 그리고 당연히 한반도의 운명도 달라졌을 것이다.

한편으로는 세계정세를 정확히 꿰뚫어 보며 사전에 영국과 동맹을 맺는 등 전략적인 접근과 치밀한 준비를 했던 당시 일본의 전략을 높게 살 수밖에 없는 것이 사실이다. 당시 암울했던 우리 조선의 조정을 생각하면 가슴이 아프다 못해 아릴 뿐이다.

싱가포르의
성공과 바다

교육 강국 싱가포르

'작은 것이 강하다'라는 말을 실감하게 하는 나라가 싱가포르다. 인구 550만 명에 국토는 서울 면적보다 1.2배 큰 정도이고 기후는 열대기후로 매우 덥다. 오로지 가진 것이라고는 높은 교육열을 가진 우수한 국민과 바다뿐인 국가다. 왠지 싱가포르는 친근하고 살갑게 느껴진다. 아마도 우리와 유사한 면이 많아서 그러지 않을까 싶다.

싱가포르는 북쪽에 말레이시아가 있어서 삼면이 바다다. 결국 바다가 국가의 생명 길인 것이다. 그런데 이러한 불리한 조건을 전략적으로 이용하고 주어진 상황을 최대한 활용해서 세계의 물류와 금융, 그리고 관광 중심지로 탈바꿈한 나라가 싱가포르다. 싱가포르의 1인당 국민소득은 세계에서도 최상위권인 6만 5천 달러가 넘는다. 우리나라의 2배가 넘는 것이다. 더 중요한 것은 홍콩이 중국에 반환된 이후 싱가포르는 아시아·태평양 지역의 독보적인 물류와 금융, 그리고 다국적 기업의 허브가 되었다는 사실이다. 싱가포르는 세계 주요 기관들이 평가하는 국가 경쟁력 세계 1위를 놓치지 않고 있는 국가다.

여기에 무엇보다도 부러운 것은 국립 싱가포르대학과 싱가포르 난양기술대학은 세계 10위권 이내의 대학으로 평가받고 있으며 아시아에서는 매년 1~2위를 다투는 일류대학이라는 것이다. 우리나라 최고 대학이라는 서울대학은 아시아권에서 간신히 10위권에 머물고 있고, 세계에서는 30~40위권을 맴돈다. 이런 것을 보면 대단하고 부러운 싱가포르 대학들이 아닐 수 없다. 현재 싱가포르의 배경에는 교육이 버티고 있는 것이다. 여기에 영어를 공용어로 하기 때문에 영어로 일상의 소통이 되는 것도 한몫하고 있다.

해상 교역의 허브

싱가포르항만은 상하이에 이어 세계 2위의 컨테이너항만으로 2020년 4,350만 TEU를 처리했다. 부산항이 7위로 2,180만 TEU를 처리한 것과 비교하면 엄청난 실적이다. 상하이가 중국 자체의 물량이 대부분인 반면, 싱가포르는 국제 환적 화물의 허브 항만으로 세계 환적 화물의 20퍼센트를 처리한다. 제조업이 없는 싱가포르가 살아가는 방법이다. 남의 나라 화물을 가져와서 돈을 벌고 있는 것이다. 아울러 싱가포르는 120개 이상의 외국은행이 소재하여 런던, 뉴욕, 동경과 더불어 국제금융의 중심지이고 세계 3대 원유 거래 시장이다. 우리나라가 오래전부터 전략적으로 추구하는 국가 목표인 동북아 물류 허브와 동북아 금융 중심지 등 상당수의 목표를 이미 싱가포르는 초과 달성했다. 자국의 작은 국내시장을 국제 거래로 대신해 작은 싱가포르가 큰 싱가포르가 된 것이다.

그런데 참으로 알 수 없는 것은 인구 550만 명의 싱가포르가 상비군 3만 5천 명의 군대를 운용한다는 것이다. 게다가 싱가포르는 우리와 같은 징병제다. 18세 이상 남자는 2년간 의무복무를 해야 하는 것이다. 주변 국가라고는 말레이시아와 바다 건너 인도네시아가 전부이고 적대적이지도 않은데 징병제에 3만 5천 명의 상비군은 다소 의외다. 하지만 유럽의 스위스를 생각하면 이해가 되기도 한다. 그래서 우리는 싱가포르를 작지만 강한 국가인 강소국이라 부른다. 스스로 지키는 자를 하늘은 도와주는 것 같다.

바다와 이종교배, 그리고 융합

무엇이 싱가포르를 이렇게 만들었을까? 그들은 바다를 희망의 땅으로 만들었고 바다를 통해 가능성을 현실화했다. 바다는 그들에게 매립을 통해 부족한 육지를 새로 제공해주었고, 항만과 국제 물류 산업을 통해 일자리를 창출하며 먹고살게 해주었다. 또 바다는 육지가 협소한 국민들에게 여가 장소이자 낭만의 장소가 되어 주었다. 바다의 속성을 가장 잘 이용하는 나라가 싱가포르이고, 언어와 인종과 문화에 있어서 혼합과 융합이 가장 잘 이루어지는 나라가 싱가포르다. 바다를 닮은 나라이기도 하다.

싱가포르는 항만 규모에서 당연히 선두주자이고, 중요성에서 세계 수위를 다투는 곳이다. 작은 소국들이 어떻게 살아가야 하는지, 이를 위해 공직자들이 어떠한 자세를 가져야 하는지 시사하는 바가 큰 나라다.

중국계, 인도계, 말레이계 등 다민족이 한 국가를 형성해서 살아가는 싱가포르의 비법도 우리에게는 큰 교훈이 된다. 그들은 영국의 식민지 유산을 무작정 배척하는 대신 취사 선택하고 절묘하게 배합하여 싱가포르만의 방식을 만들었다. 동서양의 이종교배의 가장 좋은 결과가 싱가포르라 감히 표현하고 싶다. 혼혈을 영어로 mix라 표현하는데 혼혈도 이 정도 믹스는 매우 우성만 결합되어 나온 듯하다. 단순한 이종교배를 넘어 민족 간의 융합, 언어의 융합, 문화의 융합, 가치관의 융합, 동양과 서양의 융합으로 한 층 더 높은 가치를 창출한 싱가포르다. 요즘은 융합의 시대다. 이를 가장 먼저 솔선수범해서 실천한 국가가 싱가포르라고 말하고 싶다.

　중요한 변수는 지도자였다. 싱가포르의 지도자가 택한 국가 전략의 시작은 차이를 인정하는 것이었다. 그리고 외국과는 다른 차이를 만들려고 노력했다. 동일하게 되려고 하는 것은 비슷하게 따라갈 수는 있어도 원조를 이기지는 못한다. 그러나 차이를 인정하고 이를 바탕으로 새로운 차이를 만들어 내고자 노력한다면 결국 원조를 이기게 된다. 싱가포르가 그랬다.

　싱가포르에 가보면 작은 도시국가라서 관리가 잘 되었구나 하는 정도를 넘어서 품격이 넘친다. 과거 한창때의 베네치아의 오늘날의 버전이자 동양판이 아닐까 싶다. 현명한 지도자의 미래를 위한 선택과 국민들의 신뢰가 만나 더욱 빛나는 곳이 싱가포르다.

대구 때문에
일어난 전쟁

영국과 아이슬란드

유럽에서 가장 음식이 맛없는 나라를 고르라고 하면 대부분이 영국이나 아일랜드를 꼽을 것이다. 이들 나라는 대서양에서 불어오는 바람이 제일 먼저 도달하는 곳이어서 햇볕은 적고 바람이 강하게 불어 날씨가 좋지 않기에 농사가 시원찮다. 실제로 이 두 나라에서는 적포도주가 거의 생산되지 않는다. 포도가 자라기는 하지만 일조량이 부족해서 제대로 된 포도가 달리지 않는다. 중·하급의 백포도주가 주로 생산되는 이유다.

그런데 이 두 나라보다 더 기후가 안 좋은 나라가 아이슬란드다. 국가명이 얼음의 땅이니 말해 무엇하랴. 사실 바이킹들이 처음 아이슬란드를 발견하고 나서, 쉽지는 않겠지만 그래도 살 만한 땅이기에 많은 사람들이 이주하는 것을 염려해서 얼음의 땅이라는 이름을 붙였다는 이야기가 있다.

반면에 녹색의 땅이라는 그린란드는 정반대의 이유로 이름이 붙여졌다. 사람이 살기에 적합하지 않았지만 많은 사람이 정착해 오기를 바라는 마음에서 그런 이름을 붙였다는 것이다. 처음 발견한 바이킹들이 아무도 가지 않을 것 같아 좋은 땅이라며 선전하기 위해 그린란드라는 이름을 붙였다는 것인데, 실제로 여러 차례 실패와 성공의 이주가 있었다. 그리고 지금은 덴마크의 해외 영토로 주민들이 거주하고 있다.

다 아는 것처럼 영국은 유럽의 최서단에 위치한 섬나라로, 남서로는 대서양과 동북으로는 북해를 접하고 있다. 반면 아이슬란드는 영국의 북쪽에 있으면서 북해의 한가운데 위치한 빙하의 섬나라로, 면적은 우리 남한 정도이고 인구는 40만 명이 채 되지 않는 나라다. 인종적으로 매우 단일화된 구성원으로 이루어져 있어 유전병이나 질병학적으로 연구와 실험의 대상이 되는 국가이기도 하다. 과장해서 표현하면 대부분의 아이슬란드 주민의 조상들을 찾아보면 모두 사돈에 팔촌 간이 되는 것이다. 과거에는 바이킹의 후예답게 같은 바이킹족인 덴마크의 영향권 내에 있었으나, 제2차 세계대전을 거치면서 완전한 독립국가가 되었다.

유럽의 대구포와 몽골의 육포

유럽인의 식생활과 떼려야 뗄 수 없는 물고기가 대구라는 생선이다. 과거 바다를 끼고 있는 유럽인의 동물성 단백질의 상당 부분을 책임진 것이 대구였다. 특히 섬나라인 영국이나 아일랜드, 아이슬란드 사람들에게 대구는 인생 그 자체였다.

영국이 자랑하는 유일한 전통 음식이 대구의 하얀 살을 기름에 튀기고 감자 칩에다 콩 소스를 얹어 먹는 '피시 앤 칩스'이고 보면 이해가 되기도 한다. 물론 이 '피시 앤 칩스'도 원래 영국의 것은 아니고 18세기경 네덜란 드에서 전해진 것이다. 하지만 어쨌든 가장 인기를 끈 곳은 영국이었다.

실제로 유럽인들이 신대륙을 발견하고 여러 항로를 개척하기 위해 선단을 꾸려 출항할 때에 가장 중요한 식량이 바로 염장하여 말린 대구포였다. 영양가가 좋은 데다 보관하기도 좋았고, 무엇보다 가볍고 부피도 작아서 장거리 항해에는 최적의 식량이었다. 대구가 없었다면 신대륙 발견도 없었다고 감히 말할 정도다. 몽골이 유럽을 점령하던 당시에 육포가 몽골 기병의 식량이었듯, 영국 수병들의 바다에서의 식량은 염장한 대구포였다. 바다와 육지를 점령하여 세계 대국을 일군 두 나라의 모습이 대구포와 육포에서 극명하게 비교된다.

그림 1-22 염장 대구를 말리는 모습

영해 3해리는 함포 사거리

국제법상 바다에 있어서 국가의 통치권이 미치는 범위를 영해領海, territorial sea라고 하는데, 이 영해의 범위를 어디까지 인정할 것인가가 근대 시대 열강들이 경쟁적으로 바다로 진출하면서 논란이 되었다. 사실 이전 에는 바다는 공해로 그 주권이 인정되지 않는다는 주장이 대세였기 때문 이다.

1702년 당시 바다를 주름잡던 국가였던 네덜란드의 바인케르스훅 Bynkershoek이 착탄거리설을 주장했다. 당시 바다에 있는 함정에서 쏠 수 있는 대포 중 가장 성능이 좋았던 대포의 사거리가 3해리가 안 되었기 때 문에, 이 포탄이 도달하는 거리까지만 영해로 인정하자는 '영해 3해리'가 대세로 자리 잡았다. 그리고 제2차 세계대전 이후까지도 일반적으로 인정 되었다. 실제로 이 영해 3해리는 당시 해양 대국들에 비해 열세에 있던 대 다수 국가들에게는 하나의 보호막이 되었다. 3해리만 영해로 인정되면 외 국의 함정이 해안에 접근하여 함포사격을 해도 육지에 도달하지 않기 때 문에, 영토를 방어하거나 자국민을 보호하는 데 아무 문제가 없다는 매우 보수적인 이유에서 영해 3해리가 국제적으로 받아들여졌다. 영해 3해리 는 최소한의 영해로 그 안에만 들어가지 않으면 마음대로 항해할 수 있기 에, 항해의 자유를 최대화하고자 하는 영국, 미국, 프랑스 같은 해양 강대 국들의 이해에도 딱 맞아떨어지는 것이었다.

함포의 성능이 점점 발달함에 따라 이 주장의 논리가 설득력을 잃게 되 었지만, 그래도 제2차 세계대전 시까지 3해리가 일반적으로 통용되는 영 해 거리였다. 그러다가 1958년 대구를 둘러싸고 영국과 갈등을 겪은 아이슬란드의 선도적 주도에 의해 영해 12해리 주장이 힘을 얻게 되었다. 결국 1982년 UN 해양법 협약을 통해 영해 12해리와 배타적 경제수역 200해리가 전 세계적인 해양 규범으로 정착하여 지금에 이르고 있다.

영해 12해리와 EEZ 200해리의 선구자 아이슬란드

이러한 세계의 새로운 해양 질서가 논의되고 확정되는 과정에서 가장 상징적인 역할을 한 나라가 바로 아이슬란드였다. 영국이나 미국이 아닌 작은 섬나라 아이슬란드라니, 선뜻 이해가 되지 않겠지만 역사적인 사실이다.

앞에서 이야기한 대로 아이슬란드의 경제에 있어서 90퍼센트 가까이 차지하는 가장 중요한 산업이 수산업이고, 그중에서도 가장 중요한 자원이 바로 대구와 청어였다. 그런데 이 두 생선은 영국의 이익과도 직접 연계되어 있는 자원이라는 것이 문제의 발단이었다. 실제로 영국의 현대화된 대형 어선들이 아이슬란드 인근 해안 가까운 곳까지 접근해 아이슬란드 사람들의 생명줄인 물고기를 싹쓸이해 갔던 것이다. 결국 아이슬란드 인근에서 대구 등 수산자원이 씨가 마르게 되는 결과가 초래되었다.

견디다 못한 아이슬란드는 1958년 자국 해안 12해리 안으로는 영국 어선들이 접근하지 못하게 했다. 그 당시의 관행이던 3해리 영해에서 훨씬 확대된 12해리 영해를 일방적으로 선언하고, 그 이내로 들어오는 영국 어선들이 있으면 발포나 나포하는 극약 처방을 내렸던 것이다. 이에 영국 해군이 출동하여 해상에서 양국 해군 간 충돌이 벌어지게 되었는데, 이것이 1차 대구 전쟁cod war이다. 그러나 이후에도 영국 어선들의 아이슬란드 해역에서의 조업은 지속되었고, 1972년 아이슬란드는 기존 입장에서 한 걸음 더 나아가 50해리를 배타적 어업수역으로 선포했다. 영국 등 외국 어선의 자국 50해리 수역 내 조업을 금지시켰던 것이다. 이 또한 영국을 자극하는 일이었고, 영국은 함대를 파견하여 양국이 북해에서 또 충돌하게 되었다. 이것이 2차 대구 전쟁이다.

이런 와중에 1975년 정치적인 이해관계 등으로 인해 당시 남미 국가 등에서 주장하던 배타적 경제수역 200해리를 아이슬란드가 선제적으로 선포하여, 200해리 이내에서의 외국 어선의 조업을 일방적으로 금지시켰다. 이에 반발한 영국이 다시 함정 등을 파견하여 양국이 소규모 충돌까지 갔으나, 미국과 NATO 등의 개입으로 확전되지는 않았다. 하지만 결국 아이슬란드의 200해리를 인정하게 되었다. 3차례 모두 군사력이나 경제력 면에서 월등한 영국이 오히려 완패하는 결과를 가져왔다.

더 큰 영향은 세계 해양 질서에 관한 것이었다. 이러한 과정 속에서 유엔의 주도로 새로운 해양 질서를 형성하는 UN 해양법 협약의 논의가 진행되었는데, 이 논의 과정 속에서 대다수 개발도상국들이 주축이 되고 미국 등 일부 해안선이 긴 국가들이 주도하여 영해 12해리와 배타적 경제수역, 즉 EEZ 200해리가 국제법적으로 확립되었다. 영해 12해리와 EEZ 200해리는 아이슬란드가 자국의 대구 자원을 영국으로부터 지키기 위한 조치에서 시작된 것이었다. 아이슬란드는 의도하지 않았지만 결과적으로 새로운 세계 해양 질서의 주창자가 되었다.

현실적으로 우리나라는 원양 수산업이나 해운 산업이 강한 나라다. EEZ가 너무 광범위하게 인정되게 되면 원양 수산업이 위축되는 결과를 초래한다. 그리고 또 중국이나 일본과 공유하고 있는 동해와 서해가 너무

좁아서 200해리를 주장하게 되면 중간에서 중첩되는 결과가 초래된다. 이로 인해 경계를 확정하는 일이 매우 민감한 사안이 되고 있다. 동해나 서해를 접하고 있는 일본이나 중국과의 이견으로 해양 경계를 확정하지 못하고 있는 상황이다. 그래서 잠정적인 조치로 어느 나라에도 속하지 않은 바다, 즉 중간 수역이라는 임시방편을 정해놓고 있다.

아이슬란드의 사례를 타산지석으로 삼아 현명하고 슬기로운 동북아 해양 질서가 정립되기를 희망해본다.

대구 전쟁의 승리자

영국이라는 해양 대국을 상대로 한 아이슬란드의 벼랑 끝 전술은 무모하게 보이기도 했으나, 약소국이 강대국을 상대로 한 국가 간 분쟁에서 어떠한 전략을 취해야 하는지를 보여주는 좋은 사례가 되었다. 우리에게도 시사하는 바가 크다.

아이슬란드는 유럽과 북미 대륙 중간에 위치하여 군사적으로 매우 중요한 지점이라는 지정학적 장점을 잘 이용했다. 그리고 구소련과 미국, 유럽의 군사동맹인 NATO 간에 고조되는 군사적 경쟁을 적절히 이용하여 자국에 가장 유리한 전략을 취할 수 있었다. 결국 영국이라는 강대국을 상대로 승리를 거두었을 뿐 아니라, 새로운 UN 해양법 협약이라는 세계 해양 질서에 결정적인 영향을 끼쳤다.

대구 전쟁의 최종 승자는 다름 아닌 아이슬란드였다.

콜럼버스보다 신대륙에 먼저 간 사람들

북유럽의 풍운아 바이킹

바이킹은 스칸디나비아와 덴마크 등지에 거주하면서, 해로海路를 통하여 유럽 각지로 진출한 노르만족의 다른 이름이다. 바다와 육지가 만나는 협곡을 의미하는 'Vik'에 사는 사람들을 말하는 것으로 알려져 있다. 여기에서 유래된 대표적인 도시가 바이킹들이 건설한 나라인 아이슬란드의 수도 레이캬비크Reykjavik다. 전 세계 수도 중 가장 높은 위도에 위치한 도시다.

그런데 이 바이킹들이 아메리카 신대륙을 콜럼버스보다 500여 년 앞선 1000년경에 이미 발견했다는 것이 정설이다. 이 바이킹들은 당시에 유럽 북해에 위치한 페로Faeroe제도와 아이슬란드를 거쳐 북대서양의 그린란드에 도달한 다음, 현재의 캐나다 해안을 따라 뉴펀들랜드섬 인근까지 도

달했다. 실제 고고학적으로 이들의 거주 흔적이 발견된 것을 보면 사실로 받아들여진다.

이러한 발견이 유럽에 널리 알려지지 않은 것은 워낙 먼 거리이고 항해하기에 힘했기 때문에 갈 수 있는 사람이 극소수였던 데다가, 바이킹들이 그곳을 알리지 않으려고 했다는 것이다. 실제로 유럽의 북해를 포함한 북대서양은 험하기로 소문난 바다다. 지금의 기준으로 보아도 위험하기 그지없는 북해를 건너 아메리카 대륙에 도달한다는 것은 엄청난 고난과 역경의 항해였을 것이다. 더욱이 당시에는 큰 배라고 해봐야 30~40미터 정도에 불과했을 것인데, 돛과 노를 젓는 전통적인 바이킹 배로 그 험한 바다를 항해했다니 실로 어마어마한 모험이 아닐 수 없다. 아무리 해류와 바

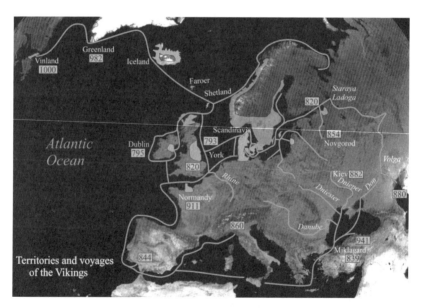

그림 1-23 바이킹의 활동 무대와 탐험 지도

람을 잘 이용했다 하더라도 끈기와 열정은 대단한 바이킹들이다.

그런데 바이킹들이 이렇게 먼 거리를 항해하여 미지의 대양과 대륙까지 간 이유가 있을 것이다. 영토 욕심이었을까? 미지의 세계를 향한 탐험심이었을까? 아니면 정복 욕구였을까? 그 이유가 지금의 과학적인 연구 결과로 알려졌는데, 바로 대구의 회유 경로에 있었다. 그들은 회유하는 대구를 따라 신대륙까지 갔던 것이다. 지금도 캐나다 동부의 뉴펀들랜드섬 인근은 대구 등의 수산자원이 풍부한 곳으로 알려져 있다. 아마도 당시에는 말 그대로 물 반 고기 반이었을 것이다.

아메리카 인디언들은 육지 위주의 생활을 하던 사람들이라 물고기를 잡아봐야 해안가를 벗어나지 못했다. 따라서 바이킹들은 여기서 잡은 대구를 염장하고 건조하여 유럽으로 가져가 막대한 이득을 남겼다. 또 이러한 장거리 항해를 가능하게 한 것이 대구 그 자체이기도 했다. 대구를 염장하여 건조하면 반영구적으로 보관이 가능했다. 즉, 항해 식량으로는 그야말로 안성맞춤이었던 것이다. 이러한 염장 대구는 근대 해양 시대에도 그대로 이어져 대구가 선원들의 주된 영양 공급원이 되었다.

스페인 북부의 이단아 바스크족

바이킹이 아닌 또 하나의 민족을 주목해야 하는데, 바로 스페인 북부 대서양 연안에 거주하는 바스크Basque족이다. 이들 바스크족은 스페인과는 언어와 민족적 특성이 전혀 달라서, 스페인으로부터 독립하려고 하는 바스크 분리 독립주의자로 더 많이 알려져 있다. 이들은 민족적으로나 언어적으로 유럽인들과는 매우 상이하다. 스페인 동북부와 프랑스의 국경 지대에 주로 거주하면서 독립성이 매우 강하고 호전적이며 또한 모험심이 강한 민족으로 알려져 있다.

미국의 어부이자 작가인 마크 쿨란스키Mark Kulansky는《세계를 바꾼 물고기, 대구 이야기Cod: A Biography of the Fish That Changed the World》에서 이 바스크족이 바이킹들과 비슷한 항로를 따라 14세기경부터 캐나다 동부 해안까지 와서 대구를 조업하고 이를 염장하여 유럽으로 가져갔다고 이야기한다. 매우 설득력이 있는 이야기다. 바이킹들이 이미 항로를 개척했기에 가능한 일이라 생각된다. 그러고 보면 이미 신대륙 아메리카는 콜럼버스 이전에 바이킹이나 바스크족 등이 발견한 것이다. 그러나 바이킹과 비슷하게 바스크족도 자기들끼리만 이러한 항로와 어장을 공유하고 다른 사람들에게는 비밀로 했다고 한다.

아메리카 신대륙을 발견한 지 얼마 되지 않은 1500년대 초에 프랑스의 탐험가 자크 카르티에Jacques Cartier가 캐나다 뉴펀들랜드섬 인근 세인트로렌스강에 유럽인으로서는 처음 당도했을 때 그곳에는 놀랍게도 이미 많은 바스크족의 배가 대구를 잡고 있었다. 그동안 바스크족은 자기들만의 비밀을 간직한 채 신대륙의 대구 어장에서 조업하고, 그것을 염장하여 건조한 후 유럽으로 가져가 팔아서 막대한 이익을 남겼던 것이다. 이후 영국이나 프랑스 등이 북미의 대구 어장에 진출하기까지 이들 북아메리카의 대구 어장은 온전히 바스크족이 독점하고 있었다.

캐나다 동부에 위치한 뉴펀들랜드Newfoundland섬의 이름은 새로 발견한 땅이라는 의미에서 붙인 것이다. 하지만 실제로는 오래전에 이미 아시아에서 건너온 원주민 인디언들이 있었고, 또 바이킹과 바스크족이 대구 조업을 하기 위해 정착하거나 작업장으로 사용하기도 했다. 그러므로 스페인, 영국, 프랑스 등은 새롭게 발견한(new found) 것이 아니라 네 번째로 도착한 사람들이다.

HOMO

SEAPIENS

제2부

해양 대국
영국 이야기

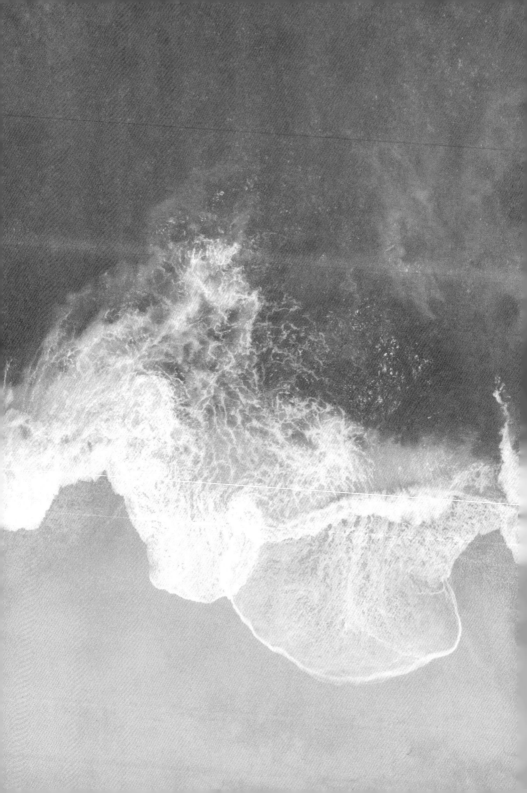

영국에 의한 세계화

Anglobalization과 해저케이블

최초의 세계화는 영국에 의해 이루어졌는데, 이를 영국에 의해 이루어진 세계화란 의미에서 'Anglobalization'으로 불리기도 한다. 그리고 영국의 세계화는 바로 바다 밑바닥에서부터 시작되었다. 때로는 몽골의 역참제도에 의한 실크로드를 최초의 세계화라고도 한다.

영국이 대영제국의 황금기인 19세기에 세계를 지배할 수 있었던 것은 해군력과 함께 당시 해외 식민지를 비롯한 영국의 국익에 관련된 정보와 동향을 지구상 어느 국가보다도 가장 신속하게 파악할 수 있었다는 것에 있다.

우리가 일반적으로 국제전화를 이용해 외국에 있는 가족이나 비즈니스 파트너와 필요할 때 통화할 수 있는 것은 바로 바닷속 바닥에 깔려 있는 해저케이블 때문이다. 물론 요즘에는 무선 통신이 발달되어 이전과는 양상이 다르긴 하지만, 휴대폰으로 국제 통화를 하는 것도 통신 기지국을 거쳐서 해제케이블을 통해 국가 간에 데이터가 이동되는 것이다. 데이터가 대양을 건너 다른 대륙과 통화하는 것은 해저케이블 없이는 불가능하다. 실제로 국제 인터넷이나 국제전화의 90퍼센트 이상이 해저케이블을 통해 이루어진다.

애처가 모스가 만든 모스 부호

실제로 전화를 이용한 통신보다 먼저 국제 통신수단으로 각광받은 것은 전신이었다. 이 전신은 미국에서 먼저 발명되었는데, 발명한 사람이 바로 모스 부호로 유명한 모스Morse다.

모스는 멀리 떨어져 살던 자기의 아내가 아프다는 소식을 인편으로 듣게 되지만, 그 소식을 들었을 때는 자신의 아내가 이미 사망한 뒤였다는 것을 나중에 알게 된다. 이 일을 계기로 모스는 빠르게 소식을 전달할 수 있는 방법을 발명해내고자 심혈을 기울였다. 온갖 시행착오 끝에 전신(전기신호)을 통해 부호를 전달하면 충분히 소식을 전할 수 있다는 것을 증명해냈다. 그리고 1844년 미국 워싱턴에서 볼티모어 간에 첫 전신을 송신함으로써 실용화에 성공했다.

그러나 실제로 이 모스 부호를 국제통신과 식민지 지배에 이용한 것은 영국이었다. 유선전화는 1876년이 되어서야 발명되었고 무선 통신은 20세기가 되어서야 세상에 나왔으니, 당시 국제 통신수단은 모스 전신이 유일의 방법이자 최첨단 기술이었다.

해저케이블을 통한 영국의 1차 세계화

영국은 1851년 세계 최초로 영국과 프랑스 사이의 도버해협을 횡단하는 40킬로미터의 해저케이블을 부설하여 유럽 대륙과의 전신 통신망을 구축했다. 이어서 1866년 영국과 미국을 연결하는 3,000킬로미터에 달하는 대서양 해저케이블을 부설한 데 이어 1871년 일본 나가사키에까지 해저케이블을 부설했다. 영국은 1885년 러시아의 남하를 저지하기 위한 전략의 하나로 거문도를 불법 점령하고는 곧바로 거문도에서 중국 상하이까지 연결하는 해저케이블을 부설했다. 그리고 1903년에는 태평양 횡단 해저케이블도 부설했다. 당시 우리 조선왕조의 고종 임금은 물론 조선 사람 누구도 모르는 사이에 한반도의 남단 거문도는 영국이 구상하는 세계 정보 통신망의 한구석에 편입되어 영국의 이해관계에 따라 운영되고 있었던 것이다.

우리나라 최초의 해저케이블은 부산과 일본 나가사키 간의 해저케이블로 조선 고종 때인 1884년 부설되었는데, 조선의 의지가 아닌 바로 일본의 주도에 의한 것이었다. 참으로 안타까운 역사가 아닐 수 없다. 이렇게 부설된 조선과 일본 간 해저케이블 전신망이 조선의 국익이 아닌 일본의 입맛에 맞게 운영되면서 조선을 침탈하는 수단의 하나가 되었음은 물론이다.

이렇듯 전 세계에서 전략적으로 중요한 바다에는 해저케이블이 대부분 부설되었다. 그리고 거의 모든 작업이 주로 당시 전성기를 구가하던 영국에 의해 주도되었다. 1913년 전 세계 해저케이블 전신망의 80퍼센트가 영국에 의해 부설된 것이다. 참으로 대단한 것은 지금도 해저케이블 매설

그림 2-1 영국의 해저케이블 부설 선박

은 매우 어려운 작업으로, 엄청난 비용이 수반될 뿐만 아니라 부설 이후에
도 지속적으로 유지 보수가 필요한 국가 차원의 프로젝트라는 것이다. 영
국은 당시에 이미 전 세계 바다에 케이블망을 부설하고 유지 보수하기 위
하여, 전용 선박인 해저케이블 선박cable ship을 별도로 건조함은 물론 국가
의 주요한 자산으로 운영했다. 다른 나라들은 영국이 깔아 놓은 전신망을
사용할 수밖에 없었고 막대한 사용료를 지불해야 했다. 그리고 이것은 귀
중한 정보가 고스란히 영국에 노출된다는 것을 의미하는 것이었다. 영국
은 이렇게 당시의 인터넷이라고 할 수 있는 전신망을 독점하게 되면서 자
신들이 주도하는 1차 세계화(2차 세계화가 미국이 주도하는 최근의 컴퓨터 정보
통신망에 의한 것으로 이해할 경우)를 이루어 냈다.

　　정보 인프라에 선제적으로 투자하여 세계 정보망을 선점한 영국은, 이
를 통해 대영제국의 무역과 군사적 이익을 극대화하는 국가 경영 전략을

내세울 수 있었다. 당시 영국이 보유한 해군력과 실시간으로 파악하는 정보는 대영제국의 세계 지배를 더욱 공고하게 떠받쳤다. 물론 이러한 전신을 위한 해저케이블은 1930년대부터 전화 통신을 위한 해저케이블로 점차 대체되어 지금에 이르고 있지만 말이다.

런던의 택시 운전사와
모기 함대

런던 택시 블랙캡의 모양

택시taxi는 요금이나 주행거리를 측정하는 taximeter에서 나왔다. tax라는 말 자체가 세금이나 요금을 의미하니 결국 택시는 돈을 내고 타는 차라는 의미다. 영국의 택시는 택시의 발상지임을 과시하듯 전 세계적으로 유일무이하게 특이하다. 우선 색깔이 우리의 택시는 물론 다른 나라의 그것과 매우 다르다. 대부분 검은색이거나 짙은 고동색이다. 거기에다 모양도 군용차량이나 SUV 차량처럼 생겨서 우리나라 택시와 같은 일반 승용차의 모습이 아니다. 그래서 영국의 택시를 일명 블랙캡black cab이라 부르기도 한다.

이러한 영국 택시의 모습에는 그만한 사연이 있다. 지금도 영국의 교통비는 살인적이라 할 정도로 비싸다. 대중교통인 버스 요금이 3천 원 정도이고 전철(튜브라 불린다) 기본요금이 5천 원 정도다. 이는 우리나라 택시 기본요금과 비슷하거나 오히려 높은 수준이다. 대중교통이 이 정도이니 택시비는 오죽할까. 유럽에서 택시는 대중교통의 하나라는 인식보다는 자동차와 기사를 한꺼번에 빌리는 고급 교통수단이라는 인식이 강하다. 따라서 영국 택시는 기본요금이 9천 원 정도로 엄청 비싸다. 조금 거리가 있다 싶으면 몇만 원의 택시비가 바로 나오는 것이다.

당연히 이러한 고급 교통수단인 택시를 애초에는 돈 많은 사람들이나 귀족들이 우리나라의 콜택시 개념으로 주로 사용했다. 그것도 18세기 내연기관 택시의 조상 격인 마차가 이용될 당시에는 당연히 귀족이나 부유한 상인들이 이용했다. 당시 이런 손님들은 우리가 지금도 영국인들에게서 많이 보듯이, 남자들은 높이가 있는 중절모를 쓰고 여자들은 커다란 둥근 테두리를 가진 모자를 애용하곤 했다. 차량 높이가 낮으면 모자를 쓰고 택시를 탈 수가 없었기에, 이러한 불편을 없애기 위해 자연스럽게 차체의 높이가 높은 현재의 특이한 택시 모습이 된 것이다. 철저하게 이용자의 입장에서 고안된 것이 현대 런던의 블랙캡 모양이다.

영국인의 모자 사랑

영국 사람들의 모자 사랑은 세계에서 둘째가라면 서러워할 정도다. 그런데 이 모자의 가격도 만만찮다. 고가의 모자는 양복을 맞추듯 주문 제작하고, 이런 모자들은 당연히 별도의 전문가들에 의해 제작된다.

영국 런던에는 350년 된 모자 전문점이 있다. 바로 'Lock & Co Hatters'다. 우리가 아는 유명 인사들의 멋진 모자는 모두 여기에서 만들었다고 보면 된다. 애초에는 남성용 모자를 주로 만들었지만, 지금은 여성용 모자도 만든다. 영국 왕실도 단골이다. 모자만으로 350년 가업을 이어오다니 참으로 대단하지 않은가.

영국에서 근무할 당시의 6월 초 어느 날, 따끈한 햇빛을 오랜만에 즐기며 영국에서 가장 유명한 경마 이벤트인 엡섬 더비Epsom Derby의 개최 장소인 엡섬 다운스 경마장Epsom Downs Horse Race 인근을 지나가게 되었다. 그런데 그날따라 경마장 인근에 고급 자동차와 거기에서 내린 듯한 온갖 멋진 모자를 쓴 여성들이 가득했다. 세상의 모자란 모자는 여기에 다 와 있는 모습이었다. 운이 좋게도 매년 6월 첫째 주 토요일이 엡섬 더비가 열리는 날인데, 그날이 바로 경마가 열리는 날이었던 것이다.

영국은 로마 시대에 이미 경마가 있었던 것으로 알려질 정도로 경마의 종주국으로 불린다. (그리고 보면 영국은 종주국으로 불리는 스포츠가 참 많다. 축구, 테니스, 골프, 크리켓, 럭비 등이 그것이다.) 이 엡섬 더비는 매년 6월 첫째 주에 열리는데, 여왕을 비롯한 모든 왕실 가족이 참석하기 때문에 더 큰 명성을 지니고 있다.

엡섬 더비라는 이름은 1780년 이 경마 대회를 처음으로 창설한 더비Derby 백작의 이름에서 나왔다. 1780년이면 우리나라는 정조 임금 시절이니 실로 대단한 전통이다. 이 경마에서 요즘 스포츠의 라이벌 경기에서 많이 사용되는 용어 '더비'란 말이 유래되었다. 지금도 더비란 용어는 스포츠에 있어서 특정한 연고나 과거의 사건 등으로 연계되어 있는 라이벌 간의 빅매치를 일컫는 말이다. 영국 프리미어 리그의 맨체스터 더비(맨유와 맨시티)와 북런던 더비(토트넘과 아스널) 등이 그것이다.

택시 기사와 요트 선장

영국의 택시비가 비싼 만큼 영국의 택시 기사들도 매우 안정된 수입과 괜찮은 근무 환경으로 선호도가 높은 직업군에 속한다. 런던에서 택시는 우리나라의 배회 영업과는 다르다. 택시 정류장이 있고 거기에 대기하고 있다가 손님이 부르거나 오면 태우는 영업이 주된 방법이다. 손님을 찾아 배회하지 않으니 쓸데없는 연료비가 낭비되지 않고 당연히 대기오염 등 공해도 줄어든다. 무엇보다 택시 기사들의 피로도가 줄어들어 근무 여건이 좋은 것이다. 우리나라의 경우 택시 한 대는 일반 승용차 10대 이상의 교통량과 대기에 영향을 준다고 한다.

영국대사관 근무 당시의 어느 날, 불가피하게 택시를 타게 되었고 멋진 차림을 한 초로의 택시 기사와 말을 나누게 되었다. 그 택시 기사는 자기가 skipper, 즉 작은 요트의 선장이라고 했다. 1년에 한 번 됭케르크Dunkerque 철수를 재현하는 행사에 휴가 겸 참여하는데, 자기의 작은 요트를 타고 도버해협을 건너 프랑스 됭케르크항까지 왕복한다고 했다. 택시를 열심히 운전해 버는 돈으로 1년에 한 번 이 행사에 참여하는 것이 가장 큰 보람이고 기쁨이라고 했다. 실제 이 행사는 5년마다 한 번씩 열리니, 이분은 아마도 동호회원들끼리 현장 훈련이나 사전 행사 성격으로 매년 그 항해에 참여하지 않나 싶다. 택시 기사와 요트라니, 우리의 정서나 기준에는 부합하지 않을지 모르나 영국에서는 자연스러운 모습이다.

말이 나온 김에 설명을 좀 해보자면, 됭케르크 철수를 기념한 행사는 영국이나 프랑스에서는 매우 큰 행사로 인식되고 있다. 실제로 됭케르크 철수 작전의 성공은 제2차 세계대전 당시 연합군이 독일군에 반격을 가하

그림 2-2 됭케르크 철수 작전 모습

는 데 있어서 중요한 계기가 되었다. 2017년 영화로도 만들어져 크게 성
공을 거두었다. 제2차 세계대전 당시인 1940년 5월 26일~6월 3일 사이
독일의 기습적인 전격전에 밀려 영국, 프랑스 등 연합군 수십만 명이 프랑
스 해안 도시 됭케르크에 고립되게 된다. 이 비상 상황이 발생하자 영국의
처칠 수상은 영국의 모든 배들을 총동원하여 30만 명이 넘는 영국군과 연
합군을 영국으로 구출해내는 데 성공한다. 이 됭케르크 철수의 성공은 제
2차 세계대전에서 결국 연합군이 승리를 거두는 하나의 계기가 되었으며,
인류 역사상 가장 위대한 철수 작전이라 평가된다. 이 철수 작전에는 당초
정부가 동원하지도 않은 수많은 민간 어선이나 여객선이 자발적으로 참
여하여 철수를 도왔다. 이를 기념하기 위하여 지금도 수많은 영국인들이
영국에서 프랑스 됭케르크항을 왕복하는 행사에 자비를 들여서 참여하고
있다. 당시 철수 작전에 참여한 가장 작은 배가 5미터도 안 되는 돛단배였
다고 하니, 말 그대로 모든 배가 자진하여 철수를 도왔던 것이다. 이를 상

징적으로 표현한 말이 '모기 함대'다. 민간의 작은 배들이 모기떼처럼 달려들어 병사들을 철수시키는 데 동참했던 것이다.

런던의 택시 기사가 참여하는 행사가 바로 이 모기 함대를 기념하는 행사였다. 런던 블랙캡 기사의 요트 선장으로의 변신. 어울릴 것 같지 않은 어울림이고, 참으로 멋진 변신이다. 런던 택시 기사의 화려한 여름 휴가가 부럽다.

영국의 바다 사랑

정찰제 국가의 시가

영국에서도 중국 음식은 매우 인기가 있다. 어느 날 현지인들과 함께 런던 중심가에 있는 중식당에 갈 기회가 있었다. 메뉴판을 보니 '도버 솔 Dover Sole 구이'라는 메뉴가 있었지만, 그 옆에 가격란은 비어 있었다. 대신 'Seasonal Price', 즉 계절에 따라 달라지는 시가라는 의미의 말이 적혀 있었다. 순간 당황할 수밖에 없었다. 우리나라에서야 시가라는 것이 상당히 다양하게 통용되기도 하고 그것이 어찌 보면 상인의 융통성일 수도 있지만, 영국은 그렇지 않았기 때문이었다.

생각지도 않게 영국에도 시가가 있었다. 도버 솔은 많이 잡히지 않고 계절에 따라 잡히는 양도 다른 귀한 생선이라 가격을 정하지 못하고, 시기에 따라 변동된 가격을 받는다는 것이었다. 어쨌든 정가定價의 나라 영국에서 시가라니, 충분히 당황할 수 있는 상황이었다.

당시 나는 영국 주재 우리나라 대사관에서 해양 수산 업무를 담당하고 있었다. 그런 만큼 식당에 가서 생선 요리만 나오면 이름이 무엇이고, 어디에서 잡히며, 어떻게 먹는지, 더욱이 영어로는 무엇이라 부르는지 주위 사람들이 물어보는 바람에 매우 난감해했던 기억이 있다. 원래 수산을 전공하지도 않았지만, 더욱이 정책 업무를 하는 터라 물고기의 이름과 종류를 다 알기는 어려웠다.

그런데 통상 sole은 바다 바닥에 주로 서식하는 납작한 생선인 가자미류를 의미한다. 그리고 Dover가 붙어 있으니 도버해협에서 잡힌 것을 말한다는 것쯤은 알 수 있었다. 좀 더 자세히 알아보니 영국에서는 가자미 중에서 도버해협에서 잡힌 것을 최고로 쳤다.

도버해협은 길이가 35킬로미터 정도로 영국과 유럽 대륙인 프랑스 사이에 위치하고 있다. 지리적으로 대서양에서 유럽 대륙 방향으로 밀려오는 멕시코 해류가 스페인의 서쪽 해안에 부딪친 후 영국과 프랑스 사이의 좁은 지형인 도버해협을 지나 북해로 들어가게 되어 있다. 한꺼번에 많은 바닷물이 좁은 해협을 흐르다 보니 물살이 매우 거세지는 것은 당연한 이치다. 과거나 현재에도 바다를 항해하는 사람들에게 스페인 서쪽 해안은 바다의 무덤이라고 표현될 정도로 많은 선박 사고가 발생하는 곳으로 유명하다. 그 이유가 바로 대서양에서 밀려오는 해류가 이베리아반도와 충돌하면서 소용돌이 형태로 변해 선박 항해에 큰 지장을 주기 때문이다.

2002년에도 정상 운항하던 대형 유조선 프레스티지Prestige호가 원유를 가득 실은 채 스페인 서부 해안에서 침몰하여 싣고 있던 원유가 대량 유출

되는 참사가 발생했다. 이러한 사고처럼 원인이 명확하게 밝혀지지 않은 선박 사고가 이 부근에서 많이 발생하고 있는데, 전문가들은 바로 멕시코 연안에서부터 시작되는 대서양의 주된 해류의 하나인 멕시코 난류 때문으로 추정하고 있다. 이 멕시코 난류 때문에 유럽 대륙이 겨울에도 온화한 기후를 보이는 혜택을 보고 있으나, 바다에서는 스페인 서부에서 한류와 부딪치며 안개와 함께 거친 물살과 파도를 만들어 내는 것이다.

도버해협에 사는 물고기들은 이런 거센 해류를 이겨 내기 위해서 끊임없이 움직인다. 그리고 이런 움직임은 도버 가자미의 육질을 찰지게 한다. 당연히 별미로 손꼽히지만, 상대적으로 어획량이 많지 않아서 가격의 변동 폭이 클 수밖에 없다. 이 때문에 런던 중식당의 메뉴판에 가격을 표기하지 않고 그때그때 다른 가격으로 판매했던 것이다. 규정과 규격의 나라 영국에서 살짝 인간의 체취가 느껴지는 순간이었다.

캡틴의 나라

영국에서 존경의 대상은 많다. 영국 여왕이나 왕족들, 그리고 과학자나 연예인, 또 스포츠계의 스타 등. 여왕의 경우는 군주가 없는 우리와는 상황이 다르나, 다른 대상들은 우리와 비슷하다. 그러나 우리와는 완전히 다른 존경의 대상이 있다. 바로 선장captain이다. 선장에 대한 영국인들의 존경심은 실로 대단하다. 소위 한 수 접어주는 태도로 임한다.

우리나라와는 다르게 영국에서는 선박에 승선하여 항해 경험을 쌓은 다음에야 될 수 있는 선장은 모든 사람이 선망하는 직업이다. 소위 하고 싶다고 해서 아무나 하는 직업이 아니다. 선택받은 사람들만이 할 수 있는 직업인 것이다. 물론 이러한 평가나 인식이 최근에는 조금 쇠퇴한 것은 사실이나 아직도 선장, 즉 캡틴은 영국 사회에서 관심과 존경의 대상이다.

영국에서는 'Captain'이라고 굵은 글씨로 쓰인 명함을 가진 사람들을 자주 보게 된다. 그리고 선장이라는 경력을 언급해주고 물어봐 주면 딱딱하던 영국인의 얼굴에 미소가 피면서 바로 쉽게 대화를 시작할 수 있다. 부산항이나 인천항에 한두 번은 기항해서 우리나라를 가보았다고 우리와의 인연을 이야기하거나, 우리나라 항해사나 기관사와 같이 근무한 적이 있다며 그 경험을 들려주기도 한다.

런던에 소재하는 국제해사기구 등의 회의에 참석해보면, 선장 경력이 있는 사람에게는 다른 호칭보다 우선적으로 '캡틴' 호칭을 불러주는 것을 많이 볼 수 있다. 그들에게 선장은 자부심이나 자랑스러움과 같은 말인 것이다.

해공육군

육군에서는 별을 달면 장군이라 칭하지만, 해군에서는 제독으로 칭한다. 이 제독이란 말은 원래 중국 명나라에서 수륙을 총괄하는 최고위급 장수를 일컫는 직책이었다고 한다. 우리나라에서는 제독이 해군에만 사용된다. 일반인의 시각에서 보면 제독은 해군 함정을 지휘하는 선장 중의 선장이라 할 수 있다.

제독이라는 영어 'admiral' 자체가 존경한다는 의미인 'admire'에서 나온 것을 보면, 선장 중의 선장인 제독에 대한 존경심을 알 수 있다.

영국인들의 바다에 대한 사랑은 군의 편제에서도 보인다. 우리는 군을 묶어서 호칭할 때 육·해·공군이라고 너무나 당연하고 자연스럽게 부른다. 그런데 영국은 해군Royal Navy, 공군Royal Air Force, 육군British Army 순으로 부른다. 해군이 제일 먼저 불리는 것이다. 해군과 바다에 대한 영국민의 애정과 관심이 엿보이는 대목이다. 또 잘 살펴보면 해군이나 공군은 왕립, 즉 로열Royal이 붙지만, 육군은 그냥 육군이다.

여기에는 역사적인 배경이 있다. 17세기 영국에서는 크롬웰로 대표되는 의회파와 당시 국왕이던 찰스 1세를 지지하는 왕당파 간에 내전이 일어나 결국 왕당파가 내전에서 패해 찰스 1세가 사형을 당했다. 이로써 왕을 지지했던 군대는 사라지고 당시 의회파를 지지하던 군사들이 영국 육군의 주력군이 되어 왕립이라는 Royal의 명칭을 사용할 수 없게 된 것이다. 이에 반해 해군은 당시 의회파와 무관하게 유지되고 있었고, 공군은 세계에서 가장 빨리 창설된 군이라 자연스럽게 Royal이라는 호칭을 갖게 된 것이다. 물론 이러한 역사적 배경에도 불구하고 해군에 대한 영국인들의 애정이 없었다면 해군도 Royal을 붙일 수 없었을 것이다. 병력의 수도 해군이나 공군이 각각 4만 명 내외이고 육군이 8만 명이 조금 넘는 규모다. 해·공군이 육군과 1:1 비율이니 우리와 비교해보면 병력 면에서는 엄청난 비율의 차이를 보인다. 이처럼 육군에 비해 해군이나 공군의 규모가 대단히 크며 군사 전략상의 그 역할 또한 우리와는 다르다.

영국 해군의 함정을 살펴보면 HMS London호와 같이 함정 명칭 앞에 HMSHer Majesty's Ship라는 호칭이 먼저 오는데 여왕 폐하의 함정이라는 의미다. 왜 Royal Navy라고 하는지 이름에서 느껴진다. 우리나라의 함정의 명칭은 잠수함의 경우는 바다와 관련한 위인이나 독립운동가의 이름을 따서 장보고함, 안중근함 등으로 붙인다. 대형 함정인 경우는 광역 시도의 이름을 따서 인천함, 충북함 등으로 붙이며 작은 함정은 도시의 명칭을 따서 천안함, 제천함 등으로 명명한다.

영국 주재 우리나라 대사관에도 다른 나라와 마찬가지로 국방부에서 파견 나간 무관이 근무하고 있는데, 역대 주영대사관 무관은 전통적으로 육군이 아닌 해군에서 대령급 고위 장교가 파견되어 근무한다. 영국이 해양국가이기도 하고 영국 측도 해군을 선호해서 그런 것이 아닌가 한다. 그만큼 영국은 바다에 대한 애정이 곳곳에 남아 있다.

그리니치,
세상의 중심

바다를 지배하는 자, 세계를 지배한다

그리스 시대에 "파도를 제압하는 자가 세계를 제압한다"는 말이 있다. 그리고 같은 맥락으로 근대에는 "바다를 지배하는 자가 세계를 지배한다"는 말이 있다. 이 말은 역사적으로 스페인과 네덜란드, 영국 그리고 미국이 증명해오고 있다.

콜럼버스가 스페인의 아라곤 왕국의 이사벨 여왕의 후원을 받아 신대륙을 발견한 1492년 이후 16세기까지 세계 해양을 제패하며 세계를 호령하던 국가는 스페인과 포르투갈이었다. 그러나 스페인의 불멸의 무적함대로 불리던 아르마다(스페인말로 Armada라는 말 자체가 해군 또는 함대를 의미한다) 함대가 영국에 패배한 데 이어, 당시까지 스페인 왕가의 지배를 받고 있던 네덜란드가 뛰어난 조선 기술과 항해 기술로 17~18세기에 무역을 주도하면서 짧은 기간이지만 전성기를 구가했다. 그러나 네덜란드가 1752~1774년 영란英蘭 전쟁으로 불리는 3차례의 영국과의 전쟁에서 패하면서 18세기에는 영국에 그 주도권을 완전히 내주게 되었다. 이 전쟁에서 패하면서 네덜란드는 당시까지 뉴암스테르담으로 불리던 뉴욕을 포함해 북미에서의 모든 영토와 권리를 영국에 넘겨주고 철수했다. 이후 영국이 프랑스 등과 각축을 벌이다가 최종적으로 해가 지지 않는 대제국을 건설했다.

20세기 초 가장 절정기에 있을 때인 제1차 세계대전 직전 빅토리아 여왕 시절에 영국은 당시 세계 인구의 4분의 1인 4억 6천만 명의 인구와 세계 육지 면적의 4분의 1에 해당하는 엄청난 규모인 3,550만 제곱킬로미터를 지배했다. 그리고 세계 군함의 절반이 영국 해군이었다. 당시 영국이 결정하면 그것이 곧 세계의 표준이 되었다. 모든 분야에서 그런 상황이었지만, 특히 해양에 있어서 영국은 세계 그 자체였다.

영국도 두 번의 세계대전을 거치면서 그 명성과 영광을 결국 미국에게 넘겨주게 되지만, 미국도 근본적으로는 영국을 대신한 해양 대국이라 할 수 있다. 그러기에 미국의 세계 전략 운용의 핵심은 항공모함 전단을 중심으로 한 해군 전력에 있는 것이다.

선박 항해를 위한 그리니치 천문대

영국은 바다를 통해 세상의 표준이 된 나라다. 그리고 수없이 많은 것들을 실현시킨 나라이기도 하다. 오늘날 우리가 당연하게 받아들이는 많은 것들이 영국인들이 도입하고 만든 제도다. 특히 영국의 유산은 해양 분야에서 더욱 뚜렷하고 절대 우위에 있다. 이러한 점에서 영국 해양 역사의 중심인 그리니치Greenwich는 영국을 가장 잘 보여주는, 영국인의 정신이 살아 숨 쉬는 도시라 할 수 있다.

그리니치 천문대는 왕립 천문대로 지금으로부터 350년 전인 1675년 선박의 항해술 연구를 위해 설립된 천문대다. 당시 미지의 대양을 장거리 항해하는 항해술은 국가의 흥망성쇠를 결정하는 결정적인 국가의 지식 재산권이자 국가적 차원의 기술이었다. 그러기에 왕립 천문대를 설립해서 당시 국가 경영에 필수적이었던 선박의 대양 항해술을 국가적 차원에서 뒷받침했던 것이다.

이보다 200년 전인 1450년경 조선 시대에 세종대왕이 '관상감'이라는 천문 관측 기관을 설치하여 별의 움직임을 관측하고 측우기와 물시계 등을 개발했다. 이는 당시 가장 중요한 산업이었던 농업을 뒷받침하고자 국가 차원에서 기상관측을 주도했던 것이다.

그림 2-3 그리니치 천문대

농업과 선박 항해라는 것에서 차이가 있을 뿐 국가의 주요 전략산업을 위한 군주의 고심의 결과라는 것은 동일하다. 세종 시대 농업을 위한 천문 관측 기관이던 '관상감'이 후에 바다와 항해를 위한 '관상감'으로까지 확대되지 못한 것이 아쉬울 뿐이다.

세상의 기준이 되다

시간의 기준이 되는 표준시를 GMTGreenwich Mean Time라고 부르는데 이는 시간의 시작점(00시 00분 00초)이며 경도의 기준이 된다. 우리나라는 그리니치 표준시보다 9시간이 빠르다. 한 시간이 지구의 경도로 15도 간격이니 동경(여기에서 동경은 일본의 수도 동경이 아니고 서경, 동경하는 경도를 말한다) 135도가 기준인 우리나라는 그리니치 표준시 GMT보다 9시간이 빠르게 되는 것이다. 물론 우리나라는 1시간의 시간대가 아닌 중간인 동경 127.5도 근처에 위치하고 있어서, 일제 시대 기왕에 정해진 일본의 시간대인 동경 135도를 그대로 사용하고 있다. 북한이 최근에 이 중간 시간대를 채택하여 우리와는 30분 표준 시간이 다르게 되었다.

그리니치 천문대에 가면 경도가 서쪽도 동쪽도 아닌 0 표시가 되어 있는 선을 볼 수 있는데 이것이 바로 시간의 기준인 본초 자오선本初子午線, prime meridian이자 경도의 기준이다. 이 기준선을 다리 사이에 두면 왼발은 서쪽 서반구에, 오른발은 동쪽 동반구에 있게 되는 것이다. 그리니치 천문대를 가보면 왜 영국인들이 자기들이 세계의 표준이고 기준이라고 자랑스럽게 이야기하는지 알게 된다. 경도의 기준이자 시간의 기준, 즉 본초 자오선으로부터 180도 떨어진 반대쪽이 서경과 동경이 만나는 날짜 변경선이 된다.

원래 이 경도 기준이 결정되기 전에는 세계의 열강들은 자기 나라를 기준으로 한 지도를 제각각 만들어 사용하고 있었다. 그런데 서로 다른 경도 기준과 시간 기준으로 인해 선박 항해에 있어서 큰 문제가 발생했다. 이에 1884년 당시 영국, 프랑스, 네덜란드 등 열강들이 모여 갑론을박을 한 후에 영국 그리니치를 기준으로 삼으면서 통일된 지도가 제작될 수 있었다. 이러한 기준을 만든 것은 사실 다른 이유가 아닌 선박의 항해를 위한 지도 제작과 항해술 때문이었다.

해양 도시 그리니치와 커티삭

그리니치라는 도시는 그냥 천문대만 있는 도시가 아니다. 영국의 해양 정신이 살아 있는 도시로, 국립해양박물관과 해군사관학교가 있는 영국 해양 역사의 보고다.

그리니치 부두에는 19세기 중국 등 아시아와의 무역을 담당하던 범선 커티삭Cutty Sark호가 전시되어 있다. 커티삭은 1869년 건조되었는데 무게가 963톤, 길이가 85미터 정도 되는 당시로서는 초대형 선박이었다. 증기기관이 본격적으로 선박에 이용되기 전이라 순수하게 돛으로 항해하는 범선이었다. 그래서 지금도 그리니치항에 정박해 있는 커티삭에는 멋진 돛과 돛대가 있다.

이 배는 영국과 중국 간의 차tea 무역을 담당하던 무역선이었는데 당시에는 범접할 수 없는 시속 31.4킬로미터의 속도를 냈다고 한다. 바람을 이용한 범선으로서는 대단한 속도였다. 당시에는 중국에서 생산되는 차는

그림 2-4 커티삭

매우 중요한 무역상품이고 시간을 다투는 상품이어서, 하루라도 더 빨리 차를 운반하고자 이러한 쾌속 선박을 건조했던 것이다. 당시 하루라도 빨리 중국산 고급 차가 런던 템스강에 도착하게 되면 하루 뒤 늦게 도착한 다른 선박과 비교하여 엄청난 고가에 차를 팔 수 있었다. 이것을 일명 '차 운반 경주tea race'라고 불렀다. 당시에도 시간이 곧 돈이었던 것이다. 세계 적으로 유명한 위스키인 커티삭의 이름도 이 범선 커티삭호의 이름에서 따왔다.

　영국을 방문하는 우리나라 해양수산부 장·차관들은 거의 모두 그리니 치에 있는 영국 국립해양박물관을 방문한다. 방문하게 되면 압도당하는 것이 세계 해양 역사를 보여주는 그들의 소장품이다. "부럽다"가 절로 나 온다. 너무 소장품이 많아서 몇 년에 한 번씩 전시물을 교체해야 하고, 그것을 선별하는 것이 고민이라고 하니 참으로 부러울 따름이다. 우리나라에도 해양 도시 부산에 국립해양박물관을 개관하여 어려운 상황에서도 운영하고 있다. 우리나라 해양박물관이 어려운 여건에서 많은 발전을 이루고 있고 바다를 알리는 데에 많은 기여를 하고 있다는 것에 이론은 없지만, 그리니치 박물관과 비교해보면 아직 갈 길이 먼 것도 사실이다.

현대사회에 남겨진 영국의 유산

영국의 위상은 제1차 세계대전으로 기울기 시작하여 제2차 세계대전 후에는 가파르게 쇠퇴의 길을 간다. 그러다가 1957년 이집트의 수에즈운하 국유화로 결정타를 맞게 되고, 이후 1997년 홍콩을 중국에 반환하면서 외형적으로 간신히 유지해오던 과거 대영제국의 희미한 모습도 역사 속으로 사라지게 되고 만다.

최근에는 완전히 해가 진 영국이라고들 한다. 물론 과거 전성기 시절 바다를 통해 세계를 호령하던 대영제국의 위세는 보이지 않는다. 그러나 그래도 아직 해가 완전히 지지는 않았다. 석양에 기울어 있지만, 아직 그 빛은 남아 있고, 그 빛이 필요한 곳도 많다. 그리고 원래 해는 바로 지지 않는 법이다.

대부분의 영국인들은 자신들이 현재의 세계 사회의 기본 틀을 만들었다고 자부하고 이를 굳이 숨기지 않는다. 영국인들은 말한다. 첫째로 세계 공용어인 영어를 전파했으며, 둘째로 자유민주주의 시스템을 전 세계에 심어 놓았고, 마지막으로 세계의 무역 장벽을 허물어 현재의 무역 체제를 가능하게 한 것이 자신들이라고.

물론 인정하고 수긍할 부분이 많이 있지만, 그 이면의 모습도 많이 있는 것이 사실이다. 시각에 따라 매우 다양한 의견이 있다는 이야기다. 그러나 한 가지 확실한 것은 독일이나 일본에 비하면, 영국의 식민지 정책에 대하여 긍정적인 평가가 많은 것은 사실이다. 과거 영국의 식미지였던 국가와 독일이나 일본의 식민지였던 국가의 현재 모습을 보면 더욱 그렇다.

런던항의
로이즈 커피 하우스

Mr. Lloyd와 커피 하우스

유럽 최초의 커피 하우스는 1647년 당시 유럽 무역의 중심지 베네치아의 산마르코 광장에 있었다. 영국에서는 1650년 옥스퍼드에 최초로 커피 하우스가 생겼다.

모카커피와 더불어 우리에게 익숙한 비엔나커피는 통상 커피에 생크림이나 휘핑크림을 얹고 여기에 카카오 가루를 뿌려준 것이다. 맛이 좋아 여성들이 선호하는 커피다. 1683년 오스만튀르크와 오스트리아 간의 비엔나 전투에서 오스만튀르크가 패배하면서 약 500포대가량의 커피를 비엔나에 두고 철수했다. 그리고 이 당시 통역을 하던 사람이 이 커피 열매를 가지고 비엔나에서 처음으로 커피 하우스를 열었다. 이 커피 하우스에서는 커피에 크림과 당시에는 귀했던 설탕을 넣어서 현재의 비엔나커피와

비슷하게 커피를 만들었다. 비엔나
커피의 유래다.

그림 2-5 로이즈 커피 하우스

당시 영국에서 가장 중요한 항
구는 런던의 젖줄인 템스강변에
있는 런던항이었다. 이 템스강변
에 1686년 에드워드 로이드Edward
Lloyd가 자기 이름을 딴 로이즈 커
피 하우스Lloyd's Coffee House라는 이
름의 커피 가게를 차렸다. 이 커피
하우스가 항만에 위치하고 있었기
때문에 커피를 마시러 오는 주요 고객들은 당시 선박업을 하던 선주나 무
역을 하는 사업가들이었다. 그들의 주요 관심사는 오늘 어떤 배가 무슨 화
물을 싣고, 어디로 출항하는지, 또는 어떤 배가 무슨 화물을 싣고 도착하게
되는지 등이었다. 이 로이즈 커피 하우스의 주인인 에드워드는 사업적인
마인드가 충만했던지 자기가 들은 선박의 입출항과 관련한 선박명이나
시간, 출발지나 도착지 항만 등의 정보를 작은 칠판에다 기록하여 커피를
마시러 오는 사람들이 알 수 있게 했다. 그리고 나중에는 이것을 등사판으
로 프린트해서 커피 하우스에 들르는 손님들에게 한 장씩 서비스로 나누
어 주기도 했다. 이것이 세계 해운 조선 분야의 가장 권위 있는 언론 신문
〈로이즈 리스트Lloyd's List〉의 시초다. 다른 신문과는 달리 신문명에 '리스
트'라는 이름이 붙은 이유이기도 하다.

이 〈로이즈 리스트〉는 지금도 해운 항만과 조선 분야에서 타의 추종을 불허하는 영향력 있는 언론으로 자리매김하고 있으며, 전시회나 출판 등 관련 산업의 핵심 역할을 하고 있다. 이 〈로이즈 리스트〉에서 현재의 영국이 자랑하는 로이즈 보험과 로이즈 은행 등 '로이즈'라는 브랜드가 상업적으로 뿌리내리게 된 것이다. 런던의 로이즈에서는 17세기 템스강변의 런던항만에서 로이드 씨가 따라 주던 커피 향이 난다.

선박에서 시작한 금융과 보험

로이즈 커피 하우스에 오는 사업가들의 가장 큰 관심사는 물건을 싣고 오가는 선박이 사고 없이 무사히 입항하는지 여부였다. 이러한 걱정을 잘 알고 있던 로이드는 손님들로부터 일정한 금액을 십시일반으로 미리 받아 적립해두고 있다가, 나중에 사고가 나면 그 손해의 일부분을 지급해주었다. 이것이 리스크를 분담하고 손해가 나면 보장해주는 손해보험의 시초가 되었고, 로이즈 보험의 시작이었다. 이러한 배경으로 현재의 보험계약 약관이나 계약서는 로이즈 보험에서 파생된 것이다. 즉, 보험은 바다에서 시작되었다. 지금도 우리나라의 유수의 보험사들은 '○○해상보험'이라는 회사명을 가지고 있는데, 바로 여기에서 유래한 것이다. 영국의 초기 보험사들은 모두 해상보험회사였다.

아울러 당시에 무역을 위해서는 튼튼한 선박이 필요했는데, 이러한 선박을 건조하기 위해서는 많은 자금이 소요되었다. 따라서 이 자금을 마련하기 위해 돈 있고 투자에 관심 있는 사람들을 불러 모아 일정 지분만큼 투자를 요청하고 이익이 생기면 이를 분배해주었다. 이것이 선박 금융의 시초다. 또 이렇게 하여 건조되는 선박이 설계도 기준에 맞게 만들어지는

지, 자재는 적정하게 사용하는지 등을 감독하는 전문적인 식견을 갖춘 사람들이 필요하게 되었다. 이들이 바로 선박이 국제 기준에 맞게 건조되는지를 판단하는 선박검사관들의 협의체인 선급Classification Society이 되었으며, 대표적인 것이 역시 로이즈의 이름을 딴 로이즈 선급Lloyds Register of Shipping이다.

우리나라의 조선 건조 실적은 세계 1위를 달리고 있다. 그러나 이러한 선박을 발주하는 것은 대부분이 외국의 선주들이다. 이들은 로이드 선급과 같은 해외 유명 선급에게 자신들을 대신하여 선박 건조 단계에서부터 우리나라 조선소에 상주하면서 감독을 하게 하고 있다. 우리 조선소로서는 상전 중의 상전인 셈이다. 우리나라에도 규모에 있어서는 차이가 있지만, 동일한 역할을 담당하는 한국선급KR, Korea Register of Shipping이 있다.

지금도 런던의 로이즈 보험Lloyd's of London은 전 세계 가장 큰 재보험사의 하나로, 보험사들의 보험사 역할을 하고 있다. 우리나라의 대표 재보험사인 'Korean Re'도 결국 영국이나 미국 등의 거대 글로벌 재보험사에 다시 보험을 들어 리스크를 최대한 분산시키고 있는 것이다.

로이즈는 최고의 브랜드

이러한 금융이나 보험이 발달함에 따라 런던에는 다양한 부수적인 산업들이 번창하게 되었다. 분쟁이 늘어남에 따라 해상 법률 시장이 형성되었고, 자연스럽게 영국 해상법이 분쟁 해결의 판단 기준이 되었다. 곧 런던 스탠더드가 세계의 기준이 된 것이다.

지금도 영국 런던은 조선 수주 협상의 정보가 교환되고, 또 실질적인 협상이 이루어지는 장소다. 더욱이 세계 해운이나 조선 분야의 계약은 분쟁 시에는 영국 해상법이 기준이 되기에, 당연하게도 영국 법원이나 해상 중재원에서 그 해결을 하고 있다. 외형적인 대영제국은 무너졌으나 아직 그 내면에는 대영제국이 유지되고 있는 셈이다. 로이즈라는 브랜드는 지금도 세계 최고의 신뢰도와 평판을 유지하고 있다. 영국뿐 아니라 전 세계 수많은 나라에서 이 로이즈라는 브랜드를 사용하고 있는 이유다.

런던에는 유엔기구로서 전 세계 해운이나 조선 분야를 관장하는 국제해사기구IMO, International Maritime Organization가 런던의 시계탑인 빅벤 바로 맞은편에 있는 템스강 강둑 위에 상징적으로 위치해 있다. 영국 런던이 아직도 금융과 보험, 해사 부문에서 해가 지지 않는 나라로 자리매김하고 있는 것은 에드워드 로이드라는 커피 하우스 주인의 미래 지향적인 마인드에 힘입은 바가 크다.

한반도의 조선왕조로 돌아오면 1680년경은 숙종 때로 장희빈의 암투와, 서인과 남인의 기사환국 등 그야말로 사생결단하던 시기다. 1680년경 영국의 활기 있는 모습과 비교하면 답답함을 넘어 참담함을 느끼지 않을 수 없다.

영국 왕실의
남다른 바다 사랑

우리 사전에 군 미필은 없다

영국 왕실의 남자들, 즉 왕자들은 대대로 군에 복무하는 전통이 있다. 그 중에서도 우선적으로 해군에 복무한다. 이러한 전통에 따라 현재의 영국 여왕인 엘리자베스의 할아버지이자 윈저 왕가를 연 조지 5세와 아버지 조지 6세는 모두 해군에 장교로 복무하여 제1차 세계대전에 참전하기도 했다.

영국 여왕인 엘리자베스 2세는 현존하는 유럽의 군주들 가운데 마지막 남은 제2차 세계대전 참전용사다. 여왕은 제2차 세계대전 중 캐나다로 잠시 피해 있으라는 말을 단호히 거부하고, 해군이나 육군도 아닌 영국의 국방군에 장교로 자원입대하여 보급 장교로서 임무를 수행했다. 얼마 전 (2021년 4월) 99세로 세상을 떠난 엘리자베스 여왕의 남편 필립 공(공식 직위는 에든버러 공작Duke of Edinburgh)도 해군 함정의 갑판사관으로 복무했으며, 제2차 세계대전 기간 중 해군 대위로 참전한 바 있다.

영국 여왕의 뒤를 이어 왕위를 물려받게 되는 왕세자(1948년생으로 이미 70이 넘은 나이라 가장 나이 많은 왕세자다) 찰스의 공식 직함은 웨일스 왕자 Prince of Wales인데 이는 왕위 계승자가 웨일스 공작이 되는 전통에 따른 것이다. 13세기 당시 독립 왕국이던 웨일스를 점령한 잉글랜드 왕 에드워드 1세가 정복 전쟁 중에 왕위 계승자인 왕자를 얻게 되자, 그를 웨일스 왕자라고 부르면서부터 영국 왕의 계승자를 웨일스 왕자로 부른다. 찰스 왕세자도 1970년대 해군에 입대하여 전투기 조종사로 근무했다. 하지만 왕세손인 윌리엄 왕자(공식 직함은 케임브리지 공작Duke of Cambridge)는 공군 조종사로 근무한 바 있다.

왕실은 아니지만 영국을 제2차 세계대전의 패배에서 구한 처칠 수상도 제1차 세계대전 기간 중 해군 장군으로 복무했다. 영국이 바다의 국가이니 당연히 해군에 입대하는 전통이 있다고 볼 수도 있으나, 영국 왕실이 솔선수범해서 군에 입대하고, 심지어는 전쟁에 참전하기도 하는 모습에서 그들만의 참된 노블레스 오블리주가 보이는 것 같다.

영국에는 여왕의 전용 선박이 있었다

통상의 국가에는 국가 정상(대통령, 수상 등)이 해외 순방을 할 때 사용하는 전용 비행기가 있다. 전용 비행기를 국가가 직접 소유하기도 하고 임대하기도 하지만, 전용으로 사용하는 것은 동일하다. 우리나라도 '대한민국 공군 1호기code 1'라 하여 대통령 전용 비행기가 있다. 그리고 마찬가지로 우리나라에는 대통령이 이용하는 전용 기차train one가 별도로 편성되어 있다. 물론 이 사실은 많이 알려져 있지 않다.

그런데 영국에는 여기에다 해양 국가답게 여왕이나 왕실이 이용하는 전용 선박이 있었다. 우리나라는 현재에도 없고, 과거에도 없었다. 영국 여왕의 전용 선박은 단지 여행하는 운송 수단이 아니다. 국가를 위한 외교의 수단이다. 이 왕실 전용 선박의 이름은 영국을 상징하듯이 '브리타니아Britannia호'인데, 영국 엘리자베스 2세가 즉위한 이듬해인 1953년 진수되어 1997년 퇴역할 때까지 44년간 전 세계 주요 국가를 항해하여, 해양 국가 영국의 자존심을 세계 각국에 알리는 외교사절의 역할을 했다. 이 배는 길이 126미터에 250명의 승무원을 태우고 시속 40킬로미터, 즉 22노트의 속도를 낼 수 있는 일종의 대형 요트 선박이었다. 이 선박에는 레이건, 클린턴, 만델라 등 세계의 유명 인사들이 초대되어 여왕과 식사를 하거나 연회에 참석하기도 했다. 브리타니아호 초대는 곧 세계 명사 대열에 합류하게 됨을 공식적으로 인정받는 하나의 증표였던 것이다.

그림 2-6 브리타니아호

그러나 사람도 수명이 있듯이 브리타니아호도 그 찬란한 역사를 뒤로 하고 1997년 퇴역을 하게 되었다. 브리타니아호 퇴역 이후에 이를 대체할 새로운 왕실 전용 선박을 건조하자는 논의가 당연히 있었으나, 당시 1,000억 원이 넘는 막대한 비용 부담 문제와 더불어 1997년 다이애나 왕세자비의 사망 등 왕실에 대한 부정적인 시각으로 새로 건조가 되지 않아 현재는 왕실의 전용 선박이 없는 상태다. 매우 많은 영국인들이 아쉬워하는 대목이다.

현재 퇴역한 브리타니아호는 스코틀랜드의 수도인 에든버러항에 정박되어 일반에 공개되고 있다. 영국이 해양 국가라는 사실과 영국인들의 바다에 대한 애정을 고려하면, 조만간 적정한 시기에 왕실 전용 선박에 대한 논의가 다시 시작될 것으로 전망된다. 실제로 몇 차례 논의가 있기도 했다.

우리나라는 반도 국가이지만, 북한이 있어서 실질적으로는 섬나라다. 우리나라에서도 이러한 대통령의 전용 선박에 대한 논의가 시작되기를 희망해본다. 백 마디 말로 해양 대국과 해운 재건을 외치는 것보다 이것이 더 확실하게 바다에 대한 정책 의지를 표현하는 것이라고 생각한다. 대한민국 대통령이 태극기가 휘날리는 전용 선박을 타고 한강에서 아라뱃길을 거쳐 인천항이나 서해의 어느 지역을 방문하는 것은 상상만으로도 멋진 모습이다. 더 나아가 부산이나 인천에서 출항하는 전용 선박을 이용해 대통령이 일본이나 중국 또는 러시아의 극동 지역을 국빈 방문하는 모습은 그려보는 것만으로도 자랑스럽기까지 하다. 동해 명칭이나 독도 문제는 우리 국민의 자존심이 걸린 문제다. 그 해결을 두고 많은 이야기가 나오지만, 열 마디 말보다 대통령 전용 선박이 더 강한 메시지와 의지의 표현 아닐까.

Fish & Kids

영국의 대표 먹거리 fish & chips

제이미 올리버Jamie Oliver. 음식이나 요리 분야에 관심 있는 사람이라면 한 번쯤 들어보았을 이름이다. 세계적으로 명성을 지닌 요리사이기 때문이다. 올리버는 영국의 요리 연구가이고 셰프chef이고 기업 경영자다.

2005년에 나는 영국대사관에서 근무하고 있었다. 어느 날, 지역의 초등학교에 다니는 아들이 학교에서 주는 팸플릿을 가져왔는데 제목이 'fish & kids'였다. 당시 막 떠오르던 요리 연구가이자 건강 식단 홍보대사를 자임하던 올리버가 학교를 직접 방문해서, 급식을 담당하는 조리사들과 대화하며 급식을 개선하는 행사를 했는데 그 팸플릿이었다.

당시 영국도 다른 나라의 학교급식과 비슷하게 인스턴트식품을 데우거나 간단하게 조리하여 학생들에게 제공했다. 인스턴트식품에 길들여진 아이들 입맛에 학교급식이 맞을지는 모르겠지만, 건강에는 그리 바람직하지 않은 상황임을 다 인식하고 있었다. 그런데 이 상황에서 올리버가 용감하게 총대를 메고 나선 것이다. 항상 크든 작든 무슨 문제를 개선하려면 기득권을 가진 사람들의 저항이 있기 마련이다. 서른 살의 나이에 이런 생각을 하고 이를 실천에 옮겼으니 대단하기도 하다. 당시 이미 그는 잘생긴 외모로 영국에서는 떠오르는 신세대 셰프이기도 했다. 또 다른 유명 셰프로 우리나라 방송에도 여러 번 출연한 바 있는 10년 정도 연상의 영국인 고든 램지Gordon Ramsay와 비교되기도 한다.

영국이 자랑하는 음식을 고르라면 아마 'fish & chips'를 선택하는 사람이 많을 것이다. 혹자는 영국이 세계 음식문화에 기여한 것은 대구와 감자로 만든 fish & chips밖에 없다고 영국 음식을 혹평하기도 한다. 그만큼

그림 2-7 fish & chips

영국은 음식에 있어서는 이웃 나라 프랑스나 이탈리아, 스페인 등과는 비교가 안 될 정도로 내세울 만한 것이 없기는 하다. 와인도 없고 맥주도 시원찮고 위스키만 좋다. 그러나 실제 북해에서 잡은 흰살생선 대구로 만든 이 fish & chips는 우리 입맛에도 아주 잘 맞는다.

신의 한 수, fish & kids

그런데 올리버가 학교급식을 건강에도 좋고 영양 면에서도 균형 잡힌 급식으로 바꾸자고 주장하면서 들고나온 캠페인의 하나가 바로 'fish & kids'다. 알다시피 영국의 대표 음식은 fish & chips다. 대서양에서 많이 잡히는 흰살생선인 대구나 대구 사촌 격인 해덕haddock의 살을 발라내서 기름에 튀긴 후에, 감자칩과 잘 으깬 완두콩 소스와 함께 먹는 영국의 전통 요리다. 바로 이 요리에서 따온 캠페인 명칭이 fish & kids였다.

그러나 여기에는 단지 건강한 학교급식이나 먹거리만을 위한 캠페인이 아닌 영국이 지향하는 가치가 들어 있다. 해양 국가인 영국에서도 아이들이나 젊은이들의 바다에 대한 인식이 예전 같지 않은 게 사실이다. 이것을 고려하여 바다에 대한 인식을 제고하고, 나아가 학교급식을 건강하고 균형 잡힌 식단으로 변화시키기 위해 생선 요리를 매개로 했던 것이다. 바다에 대한 교육과 체험의 기회를 어린아이들에게 자연스럽게 제공하면서 아이들의 영양도 챙길 수 있는, 그야말로 두 마리 토끼를 한 번에 잡는 신의 한 수였다.

학교급식은 건강한 식단으로 점차 바뀌어 갔고, 더불어 학생들의 바다 교육도 자연스럽게 이루어졌다. 학교에서도 생선이나 해산물을 먹는 것에 그치지 않고, 이런 기회를 통해 수산물이 생산되는 바다의 중요성과 해양 환경의 필요성을 자연스럽게 알게 했던 것이다.

영국의 fish & kids 캠페인은 우리의 해양 교육이나 해양 환경 교육이 어떤 방향으로 가야 하는지 시사하는 바가 크다. 더욱 놀라운 것은 당시 서른 살밖에 안 된 젊은 요리 연구가가 총리였던 토니 블레어를 직접 면담하여 이러한 캠페인을 제안했다는 것이다. 이와 같은 총리 면담과 캠페인 제안이 채택될 수 있는 분위기와 과정이 부럽기도 하다. 올리버는 이러한 공로로 대영제국훈장MBE을 여왕으로부터 받기도 했다.

그런데 승승장구를 거듭하던 올리버는 사업에서는 별로였는지, 2019년 본인이 운영하던 식당 체인이 파산하는 불운을 겪었다. 알다가도 모를 일이다. 하지만 그가 영국의 학교급식을 개선하고 어린이들에게 바다를 가깝게 하는 기회를 만들어 준 기여만큼은 절대 파산하면 안 될 일이다. 오히려 더 기억하고 키워 가야 할 일이다.

여왕과 바다

영국과 결혼한 엘리자베스 1세

영국은 여왕이 다스릴 때 최고의 전성기를 누렸다고 흔히 이야기한다. 일정 부분 일리가 있고 맞는 이야기다. 역사가 보여주듯 빅토리아 여왕 시대가 대표적이다. 그런데 유럽 열강의 역사를 살펴보면 흥미 있게도 여왕이 다스리던 시절에 바다로 진출하여 국가 번영의 토대를 만든 경우가 많았다.

엘리자베스 여왕(1558~1603년 재위)은 45년간이나 재위하면서 명실상부하게 영국을 해양 국가로 만들어 놓았다. 1492년 신대륙 발견 이후 당시 세계 최강의 함대를 보유하고 대서양을 주름잡던 스페인을 견제하기 위해 엘리자베스 여왕은 비상수단을 꺼내 들었다. 당시 신대륙 카리브해와 대서양에서 스페인 상선을 공격하여 물건을 약탈하던 영국인 해적 선장 프랜시스 드레이크Francis Drake를 해군 제독으로 임명했던 것이다.

드레이크는 1588년 영국과 스페인의 운명이 걸린 칼레 해전에서 스페인이 자랑하는 아르마다 무적함대를 격파하고 영국을 해양 대국으로 끌어올렸다. 당시 엘리자베스 1세의 신임에 승전으로 화답을 한 것인데, 결국 이 전쟁에서 패전한 스페인은 속국이던 네덜란드의 독립을 지켜볼 수밖에 없었고 네덜란드와 영국에 바다의 패권을 넘겨주게 되었다. 스페인의 무적함대 130척 중 절반 이상이 피해를 당하고, 60척 정도만 스페인으로 돌아가는 결정적인 패전이었다. 이 해전에서 승리한 드레이크는 영국인들이 가장 자랑스러워하는 바다의 영웅으로 꼽힌다.

엘리자베스 1세는 미국 식민지 개척에도 박차를 가하여 영국이 북미에서 독주하는 토대를 만들었다. 그래서 미국 식민지 시대에 처음 개척한 지역의 이름이 버지니아Virginia다. 결혼하지 않고 영국과 결혼했다고 말했던 엘리자베스 1세 여왕을 기리기 위해 이렇게 지명을 지은 것이다. 또 대영제국 형성의 첨병인 동인도회사도 1600년 처음 만들어 인도 등 아시아를 식민지화하는 선발대 역할을 하게 했다. 바다를 통해 대영제국의 토대를 놓은 여왕이 바로 엘리자베스 1세다.

그레이트브리튼섬을 통일한 앤 여왕

영국 스튜어트 왕조의 마지막 왕이었던 앤Anne 여왕(1702~1714년 재위)은 당시까지 그레이트브리튼섬의 북부에 독립 왕국으로 있던 스코틀랜드를 합병하여 지금의 영국, 즉 Great Britain의 모습을 갖추었다. 또 스페인과 왕위 계승 전쟁을 벌여 승리함으로써 영국 여왕으로서의 위상을 굳건히 했다.

이때 영국군을 이끌고 전쟁을 벌인 총사령관이 제2차 세계대전의 영웅 처칠 수상의 조상인 말버러Marlborough 공公 존 처칠이었다. 이 공로로 앤 여왕은 존 처칠 말버러 공작에게 블레넘Blenheim궁을 새로 지어서 하사했는데, 여기에서 제2차 세계대전의 영웅 윈스턴 처칠 수상이 태어났다.

특히 앤 여왕은 대서양과 지중해를 연결하는 해협이자 유럽과 아프리카 대륙이 마주 보는 지역인 지브롤터를 스페인 왕위 계승 전쟁 중에 점령하여 영국령으로 삼았다. 지금도 영국의 해외 영토로 스페인과 영토를 둘러싼 갈등 원인의 하나가 되고 있다. 영국에게는 없어서는 안 되는 중요한 전략상의 요충지다. 지브롤터의 영유권을 두고 주민투표를 하면 항상 영국에 우호적이어서 스페인도 마음대로 어쩌지 못하고 있는 상황이다. 아이러니하게도 지브롤터해협의 건너편 아프리카 대륙 모로코에는 분풀이라도 하듯이 스페인령의 군항인 세우타Ceuta가 있어서, 16세기 이래 스페인의 중요한 군사적 요충지 역할을 하고 있다.

유럽의 할머니 빅토리아 여왕

빅토리아 여왕은 우선 64년이라는 엄청난 재위 기간(1837~1901년 재위)으로 유명하다. 현재의 엘리자베스 2세 여왕에 이어 두 번째로 긴 재위 기간이다. 우리나라 고구려 장수왕의 78년 재위에는 미치지 못하지만 조선시대 영조 임금의 52년과 비교하면 대단한 기간이다. 빅토리아 여왕은 바다와 섬을 사랑한 여왕이라고 불린다. 별명에 걸맞게 남편인 알버트 공이 먼저 세상을 뜨자, 알버트와의 추억이 깃든 영국 남부의 와이트섬에 있는 오스본 하우스에 은둔하며 정사를 보지 않는 통에 신하들이 매우 곤란한 상황이었다고 한다. 결국 빅토리아 여왕은 이 오스본 하우스에서 남편인 알버트 공과의 추억을 생각하며 숨을 거두었다.

빅토리아 여왕 시절은 영국이 역사상 최전성기를 누리던 시기였다. '빅토리아 시대Victorian Era'라는 말이 이를 대변한다. 빅토리아 시대야말로 영국이 자랑해 마지않는 최고의 시기였다. 지금 런던의 버킹엄궁 인근이나 첼시 지역 등에 남아 있는 오래되어 보이는 멋진 석조 건물들은 대부분이 이 빅토리아 시대에 지어진 건물들이다.

당시 여왕은 아편 전쟁을 통해 중국을 굴복시켜 홍콩을 할양받았으며, 인도 제국의 황제가 되었다. 그리고 아프리카의 식민지화를 완성하여 남쪽의 남아공에서부터 이집트까지 아프리카를 남북으로 관통하는 소위 영어를 사용하는 앵글로폰Anglophone 식민지를 구축했다. 우리나라 거문도를 점령하고 일본과 영일 동맹을 맺어, 결국 일본이 러일 전쟁에서 승리하여 조선을 합병하도록 하는 데 도움을 준 것도 이 기간이다.

위대한 여왕 빅토리아라는 이름은 아프리카에 있는 빅토리아 폭포부터 런던의 빅토리아역, 빅토리아 & 알버트 박물관 등 다양한 건물과 지명에 남아 있다. 남편인 알버트 공을 기리기 위해 알버트 홀, 알버트 다리 등 당시 건설한 많은 건축물에 알버트라는 이름을 붙이기도 했다. 빅토리아 여왕은 당시 지구의 4분의 1 면적과 지구 인구의 4분의 1을 다스리는 그야말로 대영제국의 여제였다. 4남 5녀의 자녀들이 유럽 각국의 왕실과 혼인 관계를 맺어서 손자 손녀까지 포함하면 연결이 되지 않은 왕실이 없을 정도다. 그래서 유럽의 할머니로도 불린다.

스페인의 이사벨 여왕과 콜럼버스

스페인 카스티야 왕국의 왕이었던 이사벨 여왕은 아라곤의 왕자 페르난도 2세와 결혼하여, 1479년 남편이 아라곤의 왕으로 즉위하자 두 왕국을 공동으로 통치했다.

이사벨 여왕은 1492년 스페인 남쪽 그라나다 알람브라궁에 남아 있던 마지막 이슬람 세력을 몰아내고 이베리아반도를 통일하여 가톨릭의 손아래 두었다. 이후 스페인은 가톨릭의 수호자 역할을 하게 되었다. 이어 같은 해 이사벨 여왕은 콜럼버스의 청을 받아들여 신대륙 탐험을 하게 했다. 콜럼버스의 항해 성공으로 이베리아반도의 후진국이던 스페인은 유럽은 물론 세계의 강자로 발돋움하여 16세기 전성기를 구가하게 되었다. 이사벨 여왕 사후 카스티야 왕국은 남편이던 페르난도의 아라곤 왕국에 흡수되어 스페인의 통일 과정에 시발이 되었다.

역사에 가정이란 무의미하지만, 이사벨 여왕의 결단이 아니었으면 콜럼버스의 꿈은 이루어지지 않았을 것이고 인류 역사의 방향도 지금과 많이 달라져 있을 것이다. 이러한 이사벨 여왕을 기리기 위해 남미 갈라파고스 제도에 있는 가장 큰 섬의 이름을 이사벨라섬이라 부르고 있다.

러시아를 강국으로 만든 예카테리나 여제

러시아의 예카테리나 대제(1762~1796년 재위)는 독일에서 태어나 러시아에 왕비로 시집을 왔다. 시원찮은 왕이자 남편이던 표트르 3세(러시아의 근대화를 이룬 러시아 최초의 황제인 표트르 대제가 아니다)를 폐위시키고 스스로 왕위에 오른 철의 여인이다. 표트르는 러시아 정교회의 성인인 베드로의 러시아식 발음인데, 표트르 대제가 베네치아를 본떠 조성한 상트페테르부르크는 성 베드로 도시라는 의미와 함께 표트르 대제의 도시라는 의미도 담겨 있다.

예카테리나는 러시아를 근대 산업국가로 재편한 여제로, 독일 사람임에도 러시아인들에게 사랑받은 여인이다. 예카테리나 여제가 확립한 러시아의 행정 체제는 1917년 볼셰비키 혁명 이전까지 지속되어 러시아를 통치하는 기반이 되었다.

예카테리나 여제는 철의 여인답게 전쟁 등을 통해 발트해 지역의 영유권을 확실하게 굳혔으며, 오스만튀르크를 물리치고 크림반도를 확보하여 흑해까지 진출하는 데 성공했다. 이로써 바다를 통해 대양으로 진출할 수 있는 통로를 만들었다. 또 시베리아 지방까지 진출하여 바다를 향한 러시아의 숨통이 트이는 계기가 되었다. 내륙에서도 폴란드 지역을 분할해 영토를 확장하는 등 유럽 중심부로 팽창을 거듭하여, 유럽의 변방 러시아를 유럽의 중심국이자 강국 러시아로 탈바꿈시켰다.

이러한 과정을 통해 예카테리나 치세인 18세기 말 러시아의 인구는 두 배로 늘어난 4천만 명에 달할 정도였다. 유럽 인구의 20퍼센트를 점유하는 최대국가가 되었던 것이다.

서양의 '맥' 서방과
'오' 서방 이야기

켈트족의 아픈 역사

영어권 국가의 성씨 중에는 '맥'이나 '오'로 시작하는 이름이 있다. 맥아더MacArthur, 맥그리거McGregor, 맥가이버MacGyver, 오닐O'Neil, 오코너O'Connor, 오브라이언O'Brien 등이 그것이다. 이들은 조상이 아일랜드나 스코틀랜드 출신인 경우가 대부분이다. 특히 맥씨는 스코틀랜드에 조상을 둔 경우가 많고, 오씨는 아일랜드에 조상을 둔 경우가 많다. 이들은 모두 켈트Celt족으로 켈트어를 쓴다는 공통점이 있다. 여기에서 Mc(Mac)이나 O'는 그 뜻이 다 누구의 자녀들이라는 의미를 지닌다. 영어의 Johnson(존의 아들), Robertson(로버트의 아들)처럼 누구의 아들이라는 의미의 성과 같다. 북유럽 언어에서 보이는 얀센Jansen의 sen도 마찬가지로 누구의 아들이라는 의미다. 위대하지만 불행했던 화가 빈센트 반 고흐Vincent van Gogh

처럼 네덜란드 사람들의 이름에는 'van'이라는 이름이 많은데 이것도 모두 '어느 집안 출신의' 또는 '누구누구의 자녀들'이라는 의미다. 즉, 빈센트 반 고흐는 고흐 집안의 빈센트라는 의미인 것이다.

그레이트브리튼섬의 켈트족은 잉글랜드의 주역이 된 게르만족 계통의 앵글로색슨족이 들어오기 전에 그레이트브리튼섬에 살았던 원주민들로, 로마 시대에는 갈리아인으로 불리기도 했으며 바이킹들과도 일정한 민족적 연관성을 가지고 있다. 이들은 5세기경 유럽 대륙으로부터 게르만족의 한 부류인 앵글로색슨족이 침공해 들어오자 변방으로 밀려나 스코틀랜드와 웨일스 등 산악지방과 아일랜드섬으로 밀려나게 되었다. 이들은 모두 켈트(영어 표현은 celtic으로 셀틱이라 불리기도 한다)족의 전통을 어느 정도 유지하고 있는데, 특히 아일랜드가 가장 잘 보존되어 있다. 스코틀랜드에서

그림 2-8 스코틀랜드 전통 의상 킬트와 전통 악기 백파이프

볼 수 있는 남자들의 치마 킬트kilt와 악기 백파이프는 켈트족의 공통적인 전통 복장과 악기다.

신대륙에서 구대륙인 유럽으로 넘어온 감자는 유럽 각국에서 주식으로 인정될 만큼 각광을 받았다. 특히 땅이 척박하여 농사가 잘되지 않던 아일랜드에는 감자가 주식이 되었다. 그런데 19세기 중반이던 1845~1852년까지 감자에 전염병이 돌아 대기근이 덮치게 되었다. 당시 굶주림에서 벗어나고자 미국 신대륙으로 이민 가는 아일랜드 사람들이 폭발적으로 증가했는데, 현재 미국의 맥씨와 오씨는 이들의 후손으로 보면 틀림이 없다.

English, Go Home!

지금도 웨일스는 영어와 웨일스어가 공용어로 되어 있다. 그런데 이 웨일스어는 자음과 모음이 중복적으로 섞여 있어서 말하는 것은 물론 읽는 것 자체도 매우 어려운 언어다. 우리나라 어떤 유학생이 웨일스의 수도 카디프에 처음 도착하여 라디오 방송을 듣게 되었는데, 전혀 무슨 말인지 알아들을 수가 없었다고 한다. 이 유학생은 영국에서 라디오로 나오는 것이니 당연히 영어 방송으로 생각했다. 그런데 한마디도 알아들을 수 없게 되자 자기의 영어 실력에 회의를 느껴, 남들에게는 말도 못 하고 유학 중단을 심각하게 고민했다고 한다. 웨일스어 방송이었던 까닭에 한마디도 알아들을 수 없는 것은 당연한데, 그것을 알 수 없었던 그 유학생은 얼마나 당황스러웠을까. 지금도 웨일스 지역에 가면 도로 표지판이나 이정표에는 웨일스어 표현이 먼저 나오고 밑에 영어 표현이 나온다.

우리나라 국가대표 축구 선수였던 기성용 선수가 스코틀랜드 글래스고를 연고지로 하는 명문 프로 축구팀인 셀틱(켈트족을 의미하는 Celtic의 영어식 표현) FC에서 활동한 바가 있는데 이름 그대로 켈트족을 나타내는 팀 이름이다. 또 우리에게도 잘 알려진 영화 〈브레이브 하트Brave Heart〉는 13세기 잉글랜드에 대항하여 스코틀랜드의 독립을 지키기 위한 영웅들의 이야기를 그리고 있는 영화다. 이 영화를 보면 스코틀랜드의 전통 복장인 킬트를 입은 모습이 많이 나온다. 당시에는 웨일스와 스코틀랜드는 잉글랜드와는 종족과 언어가 다른 별개의 독립국가였다. 우리의 삼국(고구려, 백제, 신라)처럼 잉글랜드는 수시로 웨일스와 스코틀랜드를 점령하려고 하고, 양 국가는 이를 방어하려고 하면서 늘 전쟁의 위험성이 있는 원수지간이었다.

원래 잉글랜드는 그레이트브리튼섬의 남동쪽에 영토가 치우쳐 있었다. 그러다가 웨일스와 스코틀랜드를 살기 어려운 산악 지역과 북쪽으로 밀어붙여서, 지금은 잉글랜드가 그레이트브리튼섬의 3분의 2 이상을 차지하게 된 것이다. 이러한 역사적 배경이 있기에 일부 국가에서 반미 시위때 "양키 고 홈!Yankee, Go Home!" 구호를 외치는 것과 유사하게 웨일스에서는 "잉글리쉬 고 홈!English, Go Home!"이라는 뜻밖의 구호가 보이기도 한다. 우리가 보면 이해가 되지 않는 구호일 수 있지만, 이들 사이에는 수백 년 동안 이어져 온 역사적인 앙금이 아직도 남아 있는 것이다.

웨일스가 이 정도인데 스코틀랜드는 어떻겠는가. 스코틀랜드는 훨씬 독립적인 성격이 강해서 잉글랜드에서 북쪽으로 차를 운전해 가다 보면 스코틀랜드와 잉글랜드의 국경 표시가 실제로 나타난다. 그리고 스코틀랜드 국기를 단 출입국 관리 사무소나 검문소 비슷한 건물도 설치되어 있다. 또 화폐인 파운드도 영국의 파운드와 별개로 왕립 스코틀랜드은행RBS, Royal Bank of Scotland이 발행하는 스코틀랜드 파운드가 있고, 실제로 영국 파운드와 동일하게 통용이 된다. 2014년 스코틀랜드 독립을 위한 국민투표가 실시된 바 있으나 부결되었다.

양키는 해적 선장

말이 나온 김에 부언하자면, 원래 양키Yankee라는 말도 바다의 해적선에서 나온 말이다. 대항해 시대 신대륙과 카리브해 인근에서 활동하던 해적선 중 악랄하기로 소문난 해적선의 선장이 있었다. 그 선장의 이름이 바로 'Captain Yankee'였다고 한다. 처음엔 영국인들이 신대륙의 미국 식민지 사람들을 경멸하는 말로 사용하다가, 남북전쟁 중에는 남부군들이 북부군들을 조롱하는 의미로 사용했다. 이제는 미국인을 상징하는 용어로 변화해 미국인을 의미하게 되었다.

네덜란드의 신대륙 거점이었던 관계로 뉴암스테르담이라 불리던 뉴욕에 거점을 둔 미국 프로 야구단 이름이 뉴욕 양키스다. 신대륙의 대서양 관문이 뉴욕이라는 점에서 당연한 이름이 아닌가 생각된다. 같은 맥락으로 양키 룩 또는 양키 본드 하면 미국 스타일이나 미국 채권을 의미하는 것이다.

동인도회사가
많은 이유

동방의 향신료 무역

근대사에서 가장 많이 접하는 회사 이름이 바로 동인도회사East India Company다. 한마디로 제국주의 시대에 전초병 성격으로 식민지 국가에 진출해 문호를 개방하게 한 회사가 바로 동인도회사다. 유럽 열강들에게 공통적으로 존재했던 회사이기도 하다. 국가나 왕이 동인도회사라는 민간 상업회사에 국가를 대신하여 무역을 독점할 수 있는 권리를 인정하면서 일정 부분 국가를 대신하는 역할을 했던 것이다.

그런데 이러한 점을 당시 영국이나 네덜란드 등 유럽 열강들이 전략적으로 의도한 측면이 강하다. 즉, 국가나 왕은 필요한 이익과 재정수입을 챙기면서 국가가 부담해야 할 책임에서는 자유로울 수 있는, 그야말로 '꿩 먹고 알 먹기' 식의 묘수였던 것이다. 네덜란드와 영국의 동인도회사를 모델로 하여 다른 유럽 열강들이 뒤따라 하게 된 이유가 여기에 있다. 같은 목적으로 아메리카 신대륙의 무역권을 독점하는 네덜란드나 프랑스 등의 서인도회사도 탄생했는데, 동일한 형태와 의도로 국가별로 동일한 이름을 가진 서인도회사가 생겨났다. 동인도회사의 경우, 처음 설립 당시에는 독점 무역권만 주어졌으나 점차 독점 권한이 확대되었다. 그래서 나중에는 영국 동인도회사의 경우처럼, 인도 점령지에 대한 조세권이나 재판권까지 부여받아 국가의 고유 통치 권한과 거의 같은 권한을 갖기도 했다.

그런데 왜 이름이 인도회사도 아니고 동인도회사일까. 당시에는 아시아라는 대륙의 명칭이 확립된 것이 아니었기 때문에, 콜럼버스가 발견한 신대륙은 서인도이고 지금의 인도는 동인도라는 개념이 있었다. 즉, 동인도라는 개념은 당시로는 신대륙인 서인도의 상대되는 개념으로, 아시아라는 말과 동일하게 사용되었다. 지금 보면 무지에서 나온 소치이기는 하지만, 당시로는 최첨단의 지식을 가진 상인들의 집단으로 볼 수 있었다.

당시 아시아와의 무역은 기본적으로 향신료 무역이었고, 이 향신료 무역을 위한 회사가 바로 동인도회사였다. 물론 영국의 동인도회사의 경우는 인도의 면직물 생산이 확대되면서 면직물의 수입을 통해 막대한 부를 축적하기도 했다. 그러나 동인도회사 설립의 동기는 금보다도 더 비싸게 거래되던 향신료 무역을 독점하고자 했던 것에서 비롯되었다.

세계 최초의 주식회사와 주식시장

동인도회사의 모델이 된 것은 네덜란드 동인도회사(1602년 설립되어 1796년 해체됨)였다. 네덜란드는 당시 아시아의 무역에 있어서 숙적이던 포르투갈과 영국을 물리치고 중요한 향신료 산지이던 믈라카제도를 확보하여 향신료 무역을 개척했다. 스페인령 신대륙에서 수입한 은으로 향신료를 싸게 사서 그것을 유럽 국가에 가져다 비싸게 파는 방식이었다. 이러한 동인도회사는 진출 초기에는 아시아 국가와 협상을 통해 지금의 무역관과 유사한 상관商館을 개설한 후, 그 지역을 중심으로 토지나 도시를 임차하여 기반을 다졌다. 그런 다음 적정한 계기를 통해 군대 등 물리력이나 외교력을 동원하여 식민지화하는 단계를 거의 매뉴얼처럼 밟았다.

동인도회사라는 이름이나 형태는 1600년 영국의 엘리자베스 1세 당시의 영국에서 처음 모습을 드러내지만, 당시만 해도 영국의 해상력 자체가 큰 의미가 없었기 때문에 영국 동인도회사 자체도 존재 의미가 없었다. 실제로는 해상 강국으로 떠오르던 네덜란드에서 1602년에 만든 네덜란드 동인도회사가 중요한 의미를 갖는다. 이 네덜란드 동인도회사는 세계 최초의 주식회사 형태로 평가되고 있다. 당시 네덜란드의 상인이나 유력 귀족들로부터 자본을 조달하여 이들 투자자에게 일정한 지분, 즉 주식을 나누어 주고 이득이 생기면 배당을 해주는 현대식의 주식회사 개념을 채택했던 것이다. 이러한 이유로 네덜란드에서는 1609년 세계 최초로 주식시장이 개장되어 주식을 사고팔았다. 지금으로부터 400여 년 전이니 실로 대단한 시도다. 이 시대 우리나라는 임진왜란의 와중에서 빠져나오지 못한 지리멸렬한 상황이었다. 비교하기가 어려울 정도로 큰 차이가 난다는 걸 알 수 있다.

영국과 네덜란드에서 동인도회사가 설립된 이후 유럽 여러 나라에서 동인도회사를 설립해 아시아에 진출했다. 덴마크(1616년), 포르투갈

그림 2-9 네덜란드 동인도회사의 조선소

(1628년), 프랑스(1664년), 스웨덴(1731년), 오스트리아(1775년) 등이 동인
도회사를 설립하여 아시아 침탈에 본격적으로 나선 것이다.

칼과 총을 든 상인

아시아라는 말 자체도 그리스의 동쪽이라는 의미의 단어에서 나온 것
이다. 지금의 터키의 아시아 지역과 중동의 일부를 가리키는 말이었다. 즉,
지금은 소아시아라고 불리는 지역을 의미하는 개념이었다. 그러다가 점차
그 대상 지역이 확대되어 지금에 이르고 있는 것이다. 동인도회사는 영국,
네덜란드, 프랑스, 스웨덴 등 주요 해상 국가가 운영했는데, 이 회사는 외
형은 무역 회사였지만 국가의 전략적 필요성에 따라 조직된 준국가조직
이었다. '칼과 총을 든 무역 상인'이라는 말이 동인도회사의 속성을 잘 표
현한 말이 아닐까 싶다.

이들 동인도회사는 국가에 따라 다르기는 했어도, 영국 동인도회사의 경우는 일정한 범위 내에서 전쟁 선포와 조약 체결 권한을 부여받기도 했다. 지금으로 보면 회사의 아웃소싱 직원 형태로 용병들을 고용해 군대를 조직했다. 따라서 회사라는 민간 조직이 실질적으로 육군이나 해군을 보유했으며, 점령한 지역에 주둔군을 두고 요새를 건설하기도 했다. 당하는 식민지 국가 입장에서 보면, 동인도회사는 국가와 동일한 권한을 가진 것으로 보일 수밖에 없었다. 영국의 동인도회사는 바로 영국이었던 것이다.

17세기 당시 영국과 포르투갈 간의 아시아 무역을 둘러싼 전쟁이나, 네덜란드와 영국 간의 전쟁 등은 사실 국가 간의 전쟁 개념이 아닌 동인도회사가 소유한 함대 간의 전쟁에 국가가 개입한 전쟁이었다. 물론 동인도회사의 기본 목적은 육두구나 후추 등의 향신료, 그리고 금은과 차 무역이었다. 19세기에 영국이 직접 인도를 지배하기 이전 18세기까지는 영국의 동인도회사라는 민간 조직이 무굴제국의 황제와 귀족들을 움직여 인도를 통치하기도 했다. 외형적으로는 무굴제국의 이름을 빌렸지만 말이다.

1750년 당시만 해도 영국의 동인도회사는 인도에 3,000명 정도밖에 안 되는 군대를 보유했는데, 지휘부만 영국군이고 실제 군사들은 인도인으로 구성된 세포이Sepoy 용병이 차지했다. 세포이란 말은 페르시아어에서 유래된 것으로 '병사'라는 의미인데, 이 군대는 점차 급증하여 1800년에는 15만 명이었던 것이 1857년에는 30만 명에 육박할 정도로 대병력이 되었다. 영국의 상비군 15만 명에 비해 2배에 해당하는 엄청난 군사력이 영국 동인도회사라는 민간 회사에 의해 운영되고 있었다. 이런 군사력을 바탕으로 영국 동인도회사라는 민간 회사가 인도라는 국가를 지배

그림 2-10 영국의 동인도회사

하는 웃지 못할 상황이 벌어졌다. 즉, 영국이 세포이의 반란(세포이의 항쟁이라고도 한다)을 계기로 동인도회사를 해산하고 인도를 직접 지배하게 된 1874년 이전까지는, 영국이 아닌 영국의 동인도회사라는 민간 조직이 인도라는 국가를 통치하는 역사상 최초의 모습이 연출된 것이다.

아편 전쟁도 영국 동인도회사로부터

우리가 잘 알고 있는 아편 전쟁은 1840~1841년 중국의 항구도시 광저우에서 시작된 전쟁이다. 그런데 실제로는 영국 정부와 중국 정부 간의 문제가 아닌 영국 동인도회사의 아편 수출 문제로 야기된 전쟁이었다. 영국의 동인도회사는 당시 유럽에서 선풍적인 인기를 끌던 도자기나 비단 등 중국산 사치품과 일반 시민들의 필수품인 되어버린 중국의 차를 중국으로부터 수입하기 위해 엄청난 양의 은을 중국에 지불해야 했다. 반대로 영국이나 유럽에서 중국에 수출할 품목은 마땅치 않은 상황이었다. 영국 동인도회사는 이렇게 차를 수입하면서 중국에 지불해야 하는 은의 조달이 점점 어려워지자, 인도에서 재배하던 아편을 중국에 밀수출하여 그 돈으로 차를 수입하고자 했던 것이다. 이에 중국이 아편 수입을 금지하고 단속하자, 영국 동인도회사는 영국 정부에 도움을 청했다. 결국 영국 정부가 1840년 20여 척의 함선과 4,000여 명의 육·해군을 파병했고, 이 4천 명의 영국 군대가 당시 아시아의 최강 중국을 무너뜨리게 되는 것이다. 참으로 어이없는 상황이었지만, 당시 영국은 세계 최고의 첨단 무기를 갖춘 군사 강국으로 중국을 굴복시키는 데에는 4천 명이면 충분했다.

이 아편 전쟁으로 중국은 홍콩을 영국에 넘겨주는 등의 불평등 조약을 체결하는데 이것이 난징 조약이다. 이 조약으로 중국이 종이호랑이라는 것이 만천하에 알려지게 되면서, 불평등 조약을 통해 줄줄이 유럽 열강에 이권을 넘겨주게 된다. 그리고 보면 동인도회사라는 하나의 상업 목적으로 설립된 회사가 중국, 인도 등 아시아 국가들에 미친 영향은 너무나 컸다. 여하튼 영국의 대승으로 마무리된 이 아편 전쟁은 영국이 치른 모든 전쟁 중에서 역사상 '가장 부도덕한 전쟁'으로 기록되고 있다.

《하멜 표류기》는 동인도회사의 업무 일지

제주도 서귀포 인근 산방산 근처에 하멜 표류 기념비가 있고, 당시의 서양 선박 모습의 기념관도 있다. 주인공은 바로 《하멜 표류기》를 남긴 하멜이다. 하멜Hendrik Hamel은 1653년(효종 4년) 7월 네덜란드 동인도회사의 상선인 스페르웨르Sperwer호를 타고 대만을 거쳐 일본 나가사키로 가던 도

중 태풍을 만나 일행 36명과 함께 제주도 남쪽 해안에 표착漂着했다. 하멜은 제주도 표류 후 15년간이나 억류되어 있었다. 조선을 탈출한 후 네덜란드로 귀국하여《하멜 표류기》를 남겼는데, 이 하멜이 바로 네덜란드 동인도회사의 직원이었다.

하멜은 조선에 머무르는 기간 동안 훈련도감에 배치되어 포를 만드는 일을 담당하기도 했지만, 광대 역할이나 양반의 연회에 참석하는 등 이전에 표류하여 조선에 귀화한 박연(네덜란드 이름 벨테브레)만큼의 대접은 받지 못했다. 나중에는 먹을 것을 구걸하는 등 생활고에 시달리다가 결국 여수를 거쳐 탈출해, 일본 나가사키에 있던 네덜란드 상관에 도착하여 15년 만에 네덜란드로 귀국하게 되었다.

하멜이 남긴《하멜 표류기》는 무슨 공적인 이유에서 작성된 것이 아니고, 조선에 억류되어 있는 동안 자기를 고용한 동인도회사로부터 임금을 받지 못할 것을 염려하여 작성한 업무 일지 또는 업무 보고서의 성격이 짙다. 결국 하멜은 네덜란드에 돌아가 동인도회사로부터 밀린 임금을 받았다고 한다. 여하튼 당시 하멜의 표류기는 조선이라는 나라를 유럽에 알리는 큰 역할을 했다. 주로 일본과 중국에 관심이 있었던 유럽 열강에 조선이라는 나라를 인식하게 하는 계기가 되었던 것이다. 그러고 보면 동인도회사는 우리와는 직접적인 접촉이 없어서 우리에게 부정적인 영향보다는, 하멜이라는 메신저를 통해 우리나라를 유럽에 알리는 의외의 역할을 해 긍정적인 영향을 주었다고 볼 수 있다.

그런데 당시 유럽의 동인도회사들이 동남아는 물론이고 중국과 일본에도 관심을 갖고 무역을 원했는데, 왜 바로 그 중간에 위치한 조선에는 그렇게 하지 않았는지 알다가도 모를 일이다. 당시 조선의 위정자들이 세상 돌아가는 흐름에 좀 더 귀 기울이고 관심을 가졌으면 그 이후의 조선 역사는 좀 달라지지 않았을까. 어려운 시기일수록 눈은 크게 뜨고 귀는 바짝 세워야 한다는 이야기가 있는데, 우리 조선은 눈은 감고 귀는 닫고 있었으니 안타까울 따름이다. 당시 하멜이 타고 온 배의 이름 '스페르웨르'는 우리말로 '제비'라는 뜻이라고 한다. 좋은 소식을 가져온다는 제비와 하멜을 잘 활용하지 못한 것은 우리 자신이다.

해양 강국이 된
산악 국가 스위스

가난한 알프스의 나라

스위스는 우리가 다 알다시피 알프스산맥에 위치하고 있는 나라다. 우리나라 남한의 절반에도 못 미치는 작은 면적에다 바다가 없는 산악 국가이자 내륙 국가다. 지금이야 잘 사는 선진국이지만 과거에는 면적은 작은데 프랑스, 독일, 오스트리아, 이탈리아 등 유럽의 강국으로 둘러싸여 있어서 내내 시달림을 받았다. 그리고 농지보다는 알프스의 산지가 더 많아 풍족하지 않은 삶을 살아야 하는 숙명이었다.

그래서 스위스의 젊은이들은 16세기 초부터 일자리를 찾아 알프스를 넘어 로마 교황청의 근위병이 되었다. 다시 말해 용병으로 취직해 돈을 벌었던 것이다. 이러한 전통에 따라 교황과 교황청을 지키는 역할을 오늘날까지도 하고 있다. 특히 스위스 용병들은 과거에 남다른 충성심과 성실함으로 위기 상황이 생기면, 죽음도 불사하며 교황을 보호하는 것으로 유명했다. 이런 이유로 지금도 교황청 용병은 전원을 스위스 출신으로만 고용한다.

세계 최대 해운선사 MSC가 있는 나라

내륙국인 스위스에 세계 1, 2위를 다투는 굴지의 해운선사가 있고, 국제무역을 하는 컨테이너 항만도 있고, 해군 함정도 있다는 것을 아는 사람은 많지 않을 것이다. 우리는 여기서 발상의 전환이 무엇인지 깨닫게 된다. 스위스는 내륙국임에도 이탈리아의 지중해 항구도시인 제노바와 벨기에의 앤트워프를 모항으로 하는 세계 최대의 컨테이너 해운선사인 MSC를 보유하고 있다. 본사가 바로 스위스 제네바에 있다.

내륙국으로 항만이 없는 것은 스위스 사람들에게 핸디캡이나 걸림돌이 아니었다. 이러한 핸디캡을 외국의 항만을 빌려 쓰는 묘수로 돌파한 데 이어 공격적인 경영전략으로 MSC는 선박량 330만 TEU(Twenty Foot Equivalent Unit의 약자로 20피트 컨테이너 1개를 가리키는 단위다)로 덴마크 선사인 세계 1위 머스크사의 400만 TEU에 이어 세계 2위를 차지하고 있다. 전 세계적으로 10만 명 이상을 고용하는 대기업이기도 하다. 우리나라 최대 선사인 HMM(구 현대상선)이 70만 TEU로 10권 이내인 것을 생각하면 대단한 규모다. 또 크루즈 분야에 있어서 MSC의 위상은 유럽과 지중해 크루즈의 최강자이며 세계의 선도적인 위치에 있다.

이 MSC는 우리와도 아주 밀접한 관계를 맺고 있다. MSC는 1998년 우리나라의 IMF 사태 당시 우리나라 조선소에 대량의 컨테이너 선박을 발주하여 달러에 목말라 하던 우리나라 조선소가 기사회생하는 데 결정적인 역할을 했다. 그리고 2016년 한진해운 파산 당시 미국 롱비치 터미널을 인수한 회사도 바로 MSC다. 바다라고는 눈 씻고 찾아봐도 없는 알프스 산맥에 위치한 내륙국인 스위스가 세계 2위의 컨테이너 선사를 보유하고, 호화 유람선의 상징인 대형 크루즈 선박을 운영한다니 참 대단한 사업적 발상이고 창의적인 일이 아닐 수 없다.

바다 없는 나라의 요트 대회 우승

전 세계 최고의 스포츠 이벤트는 올림픽과 축구 월드컵이다. 이에 비해 우리에게는 조금 낯설지만 같은 주기인 4년마다 열리는 국제 요트 대회인 아메리카컵America's Cup이 있다. 쉽게 말하면 자동차 경주의 최고봉인 F1의 바다 버전이다. 그것도 4년에 한 번씩 열리는 요트의 F1이라 보면 된다. 미국, 유럽, 호주, 뉴질랜드 등 서양 국가들에서는 축구 월드컵 못지않은 중요성과 관심을 끄는 세계적인 스포츠 이벤트다.

아메리카컵 요트 대회는 최초의 국제 스포츠 대회로 빅토리아 여왕 시절인 1851년 영국에서 개최되었다. 당시 식민지였던 미국에서 출전한 아메리카호가 예상을 뒤엎고 세계를 지배하던 영국의 바다에서 영국의 요트들을 물리치고 우승했다. 이것을 기념하여 '아메리카컵' 대회라 부른다. 이 대회는 수백만 명의 관중을 동원하는 등 경제적인 효과는 물론, 관광 등 부수적인 효과 면에서 월드컵에 버금가는 것으로 평가되는 대형 이벤트다. 이 대회는 그동안 주로 미국과 영국이 휩쓸어 왔다. 그런데 놀라운 일이 벌어졌다. 2003년과 2007년 두 대회 연속으로 바로 바다가 없는 스위스가 이 대회에서 우승한 것이다. 이것은 눈이 없는 아프리카 선수가 동계 올림픽 스키 대회에서 우승한 것이나 다름없는 엄청난 사건이었다. 아메리카컵 대회는 직전 대회 우승국이 다음 대회를 개최하는 전통에 따라 스위스가 개최지가 되어야 하나, 바다가 없는 스위스가 요트 대회를 개최할 수는 없기에 경쟁을 통해 대회 개최권을 판매했다. 그리고 스페인의 발렌시아가 무려 6천억 원에 개최권을 따냈다. 이 대회의 통상 경제적 효과가 8조 원 이상 된다고 하니 6천억 원이 아깝지 않은 것이다. 여하튼 대단한 스위스의 바다 사나이들이다.

무역이나 국제 물류에 종사하거나 관심이 있다면 'SGS'라는 다국적 기업을 들어봤을 것이다. 배에 물건을 선적하기 위해서는 상품이나 화물의 상태, 수, 무게 등에 대한 검사와 인증을 받는 것이 필요하다. 이러한 업무를 하는 다국적 회사가 바로 SGS다. 이 회사는 전 세계적으로 10만여 명을 고용하고 있는데, 이 회사의 본사도 제네바에 있다. 또 라인강 상류에 위치한 스위스의 바젤Basel항은 국제무역 항만으로 라인강을 통해 북해와 연결되는 국제 컨테이너 터미널이 있어서 스위스의 무역 관문 역할을 하고 있다. 제네바의 레만 호수 등 주요 국경에 위치한 호수에는 순찰과 방어 목적의 함정을 운영하고 있다. 비록 그 규모가 작아서 독립적인 해군이 아닌 육군에 소속되어 있기는 하나, 엄연한 독립된 함대로 전투와 순찰용 함정을 운영하고 있다.

진정한 해양 국가의 조건

무엇이 바다 없는 스위스를 이처럼 위대한 해양 국가로 만들었을까? 해양 국가는 바다가 있다고 저절로 되는 것이 아니다. 삼면이 바다인 반도국이거나 아예 섬나라임에도 해양 국가가 아닌 무늬만 해양 국가들이 많다. 바다가 있다는 것은 해양 국가가 되기 좋은 여건을 갖추었다는 것을 의미할 뿐 필수조건은 아니다. 그러한 예를 바다가 없는 내륙국 스위스가 아주 잘 보여주고 있다.

외형적인 해양 강국의 모습도 중요하지만, 바다가 없는 내륙국임에도 해양으로 진출해 국부를 창출한 스위스 사람들의 인식이야말로 참된 해양 강국의 모습이 아닐까. 내륙국임에도 바다로 진출한 스위스 사람들이야말로 진정한 해양 국민이다.

이탈리아의
4대 해양 도시 이야기

이탈리아의 해군기

지중해를 중심으로 한 세계관을 가졌던 당시 기준으로는 세계를 정복하고 세계의 기준이 되었던 로마제국도 그 운명이 다하여 결국 서로마와 동로마로 분리되었다. 이어 서로마는 북쪽에서 게르만족과 고트족, 훈족 등의 침입에 따라 476년 멸망하고 로마제국의 명맥을 동쪽의 콘스탄티노플에 위치한 동로마에 넘겨주게 되었다. 이후 이탈리아반도는 통일국가가 형성되지 못하고 개별 도시들이 하나의 자치권을 갖고 각자 도생하는 도시 공국 시대가 1,000년 이상 지속되었다. 통일 이탈리아는 19세기나 되어야 나타난다.

이 도시 공국 시대에 가장 번성했던 해양 도시 국가가 바로 베네치아, 제노바(영어식 표현은 제노아), 피사, 아말피다. 이중 베네치아는 이탈리아반도의 오른쪽인 동쪽 해안, 즉 아드리아해에 위치하고 있고 제노바와 피사는 이탈리아의 서북쪽 해안에 위치하고 있다. 그리고 아말피는 이탈리아 반도 서남쪽인 나폴리 아래에 위치하고 있다. 이러한 배경이 있기에 현재의 이탈리아의 해군기를 보면 이탈리아 국기에다 가운데 4개의 문장이 있는 것을 볼 수 있는데, 이 문장이 바로 과거 이탈리아의 4개 해양 도시 공국의 문장인 것이다.

그림 2-11 이탈리아의 해군기

베네치아, 물과 선원의 도시

이 중 가장 강력하고 번성했던 해양 국가는 베네치아였다. 원래 베네치아 사람들이 바다가 좋아서 바다로 들어간 것은 아니고, 생존을 위한 불가피한 선택이었다. 북쪽에서 로마 멸망 이후 고트족과 훈족이 이탈리아반도로 내려오게 되자, 방어하기에 더없이 좋은 해안가 섬인 리알토섬으로 피신하게 되었던 것이다. 그리고 점차 인구가 불어나자 주변의 섬을 연결하고 갯벌을 매립하여, 하나의 해상 도시를 건설하게 되었다. 현재 베네치아는 다리가 400개 있고 지역과 지역을 연결하는 운하만 해도 200여 개가 있는 해상 도시다. 자동차가 없는 도시로 자동차 대신 수상 버스와 수상 택시가 있다. 당연한 이유로 경찰차나 소방차나 구급차는 없고, 경찰 선박과 소방 선박, 구급 선박은 있다. 더 나아가 쓰레기 수거 선박도 있다.

베네치아 하면 떠올리는 검은색의 관광용 수상 택시가 '곤돌라'다. 이 배는 엄격한 운항 면허 자격을 갖춘 베네치아 사람들만이 운항할 수 있다. 수입이 좋아서 베네치아에서 아주 괜찮은 직업 중의 하나로 꼽힌다. 그래서 그런지 곤돌라 뱃사공들은 대부분이 젊은 사람들이다. 이러한 곤돌라들이 운항하는 운하의 항로에는 우리의 도로와 동일하게 신호등과 좌·우 회전 표시와 속도제한이 있다. 당연히 수상 경찰과 경찰 선박이 있어서 신호 위반을 하거나 과속하면 안 된다. 베네치아 사람들에게 운하와 배는 그대로 도로와 자동차인 것이다. 이들 곤돌라 뱃사공들은 기분이 좋으면 멋지게 이탈리아 전통 노래인 칸초네를 노래하는데 지중해 태양을 배경으로 〈오 솔레 미오〉 한 곡을 멋지게 목청껏 부르면 참으로 매력 있어 보인다. 이탈리아에서는 노래 자랑을 하지 말라는 말이 있는데 그 말이 맞는 것 같다. 목청도 좋고 노래도 아주 잘 부른다.

베네치아 인근에 위치한 무라노섬은 유리공예로 명성을 날리는 섬이다. 유럽의 최고급 유리 제품이 이 작은 섬에서 나왔다고 한다. 유럽 왕실을 장식하는 많은 유리 제품이 이곳 무라노섬에서 생산되어 베네치아 상인들의 교역로를 따라 유럽 각국으로 팔렸던 것이다. 화려하기로 유명한 프랑스 베르사유 궁전의 '거울의 방'의 거울도 무라노섬에서 생산된 유리다.

이 베네치아는 그리스와 터키, 그리고 중동 지역의 물건을 들여와 유럽에 공급하는 중계무역을 담당했다. 이를 통해 베네치아는 유럽의 무역상이자 백화점이 되었다. 베네치아 중심에 있는 산마르코 광장에 1647년 유럽 최초로 커피를 파는 커피 하우스가 생긴 것은 우연이 아니다. 실제로는 유럽 대륙인 이스탄불에서 베네치아보다 200년 앞선 1450년경 커피 하우스가 이미 영업을 했다고 하니 유럽 최초라고 하기에는 좀 그렇지만, 기독교 문명권으로 보면 그렇다는 것이다.

베네치아는 실제로 동로마제국에도 풍부한 자금력을 바탕으로 무역 독점권을 인정받는 등 정치와 경제에 상당한 영향력을 행사했다. 제4차 십자군 전쟁은 베네치아의 이해관계에 따라 조직되어, 이슬람 지역인 예루살렘이 아니라 거꾸로 가톨릭 국가인 동로마제국의 콘스탄티노플을 점령하여 수많은 문화재와 보물을 약탈하기도 했다. 실제로 십자군 원정의 역사를 보면 육상으로 진군했던 1차를 제외하고는 다른 모든 십자군 원정은 베네치아와 제노바의 배들이 지중해를 통해 십자군을 운송했다. 이를 통해 경쟁 관계이기도 한 베네치아와 제노바는 큰 부를 축적했다. 13세기 후반 베네치아는 가장 번성한 도시로 부상했는데 전성기에는 선박 3,300척에 선원만 33,000명이나 되었다고 한다. 이 당시의 자신감을 바탕으로 베네치아 출신인 마르코 폴로는 몽골을 여행하고 그 유명한《동방견문록》을 저술하기도 했다.

이러한 조선 기술과 항해에 능숙한 선원들이야말로 해양 강국 베네치아를 받치는 기둥이었다. 이 당시 베네치아 전체 인구가 20만 명이 채 안 되었는데 선원이 33,000명이었다. 웬만한 젊은이들은 모두 선원이 되었던 것이다. 물론 당시 선원은 바로 해군이나 마찬가지였으므로 이들이 곧 군사력이었다. 그러나 1571년 베네치아를 중심으로 한 가톨릭 동맹 함대가 오스만튀르크의 이슬람 함대와 치른 레판토Lepanto 해전에서 천신만고 끝에 승리하여 서유럽과 지중해를 이슬람으로부터 지켜 내기는 했지만, 베네치아의 위세도 큰 타격을 입게 되었다. 또 신대륙이 발견되고 인도로 가는 희망봉 항로가 개척되면서, 지중해와 이슬람의 중동을 연결하는 베네치아의 교역망은 쇠퇴하기 시작했다. 도도히 흐르는 역사의 변화를 거스르지 못했던 것이다.

그런데 이 베네치아를 벤치마킹해서 도시를 건설한 나라가 있었다. 바로 제정 러시아였다. 18세기에 접어든 1701년 당시 근대화를 지향하던 표트르 대제는 발트해 연안의 습지를 메워 북쪽의 베네치아라고 불리는 상트페테르부르크라는 도시를 건설했다. 42개의 섬과 습지를 400여 개의 다리와 운하로 연결하여 베네치아에 버금가는 물의 도시를 만들었던 것이다. 이 도시가 완성된 1712년 표트르 대제는 아예 수도를 모스크바에서 이곳 상트페테르부르크로 옮겼다. 그리고 상트페테르부르크는 러시아 공산 혁명 이후인 1918년까지 러시아 정치·경제의 중심이 되었다. 도시 이름 자체가 이 도시를 만든 표트르 대제를 가리키기도 하지만, 이 도시를 통해 러시아가 명실상부한 유럽의 열강 중의 하나로 자리매김한 상징적인 의미가 있다.

아말피, 작은 것이 강하다

또 하나의 해양 공국은 나폴리에서 해안을 따라서 남쪽으로 70킬로미터 정도에 있는 아말피Amalfi다. 그림 같은 해안 절벽을 배경으로 한 해안가에 위치한 도시로, 지금은 해양 공국의 모습보다는 유럽인이 반드시 방문해야 할 곳 중 첫 번째로 꼽히는 관광지다. 세계문화유산으로도 등재되어 있다.

지금의 아말피를 방문해보면 인구 6천 명도 안 되는 저렇게 작은 도시가 어떻게 한때 지중해를 호령하던 해양 강국이었는지 이해가 안 될 정도다. 그러나 아말피는 12세기 지중해 무역과 동방 무역을 통하여 전성기를 구가했는데, 당시의 아말피 해상법이 전 지중해(당시는 지중해가 전 세계 바다였다)에 적용되는 일반 표준법으로 통용될 정도로 해상 영향력이 강했다. 중국의 나침반이 유럽으로 전파되고 보급된 것도 아말피 상인들의 손에 의해서였다. 그만큼 지중해를 통하여 동서양을 활발하게 이어주는 역할을 했던 것이다.

그러나 1343년 지진과 해일이 아말피를 초토화시켰고, 이에 아말피 공국은 결정타를 맞고 쇠퇴의 길로 접어들었다. 당시 아말피는 강력한 해상력과 선박 건조 기술, 그리고 항해술을 바탕으로 작지만 부유하고 강한 국가인 강소국이었다. 그러나 상업적인 성공에도 불구하고 너무 작은 규모의 도시와 얼마 안 되는 인구, 그리고 부족한 군사력 등 내재적인 한계가 있었다.

이제는 옛 영광을 뒤로하고 이탈리아의 가장 아름다운 해변 절경을 가진 휴양지로 각광받고 있다. 옛 영화는 남아 있는 몇몇 유적지에서나 희미하게 느껴질 뿐이다. 참고로 아말피에는 동로마제국의 수도 콘스탄티노플에서 가져온 예수님의 십이 사도 중의 한 명인 성 안드레의 유해를 모셔놓은 성 안드레 성당이 유명하다.

제노바와 피사

4대 공국의 하나인 제노바는 동쪽의 베네치아와 더불어 리비에라 해안이라 불리는 이탈리아 서쪽 해안에서 쌍벽을 이루는 해양 공국이었다. 바다의 도시답게 신대륙을 발견한 콜럼버스가 태어난 곳이기도 하다. 해양 전통을 이어받아 이탈리아의 가장 크고 활발한 항만이자 제1의 해양 도시다. 지중해 크루즈의 중심이자 스위스의 글로벌 선사인 MSC의 모항으로 해양 도시의 명성을 이어가고 있다.

반면 피사의 사탑으로 유명한 피사는 매립과 퇴적이 이루어져, 이제는 강과 지중해가 만나는 해안에서 10여 킬로미터 이상 떨어진 내륙 쪽에 위치하게 되었다. 이전의 항만 기능은 사라져 해양 강국이자 지중해 무역을 주름잡던 해양 도시로서의 모습은 찾아볼 수 없다. 대신 지금은 관광과 전원도시로 변화되어 있다.

H O M O

S E A P I E N S

제3부

우리는
수산민국이다

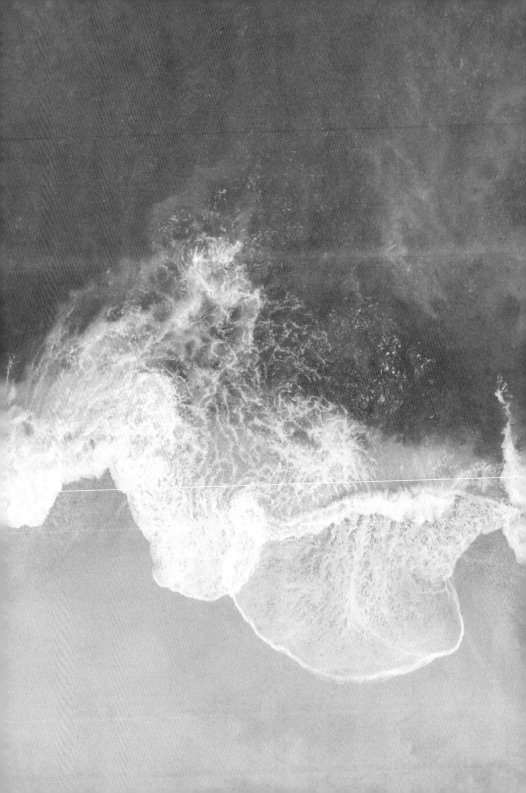

우리의 주식은
수산물

세계 최고의 수산물 소비

우리나라 사람들의 수산물 사랑은 대단하다. 우리나라 국민 한 사람이 소비하는 1년 수산물의 양은 61킬로그램이다. 이는 수산물을 가장 많이 소비한다고 알려진 일본 50.2킬로그램, 노르웨이 53.3킬로그램보다도 훨씬 많은 수산물 소비량이다. 올림픽종목에 수산물 소비라는 종목이 있다면 금메달은 우리나라가 따 놓은 당상이다. 그런데 이러한 추세가 계속 증가하는 것을 보면 우리나라 국민의 수산물 사랑은 당분간 계속될 것 같다. 이에 비해 중국은 30킬로그램 정도이고 세계 평균도 20킬로그램 정도다. 우리나라 사람들이 얼마나 수산물을 좋아하는지 알 수 있는 대목이다.

우리의 주식은 다 아는 것처럼 쌀이다. 그런데 이 쌀 소비량은 1980년 130킬로그램에서 2020년에는 57.7킬로그램으로 줄어서 수산물 소비량보다 더 적게 소비하고 있다. 국민 1인당 수산물 소비량은 1999년 39.3킬로그램에서 2001년 42.2킬로그램, 2006년 54.2킬로그램, 2018년 61.1킬로그램으로 엄청난 속도로 증가하고 있다. 이는 건강한 먹거리에 대한 국민들의 수요가 수산물로 몰리기 때문으로 해석이 된다. 우리의 수산물 소비량이 많은 것은 서양과는 수산물 소비 패턴이 좀 다른 것에도 그 이유가 있다. 서양 사람들은 주로 생선의 살 위주로 튀기거나 구워서 먹지만, 우리는 생선은 물론 해조류와 조개류 등 거의 모든 수산물을 다양하게 먹는다. 이렇기 때문에 실제로 소비하는 양은 통계로 나타나는 것보다 더 많다고 봐야 한다. 그러고 보면 우리의 주식은 이제 쌀이 아니고 수산물이다. 하기야 산모가 해산 후 가장 먼저 먹는 것이 미역국이고 보면, 아기가 태어나자마자 처음으로 섭취하는 것도 수산물인 셈이다.

슬로 라이프, 슬로푸드

서양 문화의 영향으로 패스트푸드가 인기 절정을 누리던 때가 있었다. 그런데 요즘은 슬로 라이프라든지 슬로푸드가 대세로 떠오르고 있다. 2007년 아시아 최초로 슬로 시티로 선정된 곳이 청산도다. 그런데 이 청산도엔 슬로 라이프와 함께 슬로푸드인 수산물이 있기에 그 의미가 배가된다. 그렇다고 쉼표와 느림의 섬 청산도에 너무 많은 관광객이 몰려서 슬로 시티의 멋이 없어지지는 않았으면 좋겠다.

잘 살펴보면 우리의 전통 생활이 슬로 라이프이고, 우리의 전통 음식이 슬로푸드다. 유럽이나 초원 민족과 달리 우리는 전형적인 정주 민족으로 농사를 생활 기반으로 하는 민족이다. 우리 음식이 슬로푸드의 특성을 가질 수밖에 없는 이유다. 그 대표적인 음식으로는 숙성되는 데 시간이 필요한 김치와 젓갈이 있다. 즉, 발효 음식이야말로 슬로푸드의 대표 선수인 것이다. 이동성이 강한 서양에서는 딱딱한 바게트나 햄버거, 샌드위치 등 간단하게 가지고 다니면서 손으로 먹을 수 있는 패스트푸드형 음식이 발달했지만, 우리는 한곳에서 진득하게 자리를 잡고 앉아 익혀 먹는 발효 음식이 발달했다. 정주하지 못하고 이리저리 이동해야 하는 곳에서 어떻게 젓갈 문화와 김치 문화가 나올 수 있었겠는가.

전통 음식, 생선회

우리가 즐겨 먹는 생선회를 일제강점기의 잔재로 생각하는 사람들이 있는데 그것은 사실이 아니다. 조선 시대 광해군 시절 당시 생활상을 기록한 유몽인의 《어우야담於于野談》에 보면, 임진왜란 때 명나라군이 우리나라에 주둔하면서 우리나라 사람들이 회를 먹는 것을 보고 야만적이라고 했다는 이야기가 나온다. 이미 조선 중기에 회를 즐겨 했던 것이다.

중국은 회를 먹지 않는 것으로 알고 있지만, 공자도 회를 즐겼다고《논어》에 나와 있다. 공자의 의식주를 묘사한 향당제십鄕黨第十 부분에 공자가 '회는 잘게 썬 것을 좋아했다. 생선도 상처가 난 것을 좋아하지 않았다'고 기술되어 있다. 과거 중국인들도 회를 즐겨 했던 것이다. 다만 바다 생선회가 아닌 민물 생선회이지 않을까 생각된다. 최근에는 중국인들도 생선회에 많은 관심을 보이고 있다. 아마도 공자의 전통이 이어지는 것이 아닐까. 특히 중국인들은 붉은색이 강하면서 부드럽고 연한 식감을 좋아해서, 연어에 대한 선호도가 뚜렷하다. 노르웨이 연어의 주요 수입국 중의 하나가 중국이다.

중국인들이 생선을 좋아하게 되면 생산량이 미처 따라가지 못해 세계적으로 수산물 가격이 엄청나게 치솟을 것이 틀림없다. 이것을 피시플레이션fishflation이라고도 한다. 15억 중국 인구가 수산물 1킬로그램만 더 소비해도 150만 톤이 더 필요하니 그럴 만도 하다. 우리나라가 1년간 바다에서 잡는 수확량이 100만 톤 정도인 것을 고려하면 엄청난 양이다.

백 세 시대와 해산물

장수하는 바다 생물

세계적인 장수마을은 많다. 그리고 대부분의 장수마을은 섬이나 해변가에 있다. 일반적으로 이탈리아의 사르데냐섬, 일본의 오키나와섬, 그리스의 이카리아섬 등이 장수마을로 손꼽힌다. 그런데 이들 모두 섬 지역이다. 장수마을의 특징은 맑은 공기와 적정한 운동, 소식과 해산물을 즐겨 한다는 것이다.

보통 육상의 육식동물인 사자, 호랑이 등은 수명이 개체별로 차이는 있지만, 20년 전후로 보는 것이 일반적이다. 그런데 바다의 생물인 거북이, 고래, 조개류를 보면 육상동물과는 비교가 안 될 정도로 장수한다. 고래는 80년, 거북이는 100년 정도 사는 것으로 알려져 있다. 특히 조개류 중의 일부는 수백 년을 생존하는 것으로 알려져 있다. 육상동물과 바다 생물의 수명을 단순 비교하기는 어렵지만, 어쨌든 바다 생물이 일반적으로 장수하는 건 사실이다. 그리고 그 원인이 먹이에 있다는 것은 쉽게 생각할 수 있다. 어식백세漁食百歲라 했던가. 장수와 수산물은 동전의 양면이다.

영양분의 보고

지구상의 물고기 종류는 약 2만여 종이 된다고 한다. 그중 실제 식용으로 먹는 것은 350여 종이고 우리나라는 이 중 150여 종을 먹는다고 알려져 있다. 우리나라는 수산물 소비량이나 종류에서 일본과 더불어 타의 추종을 불허한다. 실제로는 일본을 넘어서 세계 1위가 우리나라다.

수산물 중 우리나라 국민이 좋아하는 생선은 조기와 명태 등이 꼽힌다. 이런 생선은 유일한 것은 아니지만 우리나라만큼 소비하는 나라가 없다. 명태만 해도 다른 나라는 어분이나 사료로 많이 사용되는 실정이다. 어떻게 보면 특이한 수산물을 다양한 먹거리로 활용하는 게 우리만의 특성이라고 할 수 있다. 중국은 잉어, 미국이나 유럽은 연어와 대구, 일본은 참치와 도미, 프랑스는 넙치를 좋아한다.

의학적으로 보면 수산물에는 같은 지방이라도 육류와 달리 오메가3 지방산인 DHA와 EPA가 포함되어 있어서 동맥경화나 뇌졸중 등의 혈관계 질병에 효과가 있다고 알려져 있다. 그리고 다양한 성인병과 암 예방에도 효과가 있다고 보고되고 있다. 여기에 각종 해조류는 최고의 건강식품으로 현대의 도시 생활에서 부족한 각종 영양분을 공급해준다.

일본의 암예방연구소의 연구 결과에 따르면, 수산물을 섭취하지 않는 사람이 섭취하는 사람보다 간암 2.62배, 자궁암 2.37배, 고혈압 1.79배가 높다고 한다. 수산물 섭취량이 많고 빈도가 높을수록 암이나 성인병에 걸릴 확률이 적은 것으로 나타난 것이다.

오늘부터라도 100세 인생을 계획하려면 해산물부터 먹을 일이다. 장수의 첫걸음이자 비결은 바로 바다에 있다.

안동의
수산물 스토리

간고등어와 돔배기, 그리고 문어 숙회

고등어는 우리 민족이 가장 좋아하는 생선 중의 하나로 소울 푸드soul food라 부를 만하다. 그랬기에 산울림의 김창완이 부른 〈어머니와 고등어〉라는 노래가 히트를 친 것이 아닐까. 그러고 보면 어머니와 고등어는 묘하게도 잘 어울리는 조합이다.

부산의 공동어시장은 우리나라 고등어의 90퍼센트 이상이 집하되고 거래되는 우리나라 최대의 수산물 중개 시장이다. 그런데 고등어 하면 부산보다도 내륙지역인 안동이 먼저 떠오르는 것은 왜일까? 바로 간고등어란 존재 때문이다. 그런데 안동은 간고등어만으로 만족하지 않았다. 문어 숙회와 상어고기인 돔배기도 일품이다. 제사상에도 빠져서는 안 되는 음식으로 통한다. 안동의 전통 시장인 중앙시장에 가보면 간고등어 가게와 삶은 문어를 파는 가게가 빼곡하다. 문어를 삶는 것도 대단한 노하우가 필요해서 집에서 삶으면 그 맛이 절대 나지 않는다. 상어 고기를 염장한 돔배기도 안동의 대표 음식이다.

이런 것을 보면 산지나 입지 여건이 중요한 건 아닌 것 같다. 어떻게 잘 활용하느냐에 달려 있고, 어떤 스토리를 어떻게 입히느냐가 중요하다는 이야기다. 문어와 고등어 가격은 안동에서 결정된다는 말이 있을 정도로 안동의 간고등어 스토리는 정말 탁월하다.

좀 다른 이야기이긴 하지만, 제주의 향토 음식의 하나로 제주 흑돼지 수육을 도마 위에서 썰어서 먹는 음식이 돔베고기다. 안동의 돔배기와 발음이 비슷하지만, 전혀 다른 음식이다. 내륙의 안동에서는 바다 고기인 상어 고기를 돔배기라 해서 대표 음식으로 만들었고, 바닷가인 제주에서는 돼지고기를 돔베고기라 해서 대표 음식으로 자리매김했으니 참 묘한 인연이다. 물론 제주의 돔베고기의 '돔베'는 도마의 제주 방언이라 어원이 다르기는 하지만 말이다.

브랜드 가치

과거에 지게를 진 등짐장수들이 동해안인 울진이나 영덕에서 잡은 고등어를 안동으로 가져오기 위해서는 높은 산을 넘어야 했다. 선질꾼이라 불리던 등짐장수들이 이 계곡 저 고개를 넘고 주막에 들르기도 하며 등짐으로 나르는 동안, 상하지 않도록 하기 위해선 자반으로 만들 수밖에 없었던 것이 간고등어와 돔배기다. 이제는 고등어를 포함한 수산물의 중심지 부산보다도 더 브랜드 가치가 높은 고등어의 고장 안동이 되었다.

더 이상 안동은 내륙 도시가 아니다. 이미 바다의 도시다. 바다를 끼고 있어도 그것이 귀한 줄 모르고 그것을 제대로 이용하지 못한다면 무슨 소용이 있겠는가. 내륙국 스위스가 해양 국가가 되었듯이 내륙 도시 안동은 탁월한 역발상으로 수산물의 도시가 되었다. 수산물 도시이자 바다의 도시 안동에서 제2, 제3의 간고등어 성공 스토리가 나오기를 기대해본다.

재미있는
물고기 이름

물고기 비늘의 차이

대개 물고기의 이름에는 끝에 '어'와 '치'가 붙는다. 과거 냉동 시설이 없는 시절에도 '어' 자가 붙는 고등어나 다랑어, 문어 등은 잡았을 때 바로 죽지 않아 살릴 수 있는 방법이 있었다. 그러나 갈치나 넙치처럼 '치' 자로 끝나는 생선은 잡자마자 바로 죽는 어종이어서 다루기가 여간 어려운 게 아니었다. 보통 '어' 자가 붙은 생선은 비늘이 있는 생선이고 '치' 자로 끝나는 생선은 비늘이 없는 생선이다. 물론 예외가 있기는 하지만 큰 틀에서 벗어나지는 않는다. 그래서 제사상에는 '어' 자로 끝나는 생선이 올라가고 '치' 자로 되어 있는 생선은 통상 오르지 않는다. 이슬람교의 할랄이나 유대교의 코셔 음식을 보면 비늘 없는 물고기는 먹지 않는다. 이것과 일맥상통한다고 할 수 있다.

과거 몽골이 지배하던 고려 시대에 '치' 자로 끝나는 생선 이름이 많이 붙여졌다는 이야기도 있다. 몽골이 고려를 지배하던 시절 남겨놓은 관리를 '다루가치'라고 했듯이 '치'는 몽골어로 직업이나 사람을 나타낸다. 장사치, 벼슬아치 등의 우리말이 몽골어의 영향을 받은 것처럼 물고기 이름에서도 남아 있다는 것이다.

곰치의 화려한 변신

'곰치'라는 물고기가 있다. 지역에 따라 물곰 또는 물메기라고도 불린다. 과거에 어부들은 흐물흐물한 이 물고기가 그물에 걸리면 돈도 안 되고 그물만 버리는 물고기라 하여 바로 버렸다. 이때 바다에서 나는 소리가 "텀벙" 한다고 하여 '물텀벙'이라고도 한다. 그런데 인천 지역이나 서해안에서는 '아귀'의 한 종류를 물텀벙이라고 부른다. 물고기의 이름은 지역에 따라 참 다양한 것 같다.

물고기의 화려한 변신은 무죄다. 한때는 쓸모가 없다며 버리던 곰치가 시대가 바뀜에 따라 몸값이 상한가인 VIP 물고기로 바뀌었으니 말이다. 과거에는 버려지는 어종이었으나 점차 연안에서 잡히는 어종이 줄어들고 새로운 요리법이 개발되면서, 곰치는 해장국으로 화려한 변신에 성공했다. 처음에는 곰치가 많이 잡히는 강원도 동해안 삼척 인근에서 인기를 얻었지만, 점차 전국적으로 인기몰이를 했다. 묵은 김치를 송송 썰어서 만든 곰치 해장국은 모든 술을 해장시켜 주는 으뜸 해장국으로 꼽힌다. 흐물흐물한 생선 살에 국물이 그만인 물고기다.

곰치의 팔자처럼 한순간에 첫째가 꼴찌 되고 꼴찌가 첫째 되는 것이 인생사일지도 모른다.

날아다니는 물고기

조류와 어류의 구분은 다 아는 것처럼 날개로 하늘을 나는 것과 지느러미가 있어 물속에서 헤엄을 치는 것으로 나뉜다. 물론 조류의 조상이 바다에서 살았고, 지느러미가 진화되어 날개로 되었다고 하는 것이 과학적인 결과이긴 하지만 말이다.

그런데 이 경계를 거스르는 물고기가 있다. 단순히 점프하는 정도가 아니고 실제로 활강을 하는 것이다. 이름 그대로 '날치'는 날 수 있는 물고기다. 하기는 요즘은 배도 날아다니는 세상이다. 위그선은 바다 표면에서 수십 미터를 떠서 날아다니는 배이자 비행기다. 물론 기본은 비행기가 아니고 항구에서 출발해서 항구로 돌아오기에 하늘을 나는 배라고 보면 된다. 위그선이라는 배는 바다에서 날 수 있는 날치와 같은 것이다.

날치는 최대 50~60킬로미터의 속도에 물 밖 2~3미터 높이로 약 400미터까지 비행이 가능하다고 한다. 진정 날아다니는 대단한 물고기다. 날치가 나는 이유에 대해서는 여

그림 3-1 날치의 비상

러 설이 있는데, 다랑어나 삼치 같은 천적을 피해 도망가는 방법의 하나라고 하는 게 제일 유력하다. 물속 세계의 가장 빠른 달리기 선수인 다랑어 등을 피하기 위해 물 밖으로 줄행랑치는 방법을 택한 진화의 결과로 보인다. 그 이유야 어떻든 물고기가 하늘을 난다니 경이롭기는 하다.

백성의 물고기와 접착제

백성을 뜻하는 이름 그대로 민어民魚는 백성의 물고기다. 요즘으로 따지면 국민 물고기다. 지금이야 귀한 몸이 되었지만, 과거에는 바다에서 흔히 잡히는 물고기였다. 특히 여름철 민어는 보양식의 대표 주자다.

그런데 "민어가 천 냥이면 부레가 구백 냥"이라는 말이 있을 정도로 민어의 부레는 맛도 좋고 용도도 다양하다. 질기지도 않고 무르지도 않은 특유의 식감이 일품이다. 특히 민어의 부레는 젤라틴 덩어리로, 회로 먹는 먹거리로만 따지면 일등이다.

과거에는 이 부레를 끓여서 아교로 만들어 사용했는데, 이 아교는 여름철 더위나 습기에도 물러지지 않고, 겨울 추위에도 굳지 않는다고 한다. 예로부터 물소의 뿔 등을 붙여서 만드는 우리나라 전통 활인 국궁國弓에 아교는 필수 불가결한 재료였다. 특히 활을 만드는 재질의 특성을 정방향으로 활용하여 만드는 양궁과 달리 국궁은 재질의 역방향 성질을 이용하여 제작했기에, 아교와 같은 접착제가 결정적인 역할을 했다. 따라서 여름철이나 겨울철에도 아무 이상 없이 접착력을 유지하는 부레로 만든 전통 아교가 조선 시대 군대 전력을 유지하는 데 큰 역할을 했던 것이다. 조선 시대에 민어 없이는 활도 없었던 셈이다. 지금도 화학 접착제가 여름에는 물러져서 접착력에 문제가 생기는 것을 보면 민어 부레로 만든 전통 아교는 실로 대단하다.

웬만한 변화나 시련에는 전혀 굴하지 않는 우리 민족의 끈기와 인내를 닮은 민어 부레로 만든 아교라서 그런 것 같다. 그러고 보면 백성의 물고기 민어는 이름만큼이나 우리 민족을 닮았다.

사바사바와
멍텅구리

'사바사바'의 유래

우리나라 네티즌들이 가장 궁금해하는 우리말 어원 중의 하나가 바로 '사바사바'라고 한다. 사바사바는 별로 안 좋은 어감의 말이다. 게다가 일본말 같기도 하고 아닌 것 같기도 하다. 본래는 안 되는 일을 뒷거래 또는 비정상적이고 은밀한 방법을 통해 성사시킨다는 의미로 사용되는 말이다.

이 말의 어원에 대해서는 몇 가지 설이 있는데 우선 고등어에서 나왔다고 하는 설이다. 일본말로는 고등어를 등 푸른 생선이란 뜻으로 마사바眞鯖라 하는데, 과거 일제강점기에 일본인들에게 무슨 일을 부탁하기 위해 당시 일본인들이 좋아하던 고등어 몇 마리를 몰래 가지고 가서 일본인 관리에게 주고 일을 해결했다고 한다. 그런데 이를 받은 일본인이 반색하며 "사바사바" 했다고 한 데에서 사바사바가 쓰이게 되었다는 설이다.

다른 설로는 불교 용어에서 나왔다는 설이 있다. 불교에서는 사바가 속세를 의미한다. 그리고 속세는 우리의 일상생활이 이루어지는 곳으로 속임수와 편법이 난무하는 곳이다. 그런 의미에서 사바사바가 사용되었다고 하는 설이다.

'사바사바'라는 단어가 과거에는 없었다고 하는 것으로 볼 때 고등어에서 유래된 것이 맞지 않나 싶다. 우리나라 남쪽 해안 지방이나 제주도에서는 어린 고등어 새끼를 '고도리'라고 한다. 사바사바가 어디에서 유래되었든 고등어는 우리에게 친숙한 국민 생선인 것만은 변하지 않는다.

멍텅구리는 생선이다

동해안에는 보통 멍텅구리나 심퉁이라고 불리는 물고기가 있다. 이 물고기는 생김새도 잔뜩 심술이 난 큰 올챙이처럼 생겼다. 그리고 보통의 물고기와는 달리 움직임도 느릿느릿하고 빨판이 있어서 한번 바위 등에 붙으면 떼어내기도 어렵다. 그만큼 움직이지 않으니 잡기는 쉽다고 한다.

멍텅구리의 표준어는 뚝지다. 이 뚝지는 이름에서 풍기는 것처럼 뚝심 있고 미련하게 생겼다. 이런 의미에서 멍텅구리나 심퉁이란 이름으로도 불린다. 자기가 잡히거나 위험에 처하면 평소에는 느리더라도 잽싸게 움직여 도망가야 하는데, 이 멍텅구리는 그 자리에 그냥 있어서 쉽게 잡히곤 한다. 이름처럼 멍텅구리 같은 것이다.

자체 엔진이 없어서 스스로 움직이지 못하고 남이 끌어줘야만 움직이는 배를 '멍텅구리 배'라고 한다. 멸치잡이용 멍텅구리 배는 혼자 항해할 수 없기에, 먹을 것 등 생필품을 모선이 공급해주면 한 달이 되었든 두 달이 되었든 멸치잡이를 하는 동안은 바다에 떠서 계속 작업을 할 수밖에 없다.

그러고 보면 세상에 존재하는 모든 것은 그 나름의 쓸모가 있는 법이다. '멍텅구리'라고 불리면서도 생선 멍텅구리든 배 멍텅구리든 다 쓸모가 있는 것을 보면 말이다.

굴비와 유배

물고기를 그램 등 무게 단위로 따져서 판다면, 우리나라에서 가장 비싼 물고기는 아마 조기일 것이다. 우리 속담이나 이야기 속에 가장 많이 등장하는 생선이 조기인 것을 보면 맛은 예나 지금이나 으뜸으로 보아야 할 것 같다. 다 아는 것처럼 조기가 건조되어 가공된 것이 굴비다. 그리고 잘 알려진 것처럼 전남의 영광굴비를 가장 으뜸으로 친다.

이 굴비는 한자로는 屈非, 즉 '굽히지 않는다'라는 의미로 쓰는데, 참으로 물고기에는 어울리지 않는 한자어 이름이다. 이는 고려 시대 권세를 누렸던 이자겸이라는 권신이 전남 영광으로 귀양을 가게 되었는데, 당시 왕이던 고려 인종에게 자기가 먹어본 생선 중 최고인 굴비를 진상하면서 자기의 심정을 나타내는 의미에서 나온 것이라고 한다. 즉, 불의에 굽히지 않고 비굴하지 않다는 뜻으로 굴비라고 적어서 진상했던 것이다.

사실 당시에는 상하기가 쉬워서 말리거나 젓갈로 만들지 않고는 생선은 운반이 되지 않았다. 조기는 당연히 진상이 될 수 없었고, 말린 굴비만 진상이 가능했던 것이다. 여하튼 생선 이름의 유래치고는 참으로 철학적인 이름이고 유서가 깊은 이름이다. 세계의 물고기 이름에 이런 유래가 있는 것이 또 있을까. 외국에서야 대부분 지명이나 모양새를 따서 물고기 이름을 지었으니 말이다.

그런데 굴비라 했기에 다행이지, 같은 의미로 비굴이라 했으면 굴비의 모양새가 이상하게 될 뻔했다. 오랜 전통을 가진 철학적인 이름 굴비답게 지금도 이름값을 제대로 하고 있다.

진짜 물고기, 참치

바다의 포르쉐

일반적으로 참치라고 불리는 다랑어는 그 종류가 매우 많다. 참다랑어, 눈다랑어, 황다랑어 등 다양하며 사촌이나 팔촌 격인 가다랑어와 점다랑어도 있다. 그리고 아류인 기름치까지 있다. 그중 참다랑어는 다랑어의 으뜸으로 큰 것은 3미터, 500킬로그램 이상 되는 것도 있다.

참치는 동서양 모두에서 인기가 있는 어종으로, 불포화 지방인 EPA와 DHA가 풍부해서 예로부터 건강에도 매우 좋은 것으로 알려져 있다. 외국에서도 제대로 가치를 인정받는 어종의 하나로, 특히 일본에서의 참치에 대한 평가는 대단하다. 매년 정초에 열리는 일본 최대의 츠키지 수산시장 경매에서 첫 번째로 경매되는 참치는 그 희소성과 명성(물론 홍보 효과 때문에 이러한 과감한 투자를 한다고 한다) 때문에 한 마리에 20~30억 원에 경매된다. 일본인들의 참치 열정은 정말 차원이 다르다고 할 수밖에 없다. 실제 이 가격으로 낙찰받은 참치로 스시를 만들면 한 점에 10~20만 원은 되어야 하는데, 없어서 못 팔 정도란다. 일본인들이 이해가 되기도 하고 안 되기도 한다.

참치는 매우 빠르게 움직이는 바다의 포식자다. 최고 시속 80킬로미터 정도로 헤엄을 치기 때문에 바다의 항해사 또는 바다의 포르쉐라는 별명으로 불리기도 한다. 참치를 양식하기가 매우 어려운 까닭이 여기에 있다. 그런데 바다에서 가장 빠른 물고기는 참치가 아니다. 만새기나 돌고래, 참치류는 시속 약 60~80킬로미터로 헤엄을 치지만 진정한 바다의 수영 챔피언은 새치류다. 새치류는 100킬로미터 가까운 속도를 낸다고 한다. 그중 황새치는 시속 100킬로미터 이상의 속도로 수영할 수 있다고 하니 대단하다.

여하튼 바닷속에서는 물의 저항이 있어 속도를 내기가 쉽지 않은데 100킬로미터 속도라면 육상에서는 시속 수백 킬로미터에 해당하는 엄청난 속도다. 보통 컨테이너 선박이 20노트, 즉 40킬로미터도 안 되는 속도로 다니는 것을 보면 그 속도의 대단함을 어림짐작할 수 있다. 참고로 군함이나 쾌속 여객선 등도 60~70킬로미터 정도의 속도다.

참치의 꿈과 거꾸로 된 세계지도

우리나라에서는 참다랑어를 참치라고 부르지만, 사실 참치는 공식 명칭이 아니다. 우리나라는 해방 이후 연근해 어업 수준에 머물다가 1957년에 가서야 우리나라 최초로 진남호라는 원양어선이 인도양 참다랑어 원양어

업에 첫걸음을 떼었다. 이후 1960년대 들어 남태평양 등에 본격 진출하여
참다랑어 원양어업에 성공하자, 당시 외화획득의 주요 어종이던 참다랑어
에 대한 이름을 따로 짓기로 했다. 여러 의견을 들어서 새로 붙인 이름이
'진짜 물고기'라는 뜻의 '참치'다. 이때부터 본명인 참다랑어보다 별명인
참치라는 이름으로 널리 불렸다.

당시 우리나라 전체의 1년 수출액이 10억 달러도 안 되는 상황에서 원
양어업 분야에서만 1억 달러 이상을 수출했으니, 최대의 수출 산업이고
효자 어종이었다. 그야말로 국가에 도움을 주는 진짜 물고기, 참치였던 것
이다. 과거 80~90년대 우리나라 초등학교 국어 교과서에 실렸던 〈남태평
양에서〉라는 글은 오늘날 동원그룹의 창업자이자 과거 참치잡이 원양어
선의 선장이었던 김재철 회장이 원양어선에 승선한 기간 동안 동생에게
쓴 편지 형식의 글이다. 이 편지를 보면 당시 어려운 여건에서도 남이 가

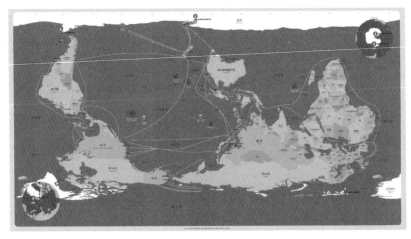

그림 3-2 거꾸로 세계지도

보지 않은 새로운 길을 개척하여 가난한 나라에 도움을 주고자 하는 젊은 바다 사나이들의 기개와 열정 가득한 도전 정신이 생생하게 느껴진다. 당시 가난한 나라의 청년 선장 김재철에게 참치는 꿈을 현실로 바꾸어 주는 꿈의 물고기, 세상을 바꾸는 물고기, 진짜 물고기였다.

노선장老船長 김재철의 방에 걸려 있는 거꾸로 된 세계지도는 우리에게 많은 것을 이야기한다.

"바다에서 미래의 꿈을 가지라! 그리고 용기를 갖고 실현해보라!"

삭탈관직을 당한 물고기

은어와 도루묵

조선 시대 중기인 인조 때의 문필가이자 이조판서까지 지냈던 '이식'이란 학자가 있었다. 이식은 유학자로서는 흔치 않게 도루묵에 관한 〈환목어還木魚〉, 즉 '목어로 돌아간 물고기'라는 시를 지었는데 그 시의 대강 내용은 이러하다.

임진왜란 중에 선조가 해안까지 피난을 오면서 허기가 지자 목어라는 물고기를 반찬으로 허기를 때웠다. 그런데 그 맛이 일품이어서 은어銀魚라는 이름을 하사하고 매년 특산품으로 바치게 했다. 임진왜란이 끝나고 한양의 궁으로 돌아와 다시 그 은어 맛을 보니 맛이 별로여서 하사했던 그 은어라는 이름을 삭탈하고 도로 목어로 부르게 했다. 순식간에 귀한 생선에서 쓸모없는 생선으로 푸대접을 받은 것이다.

그런데 실제로 선조는 평안북도 의주 방향으로 피난 간 것이지 동해안 해안가 방향으로는 피난을 가지 않았다. 아마도 함경도나 강원도 방면으로 의병을 모으러 간 왕자들인 선조의 아들 임해군이나 순화군 중 하나와 얽힌 이야기가 아닐까 생각된다.

여하튼 임금이든 왕자든, 도루묵은 영광스러운 직함인 은어에서 삭탈관직되어 원래 이름으로 돌아가 도로 목어가 되었다. 아마도 이름이 삭탈관직당한 전무후무한 물고기가 아닐까.

도루묵 같은 삶

우리네 삶도 도루묵과 비슷한 것 같다. 하늘에라도 올라간 듯했다가도 어느 한순간 땅으로 곤두박질칠 수도 있기에 말이다. 조선 시대 학자 이식은 도루묵에 관한 시를 다음과 같이 마무리했다.

예로부터 잘나고 못난 것이 자기와는 상관없고

귀하고 천한 것은 때에 따라 달라지네.

이름은 그저 겉치레에 불과한 것이지.

버림을 받은 것이 그대 탓이 아니라네.

넓고 넓은 저 푸른 바다 깊은 곳에서

유유자적하는 것이 그대의 참모습이 아니겠나.

이식이 말하고 싶었던 것은 물고기 도루묵이 아니라 속세의 일에 파묻혀 출세와 부를 좇느라 자신이 은어인지 도루묵인지 정체성을 잃어버리

고 사는 인간들 아닐까. 지금으로 보면 살짝 비틀어 쓴 현실 풍자시이고,
세상일에 너무 몰두하는 젊은이들에게 가르침을 주는 교훈시 같기도 하
다. 물고기 도루묵에서 배우는 삶의 지혜다.

멸치 없는 바다

성질 급한 멸치

우리의 삶에서 빼놓을 수 없는 생선 중 가장 작은 물고기가 멸치일 것이다. 지금은 조금 달라졌지만 이전에는 결혼식에 꼭 있어야 할 음식이 멸치를 우려 만든 국물에 말아서 나오는 잔치국수였다. 그런데 이 멸치란 친구는 성질이 급해서 물 밖으로 나오는 즉시 바로 죽는다. 이 때문에 멸滅치라는 이름이 붙었다고 한다. 그래서 멸치를 잡으면 배 위에서 바로 펄펄 끓는 물에 삶아서 신선도를 유지한다. 그리고 나중에 만선이 되면 육지로 운반하거나 따로 운반선을 통해서 육지로 실어 온다. 이 삶은 멸치는 육지로 옮겨져서 말린 후에 크기에 따라 대멸, 중멸, 소멸, 세멸로 나누어 판매한다. 그리고 삶지 않은 멸치는 바로 소금에 절여 젓갈로 만든다. 마른 멸치가 되느냐 멸치젓이 되느냐의 갈림길이 삶아지는 여부에 달린 것이다.

그림 3-3 죽방렴

　이런 멸치는 다양한 방법으로 요리에 사용되어 칼슘 등 우리에게 필요
한 영양분을 제공한다. 멸치는 대부분 그물로 잡지만 경남 남해에서는 죽
방렴이라 하여 대나무로 만든 큰 발을 바다에 세워서 멸치를 잡기도 한다.
그물로 잡는 멸치는 서로 부딪쳐 상처가 나기 쉽지만, 죽방렴으로 잡는 멸
치는 양은 많지 않아도 비늘이 그대로 살아 있어서 최고급 멸치로 대접받
는다. 물론 그만큼 비싸게 팔린다.

멸치 똥은 영양 덩어리

　멸치로 국물을 내는 경우, 대부분 새카만 멸치 똥은 발라내게 된다. 국물
맛이 쓰기 때문에 그렇다고 하는데, 사실 영양분은 이 멸치 똥에 더 많다
고 한다. 멸치는 너무 작은 생선이라 다른 물고기를 잡아먹기보다는 다른

물고기에 잡아먹히는 것을 피하기에 급급한 형편이다. 그래서 주된 먹이가 바다에 떠다니는 플랑크톤이다. 다른 물고기를 잡아먹는 물고기들이야 내장에서 냄새가 나기도 하고 비린내도 심하지만, 멸치는 그렇지 않다. 또 플랑크톤만 먹으니 중금속이나 바다의 오염에서도 훨씬 더 자유롭다. 전복도 주된 먹이가 다시마와 미역이어서 전복의 내장에는 좋은 성분만 있다. 그래서 전복을 먹을 때 전복의 내장인 푸른 부분을 회로 먹거나 전복죽을 끓일 때 사용하면 맛이 좋아진다. 멸치 똥도 마찬가지다. 멸치는 똥도 버릴 것 없는 영양 덩어리다.

죽방렴 멸치와 그물로 잡는 멸치로 나뉘듯 갈치의 경우도 은갈치와 먹갈치로 나뉜다. 실상은 모두 다 제주도 앞바다에서 잡는 같은 갈치이지만, 잡는 방법에 따라서 운명이 달라지는 것이다. 은갈치는 낚시로 잡기에 비늘이 그대로 생생하게 살아 있어서 은갈치라 부르는 것이고, 먹갈치는 그물로 잡기에 서로 부딪쳐 은색 비늘이 손상이 되어 검은색으로 보이는 까닭에 먹갈치라 부르는 것이다.

우리나라 서해는 중국과 우리나라가 공동으로 어족 자원을 공유하고 있다. 그래서 서해에서 잡히는 물고기는 중국 어민이 잡은 것이나 우리나라 어민이 잡은 것이나 똑같다고 말하기도 한다. 반은 맞고 반은 틀린 말이다. 제주 갈치나 남해 멸치처럼 다 같은 물고기라 해도 조금의 차이만 있어도 그 품질이나 맛이 다른 것이다. 따라서 같은 서해에서 잡는 물고기라고 해도 중국이 잡는 물고기와 우리가 잡는 물고기는 맛도 다르고 가격도 다른 것이 당연하다.

멸치가 많아야 바다가 건강하다

멸치의 중요성은 우리의 먹거리에 있기보다는 바다에서 다른 물고기의 먹이가 된다는 데 있다. 멸치가 풍부해야 다른 물고기가 풍부하고 다양하게 된다. 물고기 중 먹이사슬의 가장 바닥에 있기에 그만큼 중요한 것이다.

우리나라 연근해에서 멸치는 가장 많이 잡히는 어종 중 하나이지만, 그어획량이 계속 줄어들고 있다. 수명이 1~2년인 멸치가 줄어들면 다른 물고기의 먹이가 줄어들어 큰 물고기도 당연히 줄어들게 된다. 그래서 멸치는 바다의 어족 자원이 풍부한지를 가늠하는 지표 어종indicator이라 불린다.

시베리아 숲속에 사슴이나 노루, 멧돼지가 있어야 시베리아 호랑이가 살아남듯이 작은 멸치가 있어야 고래와 상어가 살아남는다. 그래야 바다에 생명이 넘쳐나는 것이다. 멸치 한 마리에도 감사해야 할 이유가 여기에 있다.

김씨가 키운
해조류

작은 관심이 가져온 큰 발견

우리나라 사람들이 가장 즐겨 먹는 해산물 중 하나가 김이다. 비린내 때문에 생선을 싫어하는 아이들도 김은 좋아한다. 김은 우리나라에서 최초로 양식이 된 수산물이다. 김은 한자로는 해태海苔라고 불리는데 바다의 풀이라는 말로 영어 see weed와 비슷한 의미다. 이런 김은 다시마 등 유사한 해조류와 마찬가지로 여름철에 바다 온도가 올라가면 다 녹아서 크지 못하기 때문에 차가운 겨울철이 제철이다.

그런데 김이란 말은 어디에서 유래가 되었을까? 몇 가지 설이 있지만 가장 유력한 설은 김씨 성으로부터 유래되었다는 것이다. 조선 시대 김여익이라는 사람이 있었는데, 병자호란 당시 의병장이었다. 임금이 오랑캐인 청나라에 항복했다는 이야기를 듣고 억울함과 울분을 달랠 길 없어 전남

광양 앞바다에 있는 태인도라는 섬으로 들어가 살게 되었다. 그런데 어느 날 바닷가를 거닐다 해변가에 버려진 나무에 붙어서 자라는 김을 보고 나뭇가지를 모아서 김 양식을 시작하게 되었다. 이후 그 고장 사람들이 김여익이 하던 방식을 따라서 김을 양식하게 되었고, 김여익이 키운 해조류라는 의미에서 김씨 성을 따라 '김'이라 불렀다고 한다. 그것이 지금의 김인 것이다.

윤씨 성을 가진 사람이 김을 양식하기 시작했다면 '김'이 아니라 '윤'이라고 지금의 김을 부를지도 모를 일이다.

노리가 아니고 김

외국에서는 김을 검은 종이라는 의미에서 black paper라고 부르기도 한다. 서양에서 검다는 것은 죽음이나 불길한 의미를 가지고 있어서 식용으로서 김을 별로 좋아하지 않았다. 서양의 상가에서 검은색 옷을 입는 것이 그 의미다. 제2차 세계대전 당시 일본은 미군 등을 포로로 잡아 수용하면서, 경비를 절감하기 위해 일부 해안 지역에서 김을 채취해 급식으로 주었다. 전쟁이 끝나고 전범 재판이 열리는 과정에서 이것이 포로들에 대한 가혹 행위로 문제 제기가 되기도 했다. 이는 불에 탄 종이를 포로들에게 먹인 것으로 오해한 데에서 비롯된 것이다.

김이 서양 사람들에게 알려지게 된 것은 아쉽게도 일본 사람들에 의해서다. 그러한 까닭에 지금도 미국이나 유럽의 많은 나라에서 김은 일본식 이름인 '노리'로 불리기도 한다. 그러나 최근에는 우리나라의 김이 일본 김보다 훨씬 품질이 좋고 맛도 좋다고 알려져 서양에서 우리나라의 김이 점차 인기를 얻고 있다. 특히 이제는 서양인들도 김에 대한 효능과 맛에 대해 새롭게 인식하고 있어서 우리나라의 연간 김 수출은 약 5,000억 원에 해당할 정도로 성장했다. 당연히 수산물 수출 1위는 물론이고, 주요 농산물 수출 품목인 인삼이나 김치보다도 많이 수출되고 있다. 더욱이 김 스낵이나 서양인들이 좋아하는 향과 맛을 가미한 조미김 등 다양한 제품이 개발되어 미국이나 유럽에서도 각광을 받고 있다. 서양인들에게 김은 우리와 같은 밥반찬이 아닌 간식거리로 인식된다. 이러한 흐름에 잘 대응해 일본의 이름 '노리'가 아닌 우리의 이름 '김gim'으로 널리 알려질 수 있었으면 좋겠다.

우리나라 김 양식의 본고장 완도에서는 2014년부터 3년 주기로 완도 국제 해조류 박람회를 개최하고 있다. 김뿐만 아니라 미역이나 다시마, 파래 등 우리가 먹을 수 있는 다양한 해조류를 선보이고 있다. 또 해조류를 활용한 다양한 미용 제품이나 건강 제품들도 개발되어 전시된다. 김의 나라 우리나라다운 박람회이고 이벤트다. 김은 바로 금金이다.

집 나간
명태를 찾습니다

버릴 것 하나 없는 팔방미인

우리 민족에게 명태는 말 그대로 국민 생선의 하나다. 모르긴 몰라도 명태만큼 다양하고 많은 이름을 가진 생선도 찾아보기 어려울 것이다. 그 이름만도 무려 30여 가지가 넘으니 말이다. 북어, 동태, 생태, 노가리, 코다리, 황태 등 일일이 열거하기도 힘들다. 그만큼 우리에게 친숙하고 일상생활에 없어서는 안 되는 생선이다. 우리 민족의 제사상에 지역을 막론하고 반드시 올라가는 생선이 조기하고 북어포일 것이다. 요즘은 보기 어렵게 되었지만, 이전에는 가게의 개업식이나 건물 준공식이 끝나면 반드시 북어포가 가게나 건물의 처마에 걸려 있기 마련이었다. 심지어는 새 자동차를 사게 되면 안전 운행을 위하는 마음에서 막걸리 한잔 붓고 나서, 마른 북어 대가리를 차량 한구석에 달아 두기도 했다.

명태는 우리 민족이 유난히 즐기는 생선이다. 이웃한 중국은 물론 일본도 명태의 알로 만든 명란젓 등은 즐겨 하지만, 명태 자체를 우리처럼 좋아하지는 않는다. 서양은 더욱 그렇다. 서양은 대구와 연어가 가장 손꼽히는 생선이다. 우리나라에서 명태는 해장국이나 갖가지 국물 음식으로 인기가 많지만, 온갖 젓갈로도 사랑을 받는다. 아가미젓, 창난젓, 명란젓 등은 밥도둑이다. 생선의 아가미도 버리지 않고 젓갈을 만들어 먹는 나라는 아마 우리나라가 유일할 것이다. 심지어 명태 껍질도 콜라겐 덩어리라 하여 각광을 받고 있다. 말 그대로 하나도 버릴 것 없는 명태는 사람으로 치면 팔방미인이다.

노가리의 운명

동해안에 지천으로 잡히던 명태가 이제는 우리나라 바다에서는 잡히지 않는다니 참으로 안타까운 일이다. 1980년대까지 동해안에서 명태는 가장 흔한 어종이었다. 동해안에서 잡힌 명태 처리를 위해 바닷가 마을의 온 동네 사람들이 나와 명태를 손질하곤 했다. 그러나 우리는 명태가 풍족한 것에만 만족하고 이를 지속 가능하도록 유지하는 데에는 관심을 기울이지 않았다.

노가리라는 애주가들의 안줏거리로 인기 많은 생선이 있다. 그런데 이 노가리는 새로운 어종이 아니라 아직 성체가 되지 못한 명태 새끼다. 성질 급한 우리가 명태가 다 크기를 기다리지 않고 어린 명태인 노가리를 어느 날 새롭게 나타난 어종인 것처럼 남획했던 것이다. 그렇게 한 지 10년 만에 그 많던 명태는 우리 바다에서 자취를 감추어버렸다.

물론 그 원인으로는 찬 바다에서 크는 어종인 명태가 지구온난화 영향으로 동해 바다의 수온이 올라감에 따라, 우리나라 동해안까지 회유하여 내려오지 않고 북한의 동해안까지만 내려오는 이유도 있을 것이다. 그러나 근본적으로는 우리가 명태를 무한한 자원으로 생각하고 지나치게 남획한 결과라고 보는 것이 타당하다. 자연은 우리가 베푼 만큼 우리에게 베풀고, 우리가 관심을 갖는 만큼 관심을 준다는 걸 알아야 한다.

공유지의 비극

최근에 언론이나 방송에서 많이 소개되는 이론 중의 하나가 우리에게 잘 알려진 공유지의 비극tragedy of commons 이론이다. 이 이론은 1968년 미국의 생물학자인 개릿 하딘Garret Hardin에 의해 처음으로 제시되었다. 이는 공유 자원의 비극과 동일하게 해석되는데 바다나 목초지처럼 주인 없는 곳, 즉 특정인이 아닌 모든 사람이 주인인 공유지의 경우에 그 자원을 향유하기만 하고 보존하는 노력은 하지 않아서 모든 자원이 황폐해지게 되지만 책임지는 사람은 없다는 이론이다. 개인은 자기의 이익을 위해 최선을 다하지만, 개인을 다 합쳐보면 전체적으로는 오히려 마이너스가 되는 구성의 오류fallacy of composition 이론과도 일맥상통한다. 이 이론은 시장의 실패에 따른 정부의 적절한 개입을 옹호하는 이론이기도 하다. 아마도 이 이론에 가장 적절하게 적용되는 사례가 바로 우리나라 명태와 노가리의 사례일 것이다.

우선 우리 정부에서 수산 정책을 담당하는 주무 부처인 해양수산부나 수산 관련 연구를 담당하는 수산과학원 등도 제대로 역할을 하는 것이 선행조건일 것이다. 그러나 여기에 덧붙여 우리 어민들도 명태와 같은 공유지의 비극이 바다에서 다시는 발생하지 않도록 '내 바다'라는 책임 의식을 가지고 수산자원을 보호하고 아껴야 할 것이다. 특히 바다에 폐 어망이나 폐 어구, 쓰레기 등을 버리는 것은 농부가 자기 논밭에 쓰레기를 버리고 오물을 덮어두는 것과 같다. 절대 있어서는 안 되고 있을 수도 없는 일이다. 아마도 자기 밭에 이처럼 어리석은 짓을 하는 농부는 없을 것이다. 잠시 물밑에 가라앉아 눈에 보이지 않지만, 결국 그것이 우리에게 다시 돌아온다는 것은 자명하다.

어린 물고기인 치어가 없으면 우리 바다에 미래의 물고기도 없는 법이다. 명태가 그것을 몸소 말해주고 있다. 우리가 오늘 먹는 명태는 우리의 원양어선이 러시아 해역에서 잡은 것이거나 일본 홋카이도에서 수입한 것이다.

남 탓을 하다가 실기失機하는 경우를 수없이 보아왔다. 이제는 남 탓이 아닌 내 탓을 해야 할 때다. 가톨릭에서는 미사 의식의 하나로 자기의 죄를 되돌아보면서 "내 탓이오, 내 탓이오, 저의 큰 탓이옵니다" 하고 말하면서 자기의 가슴을 세 번 친다. 공유지의 비극이 우리의 바다에서 다시는 일어나지 않도록 "내 탓이오!"를 외칠 때가 바로 지금이다.

참고 문헌

- 가와기타 미노루, 장미화 옮김, 《설탕의 세계사》, 좋은 책 만들기, 2003
- 공병호, 《김재철 평전》, 21세기북스, 2016
- 국립수산과학원, 《과학이 숨 쉬는 어식 문화》, 국립수산과학원, 2008
- 국립수산과학원, 《수변정담》, 국립수산과학원, 2005
- 국립수산과학원, 《스토리텔링이 있는 수산물 이야기》, 국립수산관학원, 2010
- 국립수산과학원, 《해마가 들려주는 신비로운 수산물 이야기》, 국립수산과학원, 2017
- 국립해양박물관, 《등대》, 국립해양박물관, 2019
- 국립해양박물관, 《세토나이카이 도모노우라항의 해양유산》, 국립해양박물관, 2019
- 김석균, 《바다와 해적》, 오션 & 오션, 2014
- 김재철·박춘호·이정환·홍승용 공편, 《신해양시대 신국부론》, 나남, 2008
- 김형오, 《술탄과 황제》, 21세기 북스, 2012

- 남종영·손택수 외 39인,《해서열전》, 글항아리, 2016
- 미야자키 마사카츠, 정세환 옮김,《처음 읽는 술의 세계사》, 탐나는 책, 2007
- 미야자키 마사카츠, 서수지 옮김,《부의 지도를 바꾼 돈의 세계사》. 탐나는 책, 2011
- 박장호,《커피와 크라상》, 도서출판 선, 2019
- 시오노 나나미, 정도영 옮김,《바다의 도시 이야기》, 한길사, 1996
- 어니스트 헤밍웨이, 강남현 옮김,《노인과 바다》, 월드컴 출판사, 2006
- 에른스트 H. 곰브리치, 이내금 옮김,《곰브리치 세계사》, 자작나무, 2004
- 유홍준,《산은 높고 바다는 깊네, 추사 김정희》, 창비, 2018
- 이노우에 교스케·NHK 어촌취재팀, 김영주 옮김,《어촌자본주의》, 동아시아, 1998
- 이주희(EBS 미디어 기획),《군림할 것인가 매혹할 것인가, 강자의 조건》, 엠아이디 (MID), 2014
- 장장년·장영진, 김숙향 옮김,《세계역사, 숨겨진 비밀을 밝히다》, 눈과마음, 2007
- 장 콩비, 노성기·이종혁 옮김,《세계 교회사 여행 1, 2》, 가톨릭 출판사
- 전국역사교과서모임,《문명과 문명의 대화》, 휴머니스트, 2005
- 주강현,《세계의 어시장》, 눈빛, 2019
- 주강현,《환동해 문명사》, 돌베개, 2015
- 주경철,《문화로 읽는 세계사》, 사계절, 2005
- 주성호·강범구·우예종·류영하,《신해양시대의 미래전략》, 바다위의 정원, 2016
- 피터 왓슨, 조재희 옮김,《거대한 단절 Great Divide》, 글항아리, 2016
- 필립 아더, 서영경 그림, 김옥진 옮김,《오늘을 만든 모든 것들》, 아이세움, 2005
- 한국해양수산개발원,《The Ocean 시리즈》, KMI, 2015
- 한국해양재단,《한국해양사 I, II, III》, 한국해양재단, 2013

- 해양수산부, 《2016 해양경제》, 해양수산부, 2017
- 현경병, 《유럽을 만든 사람들》, 도서출판 무한, 2015
- Chua Thia-Eng·Gunnar Kullenberg·Danilo Bonga, 《Securing the Oceans》, PEMSEA & The Nippon Foundation, 2008
- David Loaders, 《England's Maritime Empire》, Longman, 2000
- David McLean, 《Education and Empire》British Academic Press, 1999
- Niall Ferguson, 《Empire, How Britain Made the Modern World》, Allen Lane Penguin Books, 2003

- 공유마당 https://gongu.copyright.or.kr/
- 국립해양조사원 https://www.khoa.go.kr/
- 국토교통부 http://www.molit.go.kr/
- 국토지리정보원 https://www.ngii.go.kr/
- 극지연구소 https://www.kmi.re.kr/
- 두산 백과 http://www.doopedia.co.kr/
- 수협중앙회 https://www.suhyup.co.kr/
- 위키백과 https://ko.wikipedia.org/ https://www.wikipedia.org/
- 한국원양산업협회 http://www.kosfa.org/
- 한국해양과학기술원 https://www.kiost.ac.kr/
- 한국해양수산개발원 https://www.kmi.re.kr/
- 해양수산부 통계 https://www.mof.go.kr/statPortal/main/portalMain.do
- KOTRA(국가정보) https://news.kotra.or.kr/

그림 자료 출처

호모 씨피엔스

1판 1쇄 발행 2021년 12월 29일
1판 5쇄 발행 2022년 02월 07일

지은이 윤학배
펴낸이 김병우
펴낸곳 생각의창
주소 서울 서대문구 거북골로 120, 204-1202
등록 2020년 4월 1일 제2020-000044호

전화 031)947-8505
팩스 031)947-8506
이메일 saengchang@naver.com

ISBN 979-11-970172-4-7 (03300)